Britt Sandquist-Bolin
Den nya maten

Britt Sandquist-Bolin
Den nya maten

Smalkostkokbok

Askild & Kärnekull

ISBN 91 7008 688 5

Innehåll

Förord

Intresset för mat är enormt och det med all rätt. Det är ju maten vi lever av! Men man kan inte äta *vad som helst* hur *länge som helst* utan att det sätter spår. Därför är det också viktigt *vad man äter,* när och i vilka proportioner. Mitt i all vår nyvunna välfärd kan vi nämligen hamna väldigt snett – välja helt efter smak och inte efter vad som är hälso-klokt. Och då gäller det att se upp!

Det här med rätt kost är dock inget entydigt begrepp, tack och lov. Vi är alla individer med olika behov, smak, möjligheter och mer eller mindre goda vanor. Därför bör och måste var och en själv komma fram till vad som är rimligt och lämpligt att äta för att må så bra som möjligt, *både psykiskt och fysiskt.* Man ska inte behöva vara näringsexpert för att veta vad man ska äta och bjuda sin, kanske växande, familj, men ett visst mått av kunskaper är å andra sidan inte dumt. Det är ju stora värden som står på spel – egen och andras HÄLSA, dvs det allra viktigaste vi har!

Barn och ungdomar måste givetvis få hjälp med att äta rätt – goda kostvanor börjar ju genast man är född, ja i viss mån även innan. Det måste vara de vuxna som har huvudansvaret för att de små äter så klokt som möjligt med allt vad det innebär av hänsyn till smak, "fixa idéer", barnens ålder m m. Det är ju inte nödvändigt att äta morötter om man har klar motvilja mot det. Men att låta en måltid enbart bestå av t ex köttbullar är att gå alldeles för långt åt andra hållet. En lagom blandning på "kostcirkelvis" eller efter hur maten planeras enligt "basmat och tillägg" – det är det enda vettiga med tanke på hälsa, både dagens hälsa och den vi planerar för på 30–40–50 års sikt, och ekonomi. Vi som redan är vuxna, vad kan vi göra för att må bättre, orka mera och hålla hälsoproblemen på så långt avstånd som möjligt?

Jo, motionera tre gånger i veckan. Låta bli att röka. Byta ut socker, vitt mjöl och feta charkuterivaror mot mer mager mat, grovt bröd, mer grönsaker, frukt och rotfrukter till att börja med. Om man sedan vill leva helt eller delvis vegetariskt får bli en sekundär fråga. Med så stora förändringar som föreslagits i levnadsvanorna ovan skulle vi kunna minska de nu 100 miljoner sjukdagarna till 30 miljoner enligt dr Karl-Otto Aly, Tallmogårdens hälsohem. Vad det skulle betyda rent ekonomiskt för oss alla kan man bara gissa sig till. Att det är astronomiska siffror det rör sig om kan dock var och en förstå.

Den här boken har kommit till för att hjälpa dig att åstadkomma en så bra, god och omväxlande mat som möjligt på det här temat. Jag har försökt fånga upp ett nytt sätt att äta med väsentligt mycket mer grönsaker och rotfrukter, mat som är grövre och innehåller mer fibrer och många laktovegetariska rätter.

Här finns mat för dig som vill banta och sedan leva smalt och sunt, men ändå utan överdrifter. Det är våra vanliga gamla livsmedel recepten utgår från plus en del härliga, lite nya produkter från hälsoboden. Recepten är så "smala" som det går, utan att maten är torrare eller smakar sämre för det. Inte heller behöver man gå hungrig från det "smala" bordet. Grönsaker och rotfrukter mättar bra, likaså den grövre maten med mer fibrer, som inbjuder till att tugga väl och äta långsammare, mer avspänt. Här finns också förklaringar på begreppen hälsokost och syra-bas balansen, förslag och förklaringar till vilket fett man ska välja, lite om fasta, en laktovegetarisk matpyramid och annat som ger en del av teorin bakom recepten. Boken är skriven för dig som vill veta mera och som hellre vill leva både klokt och gott än bara följa minsta motståndets lag i ditt kostval!

Äter man så här har man kommit en bra bit på väg mot ett bättre, gladare och sundare sätt att leva. Att bryta matvanor är inte gjort i en handvändning, tvärtom är det svårt och tar vanligen lång tid. Så låt det göra det då! Det är bättre att prova en eller två saker i taget och låta dem smälta in i hushållet än att genast vara radikal, då blir det ofta bara bakslag. Men enbart en bra kost räcker inte för att må bättre – motion spelar också en stor roll. Daglig eller tre–fyra gånger i veckan. Unna dig det också, det är du väl värd!

Lidingö i maj 1977
Britt Sandquist-Bolin

PS. Recepten är inte näringsdeklarerade i siffror. När man äter så här bra mat, i lagom mängder och med basmaten som daglig grund, behöver man knappast belasta sig med att räkna ut kalorier, protein, salter, vitaminer osv för dagligt bruk. Att det har ett stort teoretiskt värde är dock självklart. Hur näringsdeklarerade måltider ser ut i siffror finns därför med som exempel. För övrigt får recepten och kostråden, ditt sunda förnuft och vågen tala! Och som sagt, glöm inte motionen!

Kostcirkeln. En utmärkt hjälp för att lära sig planera den viktiga maten för dagen.

Grupp 1: Grönsaker
Grupp 2: Frukt och bär
Grupp 3: Potatis och rotfrukter
Grupp 4: Mjölk och mjölkprodukter
Grupp 5: Kött, fisk, ägg
Grupp 6: Mjöl, gryn, bröd, spannmålsprodukter
Grupp 7: Smör, margarin och olja

Näringsläran i ett nötskal

Goda matvanor och regelbunden motion ger så god hälsa som det är möjligt – många andra faktorer spelar ju också in.

Bakom de goda matvanorna finns en teori som alltid är rolig att känna till. Här serveras den näringskunskapen i kortfattade ordalag. Det finns många specialböcker i ämnet för dig som vill fördjupa dig ytterligare.

Observera att näringsläran är långt ifrån utforskad i sin helhet. Mängder av frågor är ännu obesvarade och varje år görs många nya rön. Ett vakande öga behöver man därför alltid hålla på dags- och veckopress om man vill vara à jour i detta spännande ämne, spännande därför att det gäller dig och mig och vår dyrbara goda hälsa!

Från mat till näringsämnen

För att kroppen ska ha någon nytta av den mat (och dryck) vi äter måste den brytas ner till näringsämnen. Detta sker i matsmältningskanalen dvs från munnen till ändtarmen.

Vissa näringsämnen *måste* finnas färdigbildade i maten, kroppen kan inte själv framställa dem. De kallas därför livsviktiga eller essentiella. Vi behöver ca 50 sådana livsviktiga näringsämnen *varje dag* och dessutom energi, som bildas vid nerbrytningen av maten i kroppen, främst av de två näringsämnena kolhydrat och fett. Som hjälp för att hitta rätt bland alla livsmedel vi numera kan köpa är "kostcirkeln", se bilden till vänster, och det nyare "basmat och tillägg", se s 26–28, bra hjälpmedel. För dig som vill leva laktovegetariskt finns en matpyramid att följa på bilden på s 39.

De 6 näringsämnena

All mat består av ett, två eller flera näringsämnen och dessa är följande:

1 Kolhydrater   1, 2 och 3 ger energi

2 Fetter

3 Proteiner   3 och 4 är byggnadsmaterial

4 Salter (mineral-   i celler

ämnen)

5 Vitaminer   3, 4 och 5 styr ämnes-

omsättningen

6 Vatten   6 är viktigast av allt, kan vi

bara vara utan några få dygn

Kroppens ungefärliga sammansättning syns på figuren nedan.

Varje dag förlorar kroppen en del näringsämnen genom förbränning eller nerbrytning och genom urin, avföring och svett samt genom avstötta celler från huden och tarmkanalens slemhinnor.

Kroppens innehåll med vatten i benen osv
- Salter (axeln)
- Kolhydrater
- Fett
- Protein
- Vatten

Kolhydrater

Kolhydrater kommer nästan uteslutande från växtriket. Minst hälften av den energi vi behöver (vanligen ca 2 000 kcal) bör täckas av kolhydrater från grönsaker, frukt och bär, potatis, rotfrukter och bröd m fl spannmålsprodukter. 1 g kolhydrat = 4 kcal (17 kJ)

Kolhydraterna indelas i:
- enkla och sammansatta sockerarter
- stärkelse
- cellulosa och pektiner

Sockerarter

Enkla sockerarter
- *Glukos* (druvsocker) finns i honung och frukt. Blodet innehåller 1 %.
- *Fruktos* (fruktsocker) finns i honung och frukt.
- *Galaktos* ingår i mjölksocker.

Sammansatta sockerarter
- *Sackaros* (rör- och betsocker) kallas i dagligt tal socker eller strösocker.
- *Maltos* (maltsocker) bildas av stärkelse när sädeskornen gror.
- *Laktos* (mjölksocker) finns i mjölk (komjölk ca 5 %).

Sockerarterna har olika söthetsgrad. Om man sätter sackarosens söthetsgrad till = 100 får man följande jämförelsetal:

173 fruktos
100 sackaros
 74 glukos
 32 maltos
 16 laktos

Så när du sötar ditt örtte, t ex, kan du ta mycket mindre av fruktsocker men lite mer av honung för att få den sötma du är van vid.

De enkla sockerarterna tas upp direkt i tarmen – därför blir man *snabbt* pigg av en druvsockertablett vid kroppsansträngning. Rent socker sägs ofta ge "tomma kalorier", dvs det innehåller endast kolhydrater som näringsämne, inte vitaminer och salter eller något annat. I de kostrekommendationer man lämnar på många håll är det just detta socker man vill minska på. Kolhydrater med bra sammansättning finns i andra livsmedel. Socker finns framför allt i läskedrycker, sötsaker, choklad och konditorivaror, produkter som vi med fördel kan minska på eller rent av stryka helt.

Stärkelse
Stärkelse finns framför allt i potatis, mjöl, gryn, ris, spaghetti/makaroner, rotfrukter, majs m m. Stärkelse förklistras i vatten vid ca +60° C. Jämför rå och kokt potatis!

Stärkelse kan omvandlas till socker när frukt och bär mognar, när potatis fryser och i tarmen när vi ätit t ex kokt potatis eller ris, medan socker omvandlas till stärkelse i sädesslag och baljväxter när de mognar.

Cellulosa
Cellulosa är en sorts kolhydrat som vi inte kan sönderdela i tarmen (djur kan det däremot). Det bildas därför ingen energi av cellulosa. Men det har ändå ett mycket stort värde – cellulosarik mat behöver nämligen tuggas väl och därmed ökar salivavsöndringen och matsmältningen kommer igång redan i munnen, vilket är mycket bra. Cellulosan ger också en viss volym åt maten, fyller ut den så att man känner sig behagligt mätt och hjälper att hålla igång tarmens rörelser (peristaltiken). Med resultat att man kan slippa den farliga förstoppningen. Cellulosa finns i kli, helkornsmjöl, skaldelar, grönsaker, rotfrukter m m.

Pektin
Pektin är en kolhydrat som finns i växter. Pektin kallas också geléämne och det är detta, som gör att frukt- och bärsafter bildar gelé.

Kolhydrater beskylls ofta för att vara fettbildande och det är de – när vi äter för mycket dvs mer än vi gör av med. Detta gäller även fett och protein!

Kolhydraterna lagras upp i muskler och lever som *glykogen*. Glykogenet används som en lättillgänglig energireserv och det omvandlas till socker om blodsockerhalten sjunker.

Kolhydrater finns främst i grupp 1, 2, 3 och 6 i kostcirkeln.

Fetter

Fett består av flera olika ämnen, som sönderdelas i glycerol och fettsyror.

Man skiljer på *mättade, enkelomättade* och *fleromät-tade fettsyror*. Fettsyrornas art avgör vilken konsistens fettet har. Oljor innehåller övervägande omättade fett-syror, medan fast fett innehåller mättade. Fett ger oss energi – per gram dubbelt så mycket som kolhydrater och protein eller ca 9 kcal (38 kJ) – fettlösliga vitaminer A, D, E och K och livsviktiga fettsyror.

De livsviktiga fettsyrorna – linolsyra, linolénsyra och arachidonsyra sänker blodets fetthalt av kolesterol. Därför är det viktigt att kosten innehåller en viss del fleromättat fett (eller ca 3 % av kostens totala energiin-nehåll). I vår nuvarande kost ligger konsumtionen på just denna nivå.

Kolesterol är ett fettliknande ämne som finns i ani-mala livsmedel, speciellt i äggula, fiskrom, nöthjärna och lever. Kroppen bildar själv avsevärda mängder ko-lesterol. Stor konsumtion av kolesterolrika livsmedel tenderar att öka blodfetthalten. Denna påverkas dock mer av mättat fett än av kolesterol i kosten.

Mättat fett finns framför allt i mjölk, ost och smör samt kokosfett (som ofta används i den bekvämmat vi köper färdig!)

Fleromättat fett finns framför allt i majsolja, solrosfröol-ja, höns och all fet fisk. Allt fett från växtriket är alltså inte nyttigt och allt fett från djurriket är inte onyttigt.

Hög halt av fetter i blodet kan bidra till uppkomsten av åderförfettning. Den viktigaste åtgärden för att min-ska risken för sjukdomar är att sänka den totala fett-mängden i maten samt att välja fleromättat fett.

25–35 % av energitillförseln bör komma från fett i maten. I den nuvarande kosten (1974) är det knappt ca 39 % som kommer från fett, alltså något för mycket. Man skiljer mellan *synligt fett* i t ex smör, margarin, oljor, fett fläsk och annat kött samt *osynligt fett* i t ex feta charkuterivaror, kakor och tårtor, wienerbröd, ma-jonnäs, ost och fet fisk.

I allmänhet är fet mat mjuk och smidig att äta och fyller ganska stor funktion ur denna synpunkt. Maten blir lättare att tugga och svälja. Återhållsamhet är dock klokt, fett och fet mat "slinker lätt ner" utan att man märker det och ger därmed mer kalorier än man oftast behöver. Någon risk för att vi äter för lite fett finns inte. *Fett finns främst i grupp 4, 5 och 7 i kostcirkeln.*

Protein

Protein kommer av det grekiska ordet proteos vilket betyder den förste. Det är byggnadsmaterialet för kroppens alla celler. Proteinerna innehåller kol, väte, syre, kväve och svavel i mindre mängd. Några innehåller också fosfor och jod. Vid matsmältningen sönderdelas proteinerna i maten i ett tjugotal aminosyror som binds samman och bildar kroppens proteiner. Proteiner ingår också i enzymerna, som styr ämnesomsättningen, och ger energi. 1 g protein = 4 kcal (17 kJ). Av de tjugo aminosyrorna är det *åtta* som är *essentiella* dvs livsviktiga. Dessa åtta måste tillföras med födan för att kroppen sedan ska kunna framställa de proteiner som behövs för cellbyggnaden osv. Fattas någon essentiell aminosyra vid en måltid kan proteinet inte utnyttjas helt även om de andra aminosyrorna finns i överskott. Därför är det så viktigt att varje måltid är sammansatt av flera grupper ur kostcirkeln. Proteinet finns framför allt i mjölk, ost, kött, fisk, ägg, bröd, ärter och bönor. Av vegetabilier är det endast sojabönor som innehåller essentiella aminosyror.

Vi behöver knappt 1 g (0,8 g) protein per kg kroppsvikt medan barn, ungdomar, havande och ammande kvinnor behöver mer, se tabell s 18–19. Den som väger 60 kg behöver alltså 48–60 g protein per dag. I Sverige äter vi i genomsnitt 80 g protein per person och dag varav 54 g från animalier. Någon brist på protein är det knappast någon risk för i vårt land, tvärtom anser många att vi äter långt mer än vad som är bra. *Protein finns främst i grupp 1, 4 och 5 i kostcirkeln.*

Salter

Salter (även mineralämnen) har två uppgifter i kroppen: dels är de *byggnadsmaterial,* dels ingår de i vissa fall i de enzymer som *reglerar ämnesomsättningen,* t ex järn, zink, koppar.

Järn

Järn finns i blodets hemoglobin (Hb) det röda ämne som transporterar syret från lungorna till andra kroppsvävnader. Dessutom förekommer järn i vissa av cellernas enzymer och i musklernas myoglobin. Kvinnor i åldrarna 10–55 år behöver mycket järn för att ersätta det som förloras vid mensperioder och förlossningar. Vid graviditet behövs också järn för fostrets behov. Barn föds med ett järnförråd som räcker i ca 6 månader. Barnet bör sedan få dagligt tillskott av järn genom grönsaker och fruktsafter.

Barn och män behöver 10 mg järn/dag. Barn från 6 mån–3 år behöver 15 mg och växande tonåringar, kvinnor behöver 18 mg järn/dag. Detta är inte så enkelt att fylla. Järnbrist är den vanligaste bristsjukdomen hos barn och ungdom i hela världen, också i Sverige. Detta beror på en alltför ensidig kost och på att vi vanligen resorberar endast ca 10 % av järnet i kosten. Järn i kött, inälvsmat och blodmat utnyttjas dock mycket bättre än järn i t ex spannmål, ägg och grönsaker.

Järn finns i små mängder i de flesta livsmedel och i större mängd i följande: kött, lever, blodmat, gröna bladgrönsaker, grönkål, persilja, ärter, bönor, bröd, fisk, ägg, blåbär, berikade siktade mjölsorter och mat lagad i järngrytor eller stekpannor av järn speciellt om rätten – t ex köttbullar, späds med lite vatten eller om den är syrlig av t ex tomater eller rödkål. Brist på järn yttrar sig i trötthet, huvudvärk och "blodbrist" = järnbristanemi. Tänk på att vitamin C behövs för att förbättra järnresorbtionen. Varje måltid ska därför alltid innehålla något livsmedel som är rikt på vitamin C.
Järn finns främst i grupp 1, 3, 5 och 6 i kostcirkeln.

Rekommenderad daglig mängd energi och näringsämnen.

Ålder från–till	Vikt	Längd	Energi		Protein	Fettlösliga vitaminer Vita- min A retinolekv	Vita- min D	Vita- min E aktivitet
år	kg	cm	kcal	MJ	g	μg	μg	mg
Spädbarn								
			kg X	kg X	kg X			
0,0–0,5	6	60	117	0,49	2,2	420	10	4
0,5–1,0	9	71	108	0,45	2,0	400	10	5
Barn								
1–3	13	86	1 300	4,2	23	400	10	7
4–6	20	110	1 800	7,5	30	500	10	9
7–10	30	135	2 400	10,1	36	700	10	10
Män								
11–14	44	158	2 800	11,7	44	1 000	10	12
15–18	61	172	3 000	12,6	54	1 000	10	15
19–22	67	172	3 000	12,6	54	1 000	10	15
23–50	70	172	2 700	11,3	56	1 000	–	15
51+	70	172	2 400	10,1	56	1 000	–	15
Kvinnor								
11–14	44	155	2 400	10,1	44	800	10	12
15–18	54	162	2 100	8,8	48	800	10	12
19–22	58	162	2 100	8,8	46	800	10	12
23–50	58	162	2 000	8,4	46	800		12
51+	58	162	1 800	7,5	46	800		12
Gravida			+300	+1,3	+30	1 000	10	15
Ammande			+500	+2,1	+20	1 200	10	15

Kalcium

Kalcium, i dagligt tal kalk, bygger tillsammans med fosfor upp skelettet och tänderna. Ett nyfött barn har i sin kropp bara 25–30 g kalcium. Detta ökar sedan och den vuxne har ca 1 200 g kalcium. Det är därför viktigt

Vattenlösliga vitaminer							Mineraler					
Askor-bin-syra mg	Fola-cin µg	Nia-cin mg	Ribo-fla-vin mg	Tia-min mg	Vita-min B mg	Vita-min B µg	Kal-cium mg	Fos-for mg	Jod µg	Järn mg	Mag-nesi-um mg	Zink mg
Spädbarn												
35	50	5	0,4	0,3	0,3	0,3	360	240	35	10	60	3
35	50	8	0,6	0,5	0,4	0,3	540	400	45	15	70	5
Barn												
40	100	9	0,8	0,7	0,6	1,0	800	800	60	15	150	10
40	200	12	1,1	0,9	0,9	1,5	800	800	80	10	200	10
40	300	16	1,2	1,2	1,2	2,0	800	800	110	10	250	10
Män												
45	400	18	1,5	1,4	1,6	3,0	1 200	1 200	130	18	350	15
45	400	20	1,8	1,5	2,0	3,0	1 200	1 200	150	18	400	15
45	400	20	1,8	1,5	2,0	3,0	800	800	140	10	350	15
45	400	18	1,6	1,4	2,0	3,0	800	800	130	10	350	15
45	400	16	1,5	1,2	2,0	3,0	800	800	110	10	350	15
Kvinnor												
45	400	16	1,3	1,2	1,6	3,0	1 200	1 200	115	18	300	15
45	400	14	1,4	1,1	2,0	3,0	1 200	1 200	115	18	300	15
45	400	14	1,4	1,1	2,0	3,0	800	800	100	18	300	15
45	400	13	1,2	1,0	2,0	3,0	800	800	100	18	300	15
45	400	12	1,1	1,0	2,0	3,0	800	800	80	10	300	15
60	800	+2	+0,3	+0,3	2,5	4,0	1 200	1 200	125	18+	450	20
80	600	+4	+0,5	+0,3	2,5	4,0	1 200	1 200	150	18	450	25

Källa: Food and Nutrition Board, Washington, 1974

att kosten innehåller tillräckligt med kalcium. Små men viktiga mängder kalcium finns också i blodet och har betydelse för blodets koagulering. Kalciumresorptionen kräver att både fosfor och vitamin D finns i kosten. Den stimuleras även av protein.

Vid långvarig kalciumbrist urkalkas skelettet vilket kan leda till benskörhet. Även äldre personer bör äta kalciumrik mat för att inte riskera sådan urkalkning. Barn och ungdom samt gravida och ammande kvinnor behöver mycket kalcium. Först och främst måste alltid fostrets behov bli tillgodosett. Äter modern då inte något mer kalcium riskerar hon att få kalciumbrist, en brist som resulterar i försämrad uppbyggnad av benstomme och tänder, senare rakitis (engelska sjukan) benskörhet och kramper.

Tänk på att: rabarber, harsyra, ängssyra, spenat och kakao i större mängder, eller serverade ofta, alltid ska kompletteras med mjölk. Dessa livsmedel innehåller nämligen oxalsyra som binder kalcium till en olöslig förening och gör att kroppen inte kan ta upp kalcium.

Kalciumrika livsmedel är mjölk, ost och mesost, äggula, bönor, grönkål och andra kålsorter med mörkgröna blad.

För vuxna rekommenderas 0,8 g (800 mg) kalcium per dag i kosten.

Kalcium finns främst i grupp 1, 4 och 5 i kostcirkeln.

Fosfor

Fosfor är jämte kalcium huvudbeståndsdelen i skelett och tänder, men finns även i nerver, blod och hjärna.

Relationen fosfor/kalcium i skelettet är alltid 1–2, fosforn följer kalcium och finns alltid i kalciumrika livsmedel.

Brist på fosfor förekommer sällan. Det finns mer allmänt i vår kost (också där kalciummängden är lägre). Mjölk, ost, ägg, fisk, ärter, bönor och hel spannmål tillhör våra fosforrika livsmedel.

Fosfor finns främst i grupp 1, 3, 4, 5, 6 i kostcirkeln.

Jod

Jod behövs för bildning av sköldkörtelns hormoner som i sin tur reglerar ämnesomsättningen. Jod behövs i små mängder. Jod finns i havet och i havsluften och därmed i saltvattensfisk och skaldjur samt i växter som skördas i kustlandskapen.

Mjölk kan vara en viktig jodkälla, om djuren utfodrats med jodhaltigt foder. Joderat bordssalt är en annan viktig jodkälla (50 mg jod/kg salt).

För lite jod i kosten under fosterstadiet eller i barndomen gör att barn kan bli dvärgar och mentalt störda, för vuxna blir grundomsättningen sänkt och struma kan uppträda.

Jod finns främst i grupp 5 (fisk) i kostcirkeln.

Kalium

Kalium finns i alla celler. Lätt kaliumbrist förekommer ibland hos äldre personer på grund av brist i kosten eller – mer vanligt – orsakad av användning av vissa urindrivande mediciner. Därvid fordras kalium i tablettform. Det viktigaste symptomet på kaliumbrist är muskelsvaghet, dålig koncentrationsförmåga och slöhet. Kaliumbrist är dock mycket ovanlig. I vanlig mat tillgodoser vi kroppen med mer än vårt dubbla minimibehov. Kalium finns allmänt. Kaliumrika livsmedel är bl a frukt t ex fikon, juice, bönor, jordärtskockor, vetekli och vetegroddar, messmör och knäckebröd.

Kalium finns främst i grupp 1, 2, 3, 4 och 6 i kostcirkeln.

Övriga salter

Av övriga salter är t ex natrium, koppar, zink, magnesium och mangan livsviktiga. De är verksamma i mycket små mängder och kallas vanligen "spårämnen". Brister är ganska ovanliga.

Vitaminer

Vitaminernas viktigaste uppgifter i kroppen är att tillsammans med enzymer reglera ämnesomsättningen. Av de ca 15 olika vitaminer man nu känner till har var och en sin särskilda uppgift och kan inte ersättas av ett annat vitamin.

Vitaminerna delas in i två grupper
- *Fettlösliga* vitaminer: vitamin A, D, E och K. Fettlösliga vitaminer kan lagras i kroppen.
- *Vattenlösliga* vitaminer: B-gruppens vitaminer – tiamin, riboflavin, niacin m fl. Vitamin C.
  Vattenlösliga vitaminer kan behållas i relativt små mängder i kroppen.

Vitamin A

Vitamin A har betydelse för tillväxt och normal benbildning och för ögats anpassning till mörkerseende. Det ökar hudens och slemhinnornas motståndskraft mot infektioner och förkylningar.

Vitamin A är nödvändigt för växande barn. För att säkra dagsbehovet ger man barn A-D-vitamindroppar. Det är viktigt att man följer doseringsanvisningarna. *För mycket* vitamin A är inte bra, kan t o m vara farligt. Färdigt vitamin A, retinol, finns framför allt i lever, mjölk, äggula och smör. Ett förstadium, karotin (provitamin A-karotenoid) förekommer i bl a morötter, paprika, bladgrönsaker och aprikoser. Det omvandlas i kroppen till retinol. Karotin är ett gulrött färgämne. Det döljs av det gröna färgämnet klorofyll i gröna grönsaker.

Vitamin A angavs tidigare i IE (internationella enheter) där en IE = 0,0003 mg retinol. Numera mäter man i *ekvivalenter* (mikrogram μg). En IE = 0,3 μg retinol.

Vitamin A finns i rikliga mängder i lever, fiskleverolja, ägg, smör, vitaminerat margarin, lättmjölk och som karotin i bl a nypon, aprikoser, tomater och gröna grönsaker.

Vitamin A förstörs lätt om man steker i för hög temperatur. Det tål heller inte förvaring i ljus och luft. Förvara livsmedlen svalt, mörkt och lufttätt.
Vitamin A finns främst i grupp 1, 3, 4, 5 och 7 i kostcirkeln.

Vitamin D

Vitamin D, kalciferol, är nödvändigt för att man ska kunna tillgodogöra sig kalcium och fosfor i kroppen. Behovet av detta vitamin är särskilt stort för barn och ungdom, gravida och ammande kvinnor. Barn bör därför få A-D-vitamin, speciellt under vinterhalvåret.

Vitamin D bildas i huden av ett ämne, sterol, när solens ultravioletta strålar lyser på huden. Under solrika somrar kan vi lagra vitamin D.

På våren när solen äntligen börjar lysa igen räcker det, för en vuxen, att sola endast ansiktet i 5 min för att täcka dagsbehovet av vitamin D. Kanske är det kroppens behov av vitamin D som får hela svenska folket att just sätta sig i vårsolen? På eftersommaren känns behovet av solbad inte alls lika starkt, då är förråden av vitamin D fyllda. För övrigt lär det vara brist på vitamin D som är orsak till den vårtrötthet som nästan alla känner.

Vitamin D finns dock också i maten, bl a i fet fisk, fiskleverolja, mjölk, lever, äggula, smör, vitaminerat margarin och lättmjölk.

Vitamin D mäts ofta i IE. En IE = 25 μg. Brist på vitamin D orsakar, för barn, att benstommens förkalkning och tändernas mineralisering försenas. Vid svår brist får barn rakitis (engelska sjukan) som visar sig i plattfothet, sned rygg, ko- och hjulbenthet m m. Rakitis inträffar fortfarande i Sverige. I tropikerna är sjukdomen mer vanlig därför att man där undviker sol! Hos äldre uppträder osteomalaci, benskörhet, vid brist på vitamin D. Livsmedel med vitamin D ska skyddas för ljus, alltså förvaras mörkt.

Vitamin D finns främst i grupp 4, 5 och 7 i kostcirkeln.

Vitamin E

Vitamin E, tokoferol, kallas ibland antisterilitetsvitamin. Det behövs bl a för omsättningen av fleromättade fettsyror. I en normal kost får vi tillräckligt med vitamin E. Det finns i riklig mängd i oljor, vetegroddar och fet fisk, spannmålsprodukter och en del gröna blad. Behovet av vitamin E är relaterat till mängden fleromättat fett i kosten. En IE vitamin E beräknas behövas per gram fleromättat fett.

Vitamin E finns främst i grupp 5 (fet fisk), 6 och 7 i kostcirkeln.

Vitamin K

Vitamin K är nödvändigt för blodets koaguleringsförmåga (förmåga att stelna). Vitamin K bildas av bakterier i tjocktarmen. Nyfödda barn, som har en steril tarmkanal får därför vitamin K, liksom modern får detta före förlossningen.

Spenat, grönkål, blomkål och vitkål är goda vitamin K-källor.

Vitamin K finns främst i grupp 1 i kostcirkeln.

B-gruppens vitaminer

Bland B-gruppens vitaminer är det tiamin (B₁), riboflavin (B₂) och niacin som man räknar med. Utöver dessa finns pyridoxin, pantotensyra m fl, men vid näringsberäkningar brukar man inte räkna med dessa. Man anser att en kost som ger de tre först beskrivna vitaminerna också ger de övriga.

Tiamin finns mycket av i griskött, njure, sädesslag, ärter, bönor, sill och strömming.

Riboflavin finns mest i mjölk, ost, ägg, lever, sill och strömming.

Niacin finns i kött, lever, makrill, hälleflundra, sill och strömming. En del niacin producerar kroppen ur den livsviktiga aminosyran tryptofan.

Brist på B-gruppens vitaminer påverkar kroppen på många sätt. Huvudvärk, trötthet, dålig aptit, ångest och depressioner, förstoppning, minskad vitalitet är de vanligaste symtomen vid lindrig brist. Vid matlagning bör man tänka på att dessa vitamin är vattenlösliga och att man därför bör ta tillvara ev kokspad.

B-gruppens vitaminer finns främst i grupp 1, 4, 5 och 6 i kostcirkeln.

Vitamin C

Vitamin C, askorbinsyra, är oumbärlig för bl a bindväven och motverkar infektionssjukdomar. Det behövs också för att järnet ska resorberas och påverkar tändernas uppbyggnad samt sårläkning.

Vitamin C är känsligt för värme och oxidation genom luftens syre. Oxidationen går fortare vid förhöjd temperatur. Därför ska livsmedel som är rika på askorbinsyra alltid läggas i kokande vatten (luften har då drivits ut ur vattnet) och kokas under lock så kort tid som möjligt. Vid tillagning av grönsaker kan förlusten uppgå till 40 %, för bladgrönsaker upp till 70 %. Också vid varmhållning sker betydande förluster. Man avråder därför från all slags varmhållning av grönsaker och rotfrukter. Det är bättre att låta dem svalna och sedan värma dem igen.

Vid lagring av vitamin C-rika livsmedel minskar halten av vitaminet. Potatis har därför mer vitamin C under hösten än under våren.

Livsmedel rika på vitamin C är främst nypon, svarta och röda vinbär, citrusfrukter, paprika, blomkål, vitkål och brysselkål. Potatis hör också till de livsmedel man alltid propagerar för när det gäller vitamin C, inte för att den innehåller så mycket utan för att vi äter potatis ofta och i rätt stora mängder.

Brist på askorbinsyra medför trötthet, huvudvärk, dålig aptit och ibland blödande tandkött (detta kan dock även bero på dålig munhygien). Blir bristen ännu mer uttalad får man skörbjugg.

Tänk på att: *råkost* och *skurna grönsakssallader* bör skyddas mot luftens syre genom att man droppar citronsaft eller vinägersås över och förvarar dem kallt. Vitamin C är ett vattenlösligt vitamin. Kokspad från grönsaker och rotfrukter bör användas.

Vid djupfrysning sker däremot inga förluster av vitamin C.

Vitamin C finns främst i grupp 1 och 2 i kostcirkeln.

Vatten

En vuxen människa består till 65 % av vatten. Utan vatten kan vi bara leva några få dygn.

Vatten är en viktig beståndsdel i alla celler och vävnader. Det är nödvändigt för alla de processer som sker i kroppen. Vatten används främst som kroppens lösnings- och transportmedel bl a i blodet och i urinen. Det är också med vattnets hjälp vi reglerar kroppstemperaturen. Varje dag förlorar vi 2–3 liter vatten genom urin, avföring och avdunstning från hud och lungor. Detta måste ersättas med vatten från mat och dryck.

Med drycker får vi ca 1–1 1/2 liter vatten per dag och från mat 1/2–1 liter. Även fast föda innehåller mycket vatten – grönsaker och frukt ca 90 %, kött och fisk ca 70 % vatten.

Vid ämnesomsättningen bildas ca 4 dl vatten i kroppen. Behovet av vätska tillfredsställs i normala fall genom att man blir törstig och då dricker. Viktigt är att vid sjukdomar ge både barn och vuxna rikligt med vätska, gärna t ex utspädd juice, som också ger vitamin C.

Basmat och tillägg

Om man ska äta näringsriktigt till ett lågt pris måste man varje dag äta av en liten grupp livsmedel som är billiga i förhållande till sitt näringsinnehåll. Socialstyrelsens Kost och Motionsaktivitet har tillsammans med representanter från näringslivet arbetat fram ett matprogram som kallas "Basmat och tillägg". I detta har man delat upp livsmedlen i två grupper där *basmaten* består av livsmedel, i vissa mängder, som man med fördel kan äta av varje dag utan att tröttna på och *tillägg,* som består av livsmedel, som behövs för att komplettera basmaten ur närings- och smaksynpunkt.

Börja med basen:

3 glas mjölk = 6 dl	ca 600 g
3–4 skivor mjukt matbröd	ca 100 g
2 skivor knäckebröd	ca 25 g
2 skivor ost	ca 30 g
2 msk matfett	ca 30 g
4 potatisar (vikt utan skal)	ca 250 g
mjöl, makaroner, gryn eller flingor	ca 50 g
(välj 1 eller 2 sorter, tillsammans 50 g)	

Detta är den rekommenderade basmaten för en vuxen person.

Den ger ett mycket bra näringsinnehåll med bl a minimibehovet av protein, viktiga mineraler och vitaminer, men täcker inte energibehovet. Man kan alltså inte leva på baskosten, man måste äta av tillägget också.

Kvinnor i 10–55-årsåldrarna behöver mer järn än vad som finns i basmaten. Basmaten ger med lättmjölk och mager ost ca 1 300 kcal, med standardmjölk och helfet ost 1 450 kcal. Efter tycke och smak kan man naturligtvis ändra en hel del i basmaten. Den som inte vill dricka mjölk kan äta mer ost och använda mjölk i matlagningen. Den som inte uppskattar gryn kan öka brödmängden och ta samma mängd hårt bröd som gryn. Mängden

matfett bör man däremot inte öka på. Den ska räcka till
både matlagning och smörgåsar. Tonåringar och
kroppsarbetare är s k högenergiförbrukare. De behöver
alltså mer mat än vad som anges i basmaten ovan. De
kan då öka mängden bröd och potatis och behöver inte
tänka på att dricka mager mjölk eller äta mager ost.

Det exakta näringsinnehållet i en dags basmat ser ut
så här:

Basmatens näringsinnehåll:

	Mängd	Energivärde		Protein	Kalcium	Järn	Vitaminer A	B₁	B₂	C	D
	g	kcal	kJ	g	g	mg	mg	mg	mg	mg	µg
Lättmjölk	600	234	983	20	0,72	0,6	0,27	0,24	1,20	9	2,2
Mjukt matbröd	100	270	1.134	8	0,02	5,0	–	0,25	0,08	–	–
Knäckebröd	25	93	391	2	0,01	0,8	–	0,07	0,03	–	–
Ost, mager	30	88	370	10	0,28	0,1	0,04	–	0,12	–	0,1
Margarin	30	230	966	–	–	0,1	0,27	–	–	–	1,1
Potatis (vikt utan skal)	250	207	869	5	0,03	2,0	0,01	0,30	0,10	22	–
mjöl, gryn, etc.	50	184	773	5	0,01	1,2	–	0,11	0,04	–	–
Summa		1.306	5.486	50	1,07	(9,8)	0,59	0,97	1,57	31	3,4

Minimibehovet per dag (enligt Eeg-Larsen, Isaksson, Nikolaysen o Wretlind 1971)

För vuxen man				49	0,4	(10)	0,4	0,8	1,0	10	2,5
För vuxen kvinna				42	0,4	(18)	0,4	0,6	0,8	10	2,5

Reducerad basmat

Barn under 10 år, äldre och de som har bekymmer med vikten kan äta något mindre av basmaten – en reducerad basmat. Den ger då ca 900 kcal, 38 g protein, 7 mg järn och 18 mg vitamin C.

5 dl lättmjölk	ca 500 g
4 skivor bröd	ca 100 g
1 stor skiva mager ost	ca 20 g
drygt 1 msk matfett	ca 20 g
2 potatisar (vikt utan skal)	ca 125 g
mjöl, makaroner, gryn, flingor	ca 30 g

Basmaten bygger på livsmedel ur grupp 3, 4, 6 och 7 i kostcirkeln.

Tillägg

Tillägget till basmaten kan och bör varieras så att den dagliga maten inte blir enformig. Tilläggsmaten plockar man ur kostcirkelns grupp 1, 2, 3 och 5 dvs grönsaker, frukt och rotfrukter (utom potatis) samt kött-fisk-ägg.

Av grönsaker, frukt och bär kan man ta vad man vill, gärna rikligt. En eller två sorters grönsaker till huvudmåltiden och en frukt som avslutning eller mellanmål är en god regel.

Kött-fisk-ägg behöver man inte i några stora mängder för näringens skull. Men för smak och omväxling spelar de stor roll. Vill du helt utesluta dem går det bra. Ärter och bönor, nötter och sojaprodukter kan ersätta kött om du vill leva laktovegetariskt. Observera att socker inte ingår i kostcirkeln eller "basmat och tillägg". Av hälsoskäl bör vi äta så lite socker som möjligt.

Friskare mage

"En frisk mage är grunden för all hälsa" säger Lilly Johansson på Föllingegården. Och den numera världsberömde engelske cancerforskaren Denis Burkitt m fl propagerar för mer fibrer, mer frukt, grönsaker och rotfrukter just för att vi ska få friskare magar, må bättre och orka mera.

En frisk mage = en mage som fungerar, som tömmer sig minst en gång om dagen och som inte är hård utan snarare tvärtom. Det är egentligen en grov förenkling att tala om "magen" i detta sammanhang. Det är mag- och tarmkanalen som måste betraktas som en enhet, där tarmen har större betydelse än magsäcken. Magsäcken är bara ett uppsamlingskärl för födan. Där sker visserligen en viss mekanisk bearbetning av födan, saltsyra tillsätts och vissa enzymer påverkar den. Men det som sker i magsäcken under en relativt kort tid, i stort sett bara några timmar, något beroende på vad vi ätit, är bara en förberedelse till den egentliga behandlingen i tunntarm och grovtarm.

I likhet med de flesta växtätande djur har vi en mycket lång mag-tarmkanal, omkring 9 meter från munnen till ändtarmsöppningen. Denna sträcka ska födan passera på 20–24 timmar. Den mat vi åt igår ska vi alltså ha tillgodogjort oss under dagen och natten och resterna bör vi göra oss av med redan idag. I magen och tunntarmen sönderdelas maten kemiskt genom en successiv inblandning av matsmältningsenzymer. Dessa enzymer bearbetar födan, bryter t ex ner proteiner till aminosyror, bryter ner fetter med hjälp av galla o s v. I tunntarmens väggar finns tarmludd och bakom detta finns blodkärl som tar upp näringsämnena (men också andra ämnen, även gifter) och som sköter om transporten av näringen via levern (avgiftningsstation och lagringscentral) till alla kroppens delar, muskler, organ o s v. Varje cell i kroppen ska ha sin näring från födan som du har i tunntarmen. (Inte så underligt då att det är viktigt att vi äter rätt!)

Viktigt är därför också att de rätta bakterierna finns i tarmen. Nedbrytningen av födan måste ske utan jäsningar och andra störningar. Riktigt hur hela matsmältningen sker vet man ännu inte och av de ca 5 000 olika typer bakteriestammar vi har i tarmen är bara några hundra ännu utforskade. Mycket av det som händer när vi smälter maten återstår ännu att utforska, hur underligt det än kan låta.

Redan 4–5 timmar efter en måltid når födan övergången till tjocktarmen nere i bukhålan. Här bearbetas tarminnehållet långsammare allteftersom tarmväggen tar upp vattnet. Här utvecklas också ett intensivt bakterieliv som kroppens hälsa är helt beroende av, bl a bildas vitamin B_6, folsyra, pantolensyra, tiamin och vitamin K, som behövs för att bygga upp proteiner i levern. Vitamin K kallas även koagulationsvitamin och är nödvändigt för att blodet ska stelna (koagulera) vid blödningar. Men bakterierna producerar inte bara nyttiga ämnen utan även avfallsämnen, som är skadliga och retar tarmväggen och som blir direkt giftiga för oss om det blir för mycket av dem. Vissa sjukliga bakteriestammar kan också framkalla den rakt motsatta effekten: de förtär vitaminerna istället för att producera dem och berövar således kroppen ett av dess viktigaste skyddsämnen. En sund tarmflora är alltså en förutsättning för produktion av viktiga vitaminer.

Bakteriefloran är dock ingalunda en konstant faktor. Den uppvisar skillnader hos olika individer och även hos en och samma individ beroende på levnadssätt, föda, ålder m m. Tarmfloran påverkas av ensidig föda, hunger eller övernäring, alkohol, antibiotika, röntgenbestrålning, kemiska avföringsmedel m m. Just de sistnämnda kan fö fördärva tarmfloran så att förstoppningen som de skulle bota blir ännu värre!

I grovtarmen, där borttransporten av födan sker, efter att dess värdefulla innehåll har tagits till vara, kommer ballastämnena, fibrerna till nytta. Både Waerland och Burkitt m fl framhåller den grova matens stora betydelse för oss. Stagnation i tarmen, förstoppning på grund av för lite fibrer i kosten är ju direkt och indirekt orsak till åtskilliga sjukdomar. (Se kapitel om Fibrer s 33.)

Detta är en mycket förenklad bild av ett ytterst kompli-
cerat förlopp, där många faktorer, inte minst psykiska,
inverkar på slutresultatet. "Du är vad du äter" är ingen
överdrift.

Principerna för en sund mag- och tarmfunktion följer
principerna för en sund livsföring. Den första förutsätt-
ningen är att man äter en fullvärdig kost, en levande
föda som passar en naturlig tarm. Det är oerhört viktigt
att man startar med en sådan kost så tidigt som möjligt
i livet. Barn ska ha råkost och grovkost så att mag-
tarmkanalen utvecklas rätt och den växande individen
får ett normalt tarmepitel och därmed en fungerande
tarm. Den goda starten är av avgörande betydelse för
den sedermera vuxna människans hälsa. Den som inte
fått den goda starten har mycket svårt att senare skapa
en normalt fungerande tarm.

Vad påverkar mag-tarmkanalens funktion?

1. *Fullvärdig kost* med rikligt med frukt, grönsaker,
   rotfrukter, säd och helkornsbröd, rikligt med vätska,
   sura mjölkprodukter, yoghurt, surkål, surgurka
   m m.
2. *Regelbunden motion* framförallt om du har stillasit-
   tande arbete. De flesta barn har den "på köpet", men
   vi vuxna måste planera in daglig motion på dagspro-
   grammet. Annars är risken stor för att magen börjar
   "vantrivas". Motion innebär nämligen både ökad
   förbränning i kroppen och ökad cirkulation och där-
   med avgiftning. Rörelser är viktiga för hela mag-
   tarmsystemet.
3. *Riktig andning* ska inte bara tillföra oss frisk luft
   och syre till lungorna. Den ska också ge oss nödvän-
   dig massage av hela tarmsystemet. De flesta männi-
   skor har en s k nyckelbensandning som medför att
   buken över huvudtaget inte medverkar vid andning-
   en. Det är en ordentlig bukandning vi ska eftersträ-
   va. När vi har den så får också hela tarmsystemet en
   massage som motverkar förstoppning och har stor
   betydelse för vår hälsa.
4. *Psykisk balans* betyder också mycket för maghälsan,
   kanske allra mest. Vi vet ju att "nerverna sitter i

magen", har sitt centrum där. Alla behöver en god själshälsa, en psykisk balans som tar sig uttryck i god mänsklig kontakt, förståelse för andras problem. Också kärlek och ömhet är i hög grad beroende på en väl fungerande mage – och tvärtom! De flesta sjukdomar är psykosomatiska, dvs en fysisk sjukdom som tex magsår har sin egentliga orsak i jäkt och stress, kanske vantrivsel.

Vill du ha en "bra mage" så sikta därför inte bara på fullvärdig kost, rätt motion och andning utan även på god psykisk balans.

Förstoppning kan ge förkylning

När innehållet i mag-tarmkanalen blir stående för länge irriterar det mag-tarmslemhinnorna genom att en felaktig bakterieflora bildas. Till detta kommer en rent kemisk frätning samt att kroppen tvingas att absorbera mängder av gifter från det stillastående tarminnehållet. Detta utgör en enorm belastning på hela kroppen som får arbeta hårt för att rena organismen. Kroppen har dock ett eget försvar: en inflammation uppstår med resultat att tarmen töms i en form av diarré. Men det är bara en temporär lösning på problemet och förstoppningen börjar om igen. Blir det ingen radikal lösning på detta tillstånd kan allvarliga magsjukdomar uppstå, såsom tex ulcerös kolit. Tarmen är också en viktig länk i vårt lymfsystem. (Lymfan är vårt yttersta försvar mot inträngande virus). En förstoppad tarm med en felaktig tarmflora innebär att vårt lymfatiska system inte fungerar som det ska. En frisk tarm är alltså grunden till hela kroppens motståndskraft. Blir man lätt förkyld eller angripen av annat virus kan man i första hand misstänka att tarmfloran är felaktig eller att förstoppning är den egentliga orsaken.

Även "dåligt hjärta" kan ha sin grund i förstoppning. Det tarminnehåll som blir stående trycker på bla hjärtat så att det inte kan fungera normalt. Förstoppningens tryck kan också utgöra ett hinder för gallan att arbeta rätt. Detta medför en återgång av kolesterol till blodet. Människor med högt kolesterolvärde kan därför botas med kli mm – och det kan häva förstoppningen.

Vi äter för lite fibrer

Tugga, tugga – det gillar tänderna men också magsäck och tarm. För att kunna tugga är det viktigt att maten inte är så gott som "färdigtuggad" redan när vi serverar den. Såsom vitt bröd, makaroner, finmald korv, juice i stället för hel frukt o s v.

Förr i tiden åt vi mycket mer av grov mat, helkornsbröd – mjukt och hårt – skalpotatis, andra rotfrukter, grönsaker o s v. Och i u-länderna äter man också idag sådan mat och slipper därmed en lång rad av sjukdomar som vi har och som vi betecknar som vällevnadssjukdomar. Sjukdomar och sjukdomssymtom som vi alltså får för att vi mer bryr oss om vad som är enkelt att äta och laga och som har "rätt smak" i stället för att lära oss att uppskatta och äta det vår kropp behöver och fungerar bra av! Till de ingredienser vi behöver i maten hör *fibrer* och det finns på många håll i vår vanliga mat:

Produkt, 100 g	Växfiber ca
Kli	50 g
Vitkål	20 g
Morötter	13 g
Äpplen	11 g
Fikon	11 g
Bönor	10 g
Knäckebröd	9 g
Ärter	9 g
Potatis	6 g

Till fibrer räknas också skal, kärnor, membraner och stjälkar m m.

Enligt den numera världberömde fiberforskaren Denis P Burkitt behöver vi bara äta ett par matskedar vetekli om dagen för att bli betydligt friskare och piggare. Forskare, med dr Burkitt i täten, har nämligen funnit att förstoppning, hemorrojder, blindtarmsinflammation, hjärtsjukdomar, fetma och tumörbildningar i tjock- och ändtarm m fl krämpor delvis kan ha sin orsak i brist på fibrer.

Fibrerna och den större mängden vätska (läs vatten, örtte, grönsaker och frukt med hög vätskemängd) gör att du blir behagligt mätt om du äter lugnt och sakta, tar små bitar och tuggar mycket väl.

Fibrer sänker kolesterolhalten ...

Undersökningar visar att en fiberrik kost kan påverka blodets kolesterolhalt i rätt riktning, nämligen så att det sjunker. Viktigt vid hjärtsjukdomar.

... men höjer stresståligheten!

Nästan allt frosseri motiveras till stor del av känslomässiga faktorer. Oro, spänning, hetsen i vårt storstadsliv – men också det "överdrivna" lugnet på landet – uppmuntrar oss att äta fort och i för stora mängder. Många har funnit att en fiberrikare diet ger en skön känsla av lugn och harmoni efter bara ett par veckors övergång till mer fiberrik mat. Kanske beroende på att fibrerna sväller i tarmen och verkligen ger tarmkanalen något att arbeta med. Då mår magen bättre och det i sin tur påverkar hela humöret!

Det finns olika sorters fibrer. Vetekli är t ex skrymmande och gör att tarmen får mer att arbeta med, medan linfrön binder vatten och sväller. Inte bara de grövsta rotfrukterna och grönsakerna innehåller fibrer. Sparris och svamp, vitkål, tomater och avocado m fl har också en viss betydelse. Avocadon innehåller dessutom gelébildande pektiner som också har sin betydelse för matsmältningen.

Bra fiber-ätar-regler

- Ät grönsaker varje dag, helst råa men även kokta.
- Ät mycket potatis och andra rotfrukter.
- Njut av färsk frukt och bär, 2–3 ggr/dag.
- Ät främst helkornsbröd, mjukt eller hårt, 4–5 skivor ger lika mycket kli som 2–3 teskedar rent kli och är lättare att äta.

- Ät müsli eller grov gröt varje dag.
- Baka inte bröd och grädda inte pannkakor på rent vetemjöl. Byt t ex ut en tredjedel av mjölet mot grahamsmjöl (se recept i resp kapitel).
- Drick minst 2 liter vätska per dag – fibrerna behöver mycket vätska. Gärna vatten eller milt örtte men inget kaloririkt eller sött. Och tänk på att mjölk är lika mycket mat som dryck.
- Ät sakta och tugga väl, helst 20 ggr/tugga. Fibrerna suger upp fuktighet och ger fin mättnadskänsla, men det måste få ta lite tid.

Fiberrik diet gör dig lite smalare

Med en fiberrik mat fungerar magen bättre, bakteriefloran ändras i grovtarmen och uppmuntrar till normal jäsning jämfört med den onormala jäsning som äger rum med mat som är fattig på växtfibrer. Fiberrik mat rör sig dubbelt så fort genom kroppen som den släta, fiberfattiga maten. Samtidigt suger fibrerna åt sig skadliga ämnen från galla och lever och en del fett. Fett ger ju många kalorier. Man räknar med att kroppen bara tar upp 86 % av kalorierna i t ex helkornsbröd mot 97 % i vitt bröd.

Om man ökar sitt växtfiber-ätande med ett par matskedar kli per dag kan man t o m gå ner i vikt sakta och fint, utan att det egentligen märks. Omkring 500 g i månaden eller 6–8 kg per år kan du räkna med att gå ner, ungefär. Men gör inte som en ung amerikan jag läst om. Han gick ner ca 7 kg på bara några få månader, men så strödde han också vetekli över sin franska löksoppa, sin Bloody Mary, sina suffléer och sallader – också på de mest fashionabla restauranger! Och det låter ju inte så roligt precis. Vetekli smakar ungefär som att tugga på en träpinne och behöver blandas ut ordentligt. Som i müsli t ex. Där är det utmärkt att dryga ut med kli. Se recept s 128. Eller i knäckebröd, matbröd. Det kanske viktigaste i det här sammanhanget är att man känner sig *behagligt mätt* redan *innan* man ätit *för mycket*.

Vilket fett ska man välja?

Vilket fett man ska ha på smörgåsen och i matlagningen diskuteras ofta. Forskning pågår och ännu är inte betydelsen av fleromättat fett för *friska personer* i *förebyggande syfte* helt klarlagd. Kanske är det *allra* viktigaste att vi inte äter för mycket fett, ty en övervikt på 10–15 kg och mer är inte bra, *det* vet vi. En genomsnittlig viktminskning på bara 5 kg hos medelålders svenskar skulle innebära en stor förbättring av folkhälsan och miljarder i inbesparande sjukvårdskostnader.

Det nyttiga fettet, dvs det fleromättade fettet, med hög halt av linolsyra, rekommenderas till personer i riskgrupper dvs med anlag för höga blodfetthalter. De bör helt enkelt byta ut en stor del av det mättade fettet mot fleromättat. Men då man inte kan urskilja alla i riskzonen anser man att det kan finnas anledning till viss försiktighet också för friska personer. Linolsyra, linolen- och arachidonsyra är fleromättade fettsyror som är essentiella = livsnödvändiga. I solrosfrö-, soja-, lin- och majsolja m fl är halten av linolsyra mycket hög. (Dessa syror går ibland under namnet vitamin F och det dagliga behovet för vuxna är troligen ca 8 g). Också fet fisk, avocado, nötter, fröer, vetegroddar och ärter innehåller rikligt med fleromättade fettsyror medan kött, ägg och mjölk innehåller låga mängder.

Det fleromättade fettet kan hjälpa till att lösa upp inlagringar på blodkärlsväggarna och därmed bidra till att minska riskerna för hjärt-kärlsjukdomar. Ju mer man ökar tillförseln av fleromättat fett desto mer E-vitamin behöver samtidigt tillföras. E-vitamin finns dock vanligen i de födoämnen som har hög halt av fleromättat fett, t ex kallpressade oljor, men finns också i gröna blad, rotfrukter, vetegroddar, makrill m m.

I praktiken betyder detta att man:
- hellre dricker lättmjölk (lättfil) än standardmjölk
- skär bort fettkanten på fett kött
- äter fet fisk 1 gång/vecka
- använder linolsyrerik olja i salladsdressingen, t ex solrosfröolja, linfröolja, majsolja

- gärna väljer ett bordsmargarin som innehåller hög halt fleromättat fett – men om du tycker att smör är godare så fortsätt med det – bara du brer *tunt*. 1 tsk = 5 g är rekommendationen. (30 g matfett/dag, se om basmaten s 26, så du kan inte ha matfett på alla dagens 5–6 brödskivor. Då finns inget utrymme för salladsdressing, matfettsklick på kokta grönsaker osv!)
- hellre väljer keso än vanlig hel- och halvfet ost
- är försiktig med kolesterolrika livsmedel: äggula, fiskrom, skaldjur, lever, hjärta och bräss

Procent fleromättade fettsyror i olika matfett:

Kokosfett	1 %	Margo	45 %
Kakaosmör	2 %	Matolja	50 %
Smör	6 %	Majsolja	56 %
Olivolja	8 %	Dessa	60 %
Hushållsmargarin	10 %	Sojabönolja	60 %
Bregott	15 %	Solrosfröolja	63 %
Flora	25 %	Linfröolja	70 %
Lättmargarin	25 %		

I recepten i denna kokbok står mestadels smör och solrosfröolja som förslag till matfett. Smör därför att det ger så god smak, tar fram och accentuerar smaken på alla andra livsmedel som inget annat matfett. Vill du hellre välja någon annan sorts matfett så gärna det. Ur smaksynpunkt blir det sämre men ur fettsyresynpunkt bättre. Smör innehåller ju bara 6 % fleromättat fett, som du ser i tabellen ovan. I alla kalla maträtter är kallpressad olja, t ex solrosfröolja, sojaolja, linfröolja ett bra val. Solrosfröolja har fått stå som samlingsnamn för dessa oljor i recepten. Men också olivolja förekommer som förslag. Detta för att den oljan har så god smak och är en olja med tusenåriga traditioner i länderna kring Medelhavet. Uppgifter om att olivoljan innehåller fytosteroler, som hindrar uppsugning av kolesterol i tarmen, gör också att olivoljan förekommer som matfettförslag i både salladssåser och vid matlagningen. Observera de låga mängderna fett i recepten. Fettet måste man vara mycket försiktig med om man är låg- och normalkaloriförbrukare, 1 g fett = 9 kcal = 37,8 kJ.

Vad är hälsokost?

Med hälsokost menas att man äter en väl balanserad smak- och näringsmässigt utmärkt bra kost av olika slags vegetabilier. Man utesluter kött, fisk, skaldjur och ägg, men äter mjölk och mjölkprodukter såsom filmjölk, grädde, ost och mesost. Denna kostordning kallas ofta "laktovegetarisk". Den är ganska lätt att lära sig, följa och tycka om, om man är vanlig s k "husmanskostare" och inte mår bra av den maten eller tycker att den är för dyr. Många människor lever också helt utan mjölkprodukter, ost och mesost för att klara sin hälsa. Dessa lever på en helt vegetarisk kost med allt vad det innebär av inskränkningar eftersom de livsmedel man tål är så relativt sett få. Den helt vegetariska kosten är en ren dietkost och behandlas inte i denna bok.

Laktovegetarianen är dessutom mån om att äta ytterst lite socker – tar hellre lite honung – äter så lite fet mat som möjligt, röker inte och dricker varken vin, öl eller sprit. Kraftig motion i alla former och gärna en eller två fasteperioder varje år är också vanligt bland laktovegetarianer. Så det är många faktorer som gör att de är så där extra starka, pigga och glada! En annan detalj är att man äter en mycket mer ensidig kost, ofta t ex filmjölksfrukost varje dag, grötlunch eller råkostlunch varje dag och en grönsakssoppa eller -gryta till middag om man redan ätit sin dagliga råkosttallrik. Man tuggar alltid länge och väl och dricker oftast före och mellan måltiderna.

Laktovegetarisk matpyramid

Den laktovegetariska matpyramiden till höger skiljer sig från den vanliga matpyramiden och kostcirkeln (utarbetade av Socialstyrelsens Kost- och Motionsaktivitet) med kött, fisk och ägg i toppen. Denna del är här ersatt av vegetabilier som är viktiga ur främst järn- och proteinsynpunkt. Alla tre delarna är lika viktiga, men man äter kvantitativt mest av basen och mitten och kompletterar med livsmedel från toppen.

Laktovegetarisk matpyramid.
Basmaten är densamma som i
"basmat och tillägg", mitten-
biten likaså. Men toppen in-
nehåller messmör, sojamjöl,
jäst och nässlor i stället. Lak-
tovegetarisk mat är ett "enk-
lare och billigare sätt att leva".

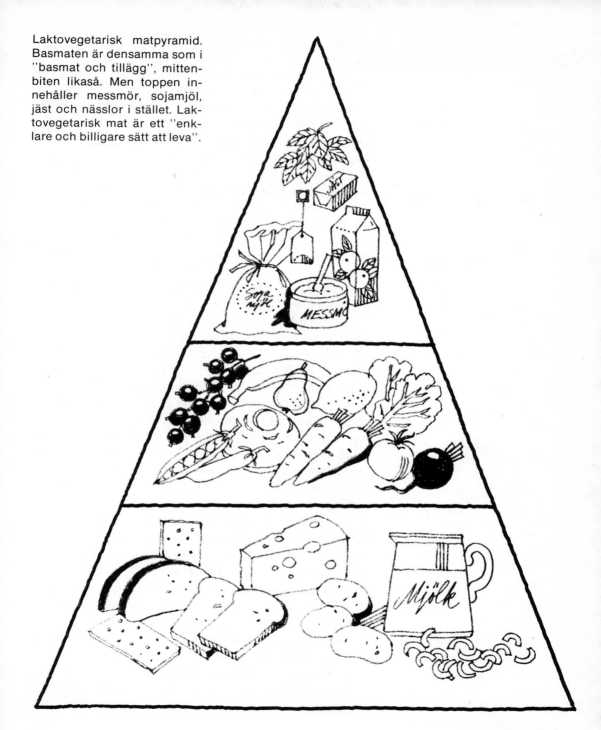

Basen

Basen kan vara lika varje dag året om. Den består av billiga, omtyckta och näringsmässigt viktiga livsmedel som är lätta att få tag i överallt hela året om.

4 potatisar, ca 250 g, utan skal

5–6 skivor bröd, ca 125 g, 4 mjuka + 2 hårda

2 msk matfett, ca 30 g

50 g av antingen flingor, gryn, ris, mjöl eller makaroner

6 dl mjölk, ca 3 glas, inkl filmjölksprodukter

30 g ost, 2 medelstora skivor

Med dessa livsmedel täcks hela dagsbehovet av kalcium och en del B-vitaminer. En stor del av proteinbehovet, ca 48 g, ger de också och drygt hälften (10 mg) av det rekommenderade järnbehovet för kvinnor i fertil ålder (15–45 år).

Förslaget till basmat är dock inte något man måste följa slaviskt. Man har många möjligheter att anpassa sin kost efter egna önskemål. De som har stillasittande arbete eller av naturen aktar sig för "onödiga" rörelser kan behöva minska lite på t ex mjölk och flingor, men äta mer av de kalorisnåla grönsakerna eller välja lättmjölk och Keso eller ost med låg fetthalt.

De som har ett hårt och tungt arbete eller kör hårt med motion behöver i stället lite *mer mat*. De kan med fördel äta mer potatis och flingor och naturligtvis inte minska på några av de övriga produkterna.

Matfett och olja med hög linolsyrehalt bör för alla kategorier ingå i den dagliga kosten.

Den som konsumerar mindre ost eller mjölk bör tänka på att äta mer av andra proteinrika födoämnen, t ex baljväxter och spannmålsprodukter. Eftersom dessa produkter inte är fullvärdiga ur proteinsynpunkt bör man äta dem tillsammans, alltså vid samma måltid, om de ska ersätta mjölk/ost.

Mitten

Mitten av matpyramiden ger daglig omväxling åt maten. Där väljer man vad som finns alltefter pris, tillgång och inte minst årstid. Dessa livsmedel äter vi helst råa och obehandlade så länge de är av hög kvalitet. När säsongen tar slut skarvar vi med djupfrysta och mjölksyrade grönsaker (många goda sorter finns i hälsokost-affären).

Grönsaker: sallad, tomater, gurka, spenat, blekselleri, dill och persilja, lök av olika slag, paprika, fänkål och alla sorters kål, broccoli, majs, svamp, squash, avocado och aubergine, nässlor m m.

Rotfrukter: morötter, rödbetor, kålrötter, palsternackor, rotselleri, svartrötter, rädisor, kålrabbi, jordärtskockor.

Baljväxter: sojabönor, linser, ärter, andra sorters bönor, färska, torkade och "spirade".

Frukt: äpplen, päron, bananer, citrusfrukter, konserverad frukt.

Bär: lingon och blåbär, jordgubbar, hallon, björnbär, vinbär, nypon och hjortron.

Toppen

Toppen av matpyramiden varieras också efter årstid, smak och tillgång. Denna del ger en god säkerhetsmarginal, bra vid mer eller mindre tillfälliga påfrestningar. Näringspreparat blir därvid onödiga. Det är alltid bättre att äta av den naturliga maten.

Genom att dryga ut maten med vilda växter och örter från skog och mark håller du hushållskassan nere samtidigt som du får omväxling i smak och behaglig motion i friska luften!

Vilda växter eller örter: gröna blad av t ex maskros, nässla, groblad, smultronblad, björkblad och vallört att äta finhackat på råkost eller på filmjölk och müsli. Örtkryddor, örteer, nyponmjöl (kan t ex strös över müsli och filmjölk).

Torkad frukt: fikon, aprikoser, dadlar, russin och katrinplommon.

Spannmål och bönor som vanligen inte ingår i basmaten: hirs, sojamjöl, bovete.

Nötter och frön: hasselnötter, cashewnötter, mandlar, sesamfrön, vallmofrön, linfrön, pumpafrön m m.

Jäst: bryggeri- eller näringsjäst.

Mjölkprodukter: mesost, messmör

Juicer: frukt- eller grönsaksjuice.

Några vegetariska frukostar

Filfrukost 1

2–3 dl örtte, gärna en stund före frukosten, ev 1 tsk honung
2 1/2 dl surmjölk (långfil, fil eller yoghurt)
1 grovt rivet äpple eller 1/2 dl mosade, osötade bär
2 torkade men blötlagda aprikoser
3/4 dl hemgjord müsli med russin, nyponpulver, vetegroddar och kli i
1 tsk näringsjäst (strös på müslin)

Filfrukost 2

2–3 dl örtte, ev 1 tsk honung
1 apelsin eller 3/4–1 dl apelsinjuice
2 1/2 dl surmjölk (långfil, fil eller yoghurt)
3 torkade men blötlagda katrinplommon
1–2 bitar söndersmulat knäckebröd i filen eller 2–3 msk müsli
1 mjuk helkornssmörgås med lite smör och 2 skivor mesost eller 1 msk messmör

Kesofrukost

2–3 dl örtte, ev 1 tsk honung
100 g keso (1/2 liten burk)
1 skivad banan
2–3 torkade men blötlagda aprikoser
1/2–1 dl krossade blåbär eller andra bär, ev 1 tsk honung
några hackade rostade nötter
1–2 smörgåsar av helkornsbröd med litet smör och mesost.

Några vegetariska lunchrätter

Råkosttallrik på sommaren

1/2 salladshuvud eller 1 klyfta isbergssallad eller vitkål
3–4 kokta varma skalpotatisar, ca 200 g
1 dl kalla eller varma gröna ärter eller bönor – färska

eller djupfrysta
1 finriven morot
1 skivad tomat
1 bit gurka i skivor
ev några lökringar
Lägg alla ingredienser i grupper på tallriken. Servera
med en sås av 1/2 dl filmjölk + hackad persilja + ev
pepparrot, körvel eller kryddkrasse. Örtte eller 1 glas
lättfil, mjuk helkornssmörgås med 2 tsk smör och 1
skiva ost eller mesost.

Råkosttallrik på hösten

1/2 salladshuvud eller 1 klyfta isbergssallad eller vitkål
1/2–1 paprika
1–2 tomater
1 bit gurka eller några rädisor
1 bit kålrot, hel eller riven
1 morot eller 1 bit strimlad fänkål
1 citronklyfta
3 kokta skalpotatisar, ca 200 g
rikligt med grovhackad persilja
Lägg alla ingredienser i grupper på tallriken. Servera
med en sås av filmjölk + finskuren purjolök eller gräs-
lök, lite salt eller herbamare och 1–2 tsk olja eller ma-
jonnäs av majs- eller solrosfröolja. Samma dryck och
smörgås som till föregående råkostlunch.

Råkosttallrik på vintern

1–1 1/2 dl strimlad vitkål eller 2 dl salladskål
1 finriven rödbeta eller palsternacka – eller i bitar
1 finriven morot – eller i bitar
1/2 dl kokta sojabönor eller linser
2–3 kokta eller 1 stor bakad potatis, ca 200 g
ev 1 tomat, gärna från burk
1 dl grovhackad grönkål eller 1/2 dl persilja
Lägg alla ingredienser i grupper på tallriken. Servera
med en sås, dryck och smörgås som till de föregående
råkosttallriksförslagen.

Råkosttallrik på våren

1–1 1/2 dl strimlad vitkål eller 2 dl salladskål
1–1 1/2 dl djupfryst grönsaksblandning
1 dl spenat- eller nässelstuvning
3 kokta eller 1 stor bakad potatis, ca 200 g
2 tomater från burk eller 1 dl tomatjuice
1/2 dl mungböngroddar
grovhackad persilja, grönkål eller kryddkrasse
Lägg alla ingredienser i grupper på tallriken. Servera
med sås, dryck och smörgås som till de två första råkost-
förslagen.

Grötlunch

Gröten kan kokas och tas med i mattermos till jobbet.
2–2 1/2 dl gröt av t ex rågmjöl, grahamsmjöl eller krus-
kablandning
2–2 1/2 dl mjölk
2 torkade men blötlagda fikon eller aprikoser (kan
också kokas finhackade i gröten)
1–2 smörgåsar med 1–2 tsk smör, ost eller mesost och
purjolök, tomat eller paprika i tunna skivor eller strim-
lor
Örtte, ev 1 färsk frukt

Smörgåslunch

3 smörgåsar med 3 tsk smör och rejält pålägg av t ex
keso, mesost eller ost och tartex-pastej
1 tomat eller 1/2 paprika
1 klyfta vit- eller salladskål
1 bit gurka eller fänkål
2 dl grönsaksjuice, kall eller upphettad, eller lättmjölk
Örtte, ev 1 torkad frukt

Några vegetariska middagsmåltider

- Nässelsoppa, se s 156
  Rödbetsbiffar med citron, se s 106, kokt eller ugnsbakad potatis, ärter
  Färsk frukt eller 1 glas juice

- Potatis- och morotstoppar, se s 113, med stuvad spenat eller grönkål
  Apelsinsoppa, se s 261

- Rödbetssallad, se s 77
  Rotmos med lök stekt på mitt vis, se s 110 och 90
  Keso med rårörda lingon eller andra bär

- Spenat- eller grönkålssoppa, se s 158
  Kinesisk grönsakspanna, se s 92

- Ingers råkostsallad, se s 72
  Färgglad grönsaksgryta, se s 79, med råris

- Tomater Provençale, se s 80, med råris och kokt purjolök
  Ost, päron eller druvor, ev bröd

- Grönsaksbuljong, helkornssmörgås med ost
  Mustig rödbetsgryta, se s 81, med skalpotatis eller potatismos
  Skivad apelsin eller 1/2 grapefrukt

- Ris- och spenatfylld paprika, se s 82, skalpotatis eller potatismos, inlagd gurka eller pickles
  Inkokt frukt, lite gräddfil eller filmjölk

- Tomatkokta kåldolmar, se s 84, med 1 burk finhackad blandsvamp i stället för nötkött, skalkokt potatis och lite gräddfil

- Pizza med mest grönt, se s 143
  Fruktsallad eller nyponsoppa, ev en liten glassklick

Syra-bas balansen

Syra-bas balansen är ett begrepp som framför allt hälsokostare talar om och som om den är störd kan vara orsaken till att de blivit just vegetarianer. Det är när man lever på en mycket ensidig kost eller har någon njursjukdom som det kan vara viktigt att observera syra-basbalansen. När livsmedlen förbränns i kroppen bildas nämligen sura och basiska slutprodukter. *Syror* är grundämnesföreningar som *ger ifrån sig* vätejoner.

Baser är grundämnesföreningar som *tar emot* vätejoner. Kroppen reglerar sitt innehåll av syror och baser för att hålla en konstant surhetsgrad eller vätejonkon-

---

Basöverskott (+) millival 100 g

Gurka, kött utan kärnor	+31
Fikon, torkade	+28
Russin	+16
Nypon, torkade	+15
Tomater, kött utan kärnor	+14
Sallad, huvud	+14
Mandariner	+12
Apelsiner	+10
Morötter	+10
Purjölok	+ 9
Banan	+ 7
Potatis, utan skal	+ 7
Blåbär	+ 4
Mjölk, filmjölk	+ 4
Mesost	+ 4
Lök, gul	+ 3
Äpplen	+ 3
Päron	+ 3
Jordgubbar	+ 2
Sparris	+ 1
Ärter, socker-, gröna	± 0

centration (pH-värde). I blodet är t ex pH=7,4. Viktiga regulatorer av syra-basbalansen är också njurarna. Vid syraöverskott (acidos) avsöndrar de vätejoner i stället för natriumjoner. Urinen får då sänkt pH-värde.

Både syror och baser behövs för kroppens ämnesomsättning. Men vi har svårare för att göra oss av med syraöverskott än med basöverskott. Kosten bör därför innehålla tillräckliga mängder med basöverskott i form av livsmedel som innehåller mycket kalium, natrium och vissa organiska syror. Om kosten innehåller överskott av syrabildande ämnen, främst svavel, klor och fosfat kan det leda till en urkalkning av skelettet och ansyrning av slemhinnor och vävnader med allvarliga symtom som följd. Kost med syraöverskott gör att kroppen blir tvungen att låna ur sin "mineralbank", d v s

---

Syraöverskott (–) millival 100 g

Ris med fröhinna	–51
Vetekli	–39
Vetekorn	–38
Havreflingor	–30
Kött av alla slag	–10 – –24
Ägg	–23
Rågbröd, sammalet	–22
Fisk av alla slag	–10 – –19
Rågkorn	–17
Emmentalerost	–17
Keso	–17
Jordnötter	–15
Ost, halvfet	–14
Ris, polerat	–11
Sojabönor	–10
Rågbröd, knäckebröd	– 9
Brysselkål	– 9
Vetemjöl	– 8
Lingon, tranbär	– 6
Gula ärter	– 4
Mandel	– 1
Hasselnötter	– 1

från benstommen och ledkapslarna. För att undvika detta kan man försöka att sätta samman sin matsedel så att ca 70 % av maten (i vikt) består av mat med basöverskott och ca 30 % av mat med syraöverskott (se tabell på s 46–47).

Obs. Det är inte alltid livsmedel med sur *smak* som är *syrabildande*. I allmänhet ger vegetabilier svagt basisk urin, medan proteinrika animaliska produkter ger urin med hög syrahalt.

Tabeller som visar syra-bas balansen förekommer sällan. Tabellen på föregående sidor är gjord av pionjären för denna vetenskap, dr Ragnar Berg.

Alla behöver en rejäl frukost

Efter nattens långa "fasta" behöver vi varje dag en väl sammansatt frukost. En frukost som ska ge kraft och gott humör så att vi klarar av alla göromål som väntar; studier, resor, städning, barnomsorg och allt vad det nu är. (Jämför det engelska ordet "breakfast" = break the fast = bryta fastan!) Att tro att man kan fuska med frukosten är bara att lura sig själv. Visst går det, under flera månader kanske, men till slut börjar kroppen reagera och man orkar inte vara lika mycket på alerten, varken fysiskt eller psykiskt, som förr. Man blir retlig, trött, ovänlig och råkar t o m lättare ut för trafikskador. På lång sikt bäddar frukostslarv dessutom för övervikt, dålig kondition och andra förändringar, som kanske inte direkt beror på dåliga frukostvanor, men som ändå har ett visst samband med det. För det är klart konstaterat och bevisat, att de som är noga med sin frukost också är mer noggranna med vad de äter under resten av dagen!

25–30 % av den mat vi behöver per dag bör vi äta redan till frukosten. Gärna mat från alla kostcirkelns 7 grupper men i alla fall från 4 à 5 grupper. Kaffe och en smörgås eller bulle är alltså inte alls tillräckligt, 1 glas mjölk eller 1 tallrik filmjölk inte heller. En väl sammansatt frukost är det enda som duger om man är noga med sin kost. Dessutom ska frukosten vara trevligt serverad och den bör ätas i lugn och ro så att man hinner tugga ordentligt. Då bildas det rikligt med saliv och en behaglig mättnad infinner sig. Växla gärna om med olika frukostar, se förslag nedan, och välj dem som går snabbt att göra i ordning på vardagar, de andra när du har mer tid, under helger eller kanske semestertid. På s 362–363 ser du några näringsberäknade frukostar. Pröva dem gärna och vänj dig så sakteliga vid att äta på det här sättet. Andra förslag för omväxling finns också.

Före frukosten

För att verkligen komma igång fint kan man genast när man vaknar börja dricka en stor kopp ljummet vatten, smaksatt med citron, örter eller lite äppelcidervinäger och honung: Vi behöver ju rikligt med vätska – minst 2 1/2 liter per dag – och det känns skönt att vakna lite långsamt med ett glas kroppstempererad, mild dryck inom räckhåll. Kan man fördra potatisvatten så är det enligt Are Waerland den förnämsta morgondrycken. Den är basisk och påverkar tarmens arbete och motverkar därmed den farliga förstoppningen. Men också de andra dryckerna har viss betydelse och är lite enklare att laga (och onekligen godare). Potatisvatten görs genom att man skivar en väl borstad potatis och låter skivorna ligga i ca 2 dl vatten över natten. Häll av potatisvattnet och låt potatis och bottensats vara kvar. Smaksätt ev potatisvattnet med några droppar citron.

Att rikligt med vätska är viktigt förstår man när man vet att framför allt kroppens sex utförselorgan njurarna, tjocktarmen, lungorna, levern, huden och slemhinnorna annars inte kan fullgöra alla sina uppgifter. I de 2 1/2 liter vätska, eller mer, som vi dagligen behöver inryms också det vatten som finns i t ex tomater (94 % vatten) potatis (78 % vatten) falukorv (64 % vatten) och helfet ost (40 % vatten). Det är alltså inte meningen att man måste dricka 2 1/2 liter särskilt. Vid rejäl motion kan det dock behövas – eller om du ätit mycket hårdsaltad mat, men det är ju snarare undantagen som bekräftar regeln. När du nu kanske kan ändra en del kostvanor, ägna gärna 5–10 minuter åt lite morgongymnastik också! Då kommer du att trivas ännu bättre med dig själv. Några sköna uppmjukningar innan du går upp ur sängen är inte så ansträngande eller tidskrävande. Det är inte heller 15–20 minuters joggning ute i friska luften. Det är min modell sedan många år tillbaka. Det ger fint resultat omedelbart. Bra rörelseidéer finns på s 346. Det är din kropp väl värd, inte sant? *Innan* det är för sent ...

Några bra frukostar att variera med

Snabbaste frukosten

Häll upp 2 1/2–3 dl *filmjölk,* lättfil eller yoghurt i en tallrik och toppa med 1/2–1 dl *müsli,* gärna i egen blandning, se s 128. Eller ta det billigare alternativet: knäckebröd i små bitar. Servera med *frukt eller bär* i någon form, t ex 1 äpple eller apelsin, päron, 1/2 grapefrukt, banan, plommon. Eller med äppelmos, rårörda lingon eller rårörda svarta och röda vinbär. Också vattlagd *torkad frukt* är mycket gott och bra mot förstoppning till denna frukosträtt. Lägg t ex katrinplommon, aprikoser eller osvavlade fikon i vatten och låt stå 1 dygn innan du äter dem. Förvaras väl övertäckta i kylskåp ca 1 vecka. Beräkna 2–3 frukter per person.

Man kan också hacka den torkade (ej vattlagda) frukten och blanda den i müslin när den görs iordning, men har man russin i så är det i mitt tycke godare att äta de här frukterna vattlagda. Avsluta med en kopp örtte, te eller kaffe och 1–2 smörgåsar av helkornsbröd, en aning smör eller bordsmargarin och ost, keso eller mesost.

Järnrikaste frukosten

Hirs är det mest järnrika sädesslaget. Vi kan med fördel äta hirs ofta – järn är ju det näringsämne som vi har svårast för att få dagsbehovet tillgodosett av i den svenska kosten. Till frukost kan vi äta hirsgröt, se s 131, eller smörgåsar, gjorda av hirskakor, se s 286.

Servera mjölk och färsk frukt till gröten eller smörgåsarna, ev också flytande honung till gröten.

Avsluta med kaffe, gärna med mjölk i, te eller örtte och ev en ostsmörgås om du ätit gröt.

Grötfrukost

Kruskagröt, molinogröt eller Kerstins goda grovgröt, se s 129 och 130.

Servera med mjölk, 2 1/2–3 dl per portion, och lite honung eller äppelmos i stället för socker.

Färsk frukt eller 1 dl citrusjuice. Kaffe, gärna med mjölk i, te eller örtte och ev en smörgås med mager ost, kaviar eller tartex.

Smörgåsfrukost

Tre smörgåsar av helkornsbröd, gärna knäckebröd och mjölk eller lättfil. Som pålägg: ost, gärna halvfet (17 %), eller keso+salt+kummin. Mesost eller salt kött, 1/2–1 kokt ägg och ansjovis eller kaviar.

1 färsk frukt eller i tomat+1 bit paprika.

Kaffe, te eller örtte, ev honung.

Äggfrukost

1/2 grapefrukt eller 1 apelsin.

1 kokt ägg eller äggröra med anjovis eller kaviar.

1 tallrik filmjölk, yoghurt eller lättfil, 2–3 dl och 2–4 msk rostad müsli, se s 129, eller andra flingor.

Örtte, kaffe eller te och 1–2 ostsmörgåsar eller grahamsskorpor med lite honung på.

Vällingfrukost

Ibland finns det ingen mjölk hemma. Då är det skönt att ha ett paket osötad fullkornsvälling i pulverform i skafferiet. Klart att bara röra ut i kallt vatten.

Beräkna 3 dl välling/portion och följ förpackningens tillagningsanvisningar. Lägg 2–3 msk russin och en liten smörklick i tallriken, häll den heta vällingen över.

Avsluta med en hel frukt, 1 helkornsmörgås med ost och kaffe, gärna med mjölk i, te eller örtte.

Vi behöver bra mellanmål

En, ibland två, gånger om dagen behöver vi ett litet men stimulerande mellanmål, både barn och vuxna. Många skolbarn äter t ex sin skolmåltid redan klockan 11.00 och sedan kanske inte middag förrän vid 18.00-tiden. Det kan gärna gå fyra – fem timmar mellan måltiderna, ja det bör det t o m göra. Men sex–sju timmar blir alltför långt, i synnerhet för barn och ungdomar som både rör sig mycket och växer. Ett bra mellanmål är en skön avkoppling och ett efterlängtat avbrott i arbetet eller studierna. Därefter tar man ju i med nya tag igen. Passa gärna på att röra dig och sträcka på dig samtidigt med mellanmålet, om du har sittande arbete. Har du möjlighet att ta några djupa andningar i frisk luft så är det ännu bättre. Och låt inte mellanmålspausen bli alltför kort, minst 10 minuter behövs för att den ska göra full nytta. Hur mycket man ska äta till mellanmålen är förstås individuellt, men ca 10 % av dagsbehovet av mat och därmed näringsämnen är en rekommenderad siffra. Skolungdomar kan dock behöva något mer medan stillasittande äldre personer får nöja sig med ett litet mindre mellanmål för att inte gå upp i vikt. På s 364–365 finns tre bra mellanmål uträknade med alla sina näringsvärden och som jämförelse en uträkning på det – dessvärre vanligaste – mellanmålet "kaffe och wienerbröd". Här nedan ser du också några bra mellanmål att växla om med. Förslagen med kaffe bör inte barn eller växande ungdomar pröva på. Kaffe är starkt och innehåller giftet koffein som har en stimulerande inverkan på centrala nervsystemet. Ju längre man uppskjuter kaffedrickning desto bättre. Barn är förresten mycket känsliga för koffein och kan t o m bli "höga" av Coca-Cola och drickchoklad som också båda innehåller koffein.

- Lättmjölk eller örtte, ostsmörgås eller grahamsbulle med lite honung, äpple eller apelsin.
- Kaffe, gärna med mjölk, eller örtte, 2 grahamsskorpor med lite smör och skivad banan eller äpple.

- Kaffe, gärna med mjölk, eller örtte, äppelbulle med sesamfrön, se bild på s 292.
- Te eller äppeljuice, fikontopp, se s 291, eller kanderad aprikos, se bild på s 276.
- Lättglass med 1–2 skivor ananas i ananasjuice.
- Filmjölk, müsli, fruktmos eller 1 färsk frukt.
- Blåbärs- eller nyponsoppa utspädd med hälften lättmjölk till mjölkdrink, 1–2 grova grahamsskorpor.
- Filmjölk eller yoghurt med hackad frukt i.
- Kaffe, te eller örtte med 1 skiva Extra tungt fruktbröd, se bild på s 279.
- Juice eller osötad lingondricka, 1 grov smörgås med keso eller smältost och mycket gurka+hackad persilja, 1 tomat eller morot.

Sallader och råkosttallrikar

Råa grönsaker i rejäla mängder behöver vi äta varje dag. Det mår vi bra av och det ger fin mättnad utan att ge så mycket kalorier (joule). Råa grönsaker innehåller framför allt salter och vitaminer men också spårämnen som vi ännu inte vet så mycket om. Också växtfibrer är en viktig del av grönsakerna. De ger motion åt både tänder och tarm och lättar upp tarmens innehåll så att detta kan bearbetas bättre.

Att råkost = hälsokost finns det ännu ingen allmänt accepterad vetenskaplig förklaring till. Men nog finns det anledning att tro att det är en del av svaret. I naturen finns det ingen tillagad mat. Det är människans eget påfund att koka, steka och grilla. Och även om vi trivs med det bör vi absolut byta ut en del av den kokta maten mot råa ingredienser såsom frukt, grönsaker och rotfrukter m m. Låt minst 10 % av måltidens kalorier utgöras av råkost och ät alltid denna *först,* inled alltså frukosten med en frukt och lunchen eller middagen med råkost. Gör man så inträder nämligen inte "leukocytos" d v s en ökning av de vita blodkropparnas antal i blodet, för att kroppen ska skydda sig mot smittämnen.

En schweizisk läkare, dr Bircher-Benner, märkte redan i början av vårt århundrade att råkost d v s färska grönsaker som inte upphettats hade en påfallande god inverkan på patienterna. Ännu idag behandlas man efter dessa principer på hans klinik i Zürich och på många andra håll, numera också i Sverige.

De sjukdomar man har behandlat på detta sätt är bl a högt blodtryck, hjärtåkommor, njur- och leversjukdomar, ledgångsreumatism och alkoholism.

Professor H. Eppinger i Wien har konstaterat att just råkost på ett markant sätt befrämjar transporten av näringsämnen från kapillärerna till vävnadscellerna och av de där bildade avfallsprodukterna tillbaka till kapillärerna. Råkosten hjälper därmed till att avlägsna skadliga proteinanhopningar från kapillär- och blodkärlsväggar i det mjuka s k mesenkymet. Det är när dessa proteinanhopningar blir varaktiga som kroniska och svåra sjukdomar uppstår.

Så utan att vilja uppmana någon till att bli vegetarian finns det anledning att vi blir "dagliga råkostare" som skämmer bort oss själva med en fräsch tallrik med lite av varje som inledning eller enda rätt till en måltid om dagen. Denna kan varieras varje dag hela året runt! Se förslag på bild på s 57.

Råkosttallrik när du har bråttom $\boxed{V}$ 1 port

1 morot i bitar
1 bit gurka i skivor
några stora buketter
 blomkål
1 tomat i halvor
några skivor rå lök
1 klyfta isbergssallad eller
1 dl strimlad salladskål
grovhackad persilja eller
 grönkål över alltihop
1 citronklyfta
1 tsk solrosfröolja

Tid: 5 min

Råkost varje dag mår man fint av. Så här enkelt upplagd tar det inte många minuter att göra iordning den. Det är *mycket viktigt* att du tuggar råkost väl, minst 20 ggr per tugga! Annars gör magen uppror och det bildas gaser i tarmen. Är du helt ovan bör du börja med små mängder råkost och sedan öka på i långsam takt. Man blir inte "råkostare" över en natt, låt det få ta lite tid!

Lägg upp allt på tallrik och servera genast. Pressa citron över och krydda ev med en aning Herbamaresalt. Droppa olja över, tugga och njut.
 Se bild på s 57.

Tips: Drick gärna lättfil till råkost – det lär göra att man tål den bättre – och smakar utmärkt gott. Man kan också ta hälften yoghurt och resten isvatten, vispa och servera som dryck. Friskt och fräscht.

"Äpplet har blivit kallat "frukternas konung". Det är ett av de bästa medel för att förebygga kroniska sjukdomar och en stor hjälp att hålla hjärnan klar och arbetsduglig.
Äpplet innehåller både A-, B- och C-vitaminer, rikligt med mineralsalter och ämnen som gör blodet alkaliskt; genom att äta äpplen förebyggs syreförgiftningar i kroppen."

 Boken "Örtagubbens 25 underbara läkeörter"

Bli råkostare varje dag! Eller åtminstone ofta, ofta. Börja försiktigt om du är ovan och öka allteftersom så du hela tiden mår bra. Plocka av årstidens produkter — en grönsakstallrik behöver inte bli dyr, men fräsch och stimulerande blir den alltid. Hör du till dem som äter väldigt fort är det idealiskt att börja med råkost. Den måste tuggas väl och under tiden hinner du varva ner och bli lite lagom mätt och risken för överkonsumtion av den kraftigare varmrätten minskar.

Min bästa kesolunch ser ut så här. Den tröttnar man inte på i första taget. Just ananas och keso är mycket gott ihop. Den milda keson behöver något smakstarkt för att komma till sin rätt. Grahamsbulle med lite smör och citronvatten kompletterar fint. Se s 62.

Jul = skinka och sill för många, både barn och vuxna. Och gärna det bara grönsaker, grovt bröd, potatis och frukt också finns med på julbordet. Inte bara som skådebröd! En rejäl sallad som Blomkålssallad för julbordet är t ex gott och fräscht. Rå blomkål är inte så vanligt men verkligen gott och härligt att tugga på, se s 67.

Det är egentligen märkligt att vi bara äter 41 kg grönsaker per person och år – alltså bara ca 800 g i veckan eller drygt 100 g per dag. Så gott, vackert och viktigt som det är! Alltifrån den eleganta vitlöksflätan över den sagolika lila kålen – vacker som en brudbukett! – till blekselleri, chicorée frisée, salladskål, fänkål, kronärtskocka, svartrötter, aubergine, squash, rättika, avocado och jordärtskockor. De färska kryddorna inte att förglömma. Den lila kålen hackade jag förresten grovt, frös in och använde som persilja.

Bra saker att variera dagens råkost med

Allt efter årstid, finhetsgrad och tillgång passar det bra
att variera råkosttallriken med följande ingredienser.

- avocado i klyftor eller halvor
- kålrot, riven eller i bit
- kålrabbi, riven eller i bit
- rödbetor, rårivna
- spirade mungbönor, linser, vete m m
- kryddkrasse
- endivesallad
- brysselkål, strimlad
- mjölksyrade grönsaker (från hälsobod) t ex pickles, surgurka, surkål
- krossad vitlök (fråga gärna omgivningen först!)
- kokta sojabönor, linser, kikärter eller vita bönor
- råa sockerärter

Råkosttallrik med champinjoner 1 port

Lägg upp alla ingredienserna direkt på tallriken i
grupper och klipp gräslök över. Blanda filmjölk, olja och
pepparrot och häll såsen över.

Servera som entrérätt, gärna med en bit grovt knäcke-
bröd till. Eller som lätt lunch eller middag med ett
par skalpotatisar – kokta eller bakade – och en grov
ostsmörgås till.

Potatis- eller rödbetssallad är också gott att variera
den kokta potatisen med.

1 morot, fint riven
några champinjoner
några rädisor eller
  en bit fänkål
1 tomat
lite finstrimlad vit- eller
  rödkål
ev paprikaringar
klippt gräslök eller hackad
  gul lök
citronklyfta

Salladssås:
2–3 msk filmjölk
1 tsk olja, t ex solrosfröolja
1/2 tsk riven pepparrot

Tid: 10 min

Råkosttallrik med keso

$\boxed{V}$ 1 port

100 g keso
1–2 msk finklippt gräslök
1 kryddmått salt eller
  Herbamare
1/2 msk linfröolja
1 stor tomat
1 bit gurka
isbergssallad

Tid: 30 min

Rör samman keso, gräslök och salt och lägg keson på en tallrik. Gör en fördjupning i mitten och lägg i den goda linfröoljan. Lägg tomatskivor, gurkbitar och strimlad isbergssallad runt om.

Servera med 1–2 kokta skalpotatisar eller 1 ugnsbakad potatis.

Råkosttallrik med tartex och surkål

$\boxed{V}$ 1 port

isbergssallad
1–2 tomater
1 rejäl bit gurka
1/2–3/4 dl surkål
finhackad rödlök
1 skiva tartex, ca 75 g
paprikaringar eller blek-
  selleristjälkar
några blomkålsbuketter
hackad persilja

Tid: 15 min

Strimla isbergssalladen och lägg den på en tallrik med tomathalvor, gurkbitar och surkål på. Om du tycker att surkålen är för stark, skölj den hastigt i kallt vatten. Lägg löken på tomaterna eller gurkan och lägg tartex, paprika och blomkål där det passar. Strö persilja över alltihop.

Servera med gott, grovt bröd att bryta till och ev en salladssås av olja och citronsaft eller filmjölk och pepparrot se Råkosttallrik med champinjoner s 61.

Min bästa kesolunch

$\boxed{V}$ 1 port

isbergssallad
100 g keso
1 tsk olja, t ex solrosfröolja
2 skivor ananas i ananas-
  spad eller 2 persikohalvor
1 tomat eller 1/2 paprika
ev 1–2 skivor kokt skinka
salt eller Herbamare
paprika

Tid: 10 min

Lägg blad av isbergssallad på en tallrik och lägg en hög keso i mitten. Droppa olja över. Garnera med avrunna skivor av ananas, tomathalvor och ev skinka brevid. Strö en aning salt över keson samt paprika.

Servera med helkornsbröd och ev lite smör. Se bild på s 58.

Magra salladssåser för råkosttallriken

Chilidressing
- 2–3 msk filmjölk + 1 msk chilisås + finhackad lök
  eller gräslök.

Tid: 10 min

Varje-dag-dressing
- 1 tsk äppelcidervinäger + 2 kryddmått Vitam Körnig
  + 1 tsk vatten+1–2 tsk olja tex majsolja. Ev lite
  krossad vitlök eller chilipulver.

Fruktdressing
- droppa pressad citron eller apelsin över råkosten och
  salta med en aning Herbamare, salt eller kryddsalt.
  Droppa 1–2 tsk olja, tex majsolja, över.

Senapssdressing
- 2–3 msk filmjölk (3 % fetthalt) eller gräddfil (12 %
  fetthalt) + 1 tsk senap + finhackad dill + ev gräslök.

Ravigotedressing
- 2–3 msk filmjölk eller gräddfil + 2 tsk lättmajonnäs
  + krossad dragonört + 1 tsk hackad kapris + 1 tsk
  senap + finklippt gräslök. Kan tillsättas 1 msk keso
  för kraftigare konsistens.

Ädeldressing
- 1 msk ädelost (knappt) + 1–2 tsk lättmajonnäs + 2–3
  msk filmjölk + en aning vitlök

Pepparrotsdressing
- 2–3 msk filmjölk eller gräddfil + 1/2 tsk riven pep-
  parrot + 1 tsk olja + en aning salt eller Herbamare.

Currydressing
- 2–3 msk filmjölk + 1 – 2 kryddmått curry + 2 tsk
  lättmajonnäs

Blanda alla ingredienser till respektive sås, låt stå någ-
ra minuter och smaka sedan av.

Bra att kunna:
1 dl = 7 msk, 1 msk = 3 tsk, 1 tsk = 5 kryddmått,
1 kryddmått = 1 ml

Lunchtallrik med rå äggula

1/2 grön paprika
1–2 tomater
5–6 rädisor
5–6 råa champinjoner
1 bit gurka
2–3 msk hackad gul lök
  eller gräslök
1 äggula

Tid: 15 min

Hacka paprikan ganska fint och skär tomaterna i tunna skivor. Skär också rädisor och champinjoner i skivor och lägg allt i grupper på en tallrik. Hyvla gurkan i tunna skivor och lägg också den och löken på tallriken. Placera äggulan i mitten.

Servera med soja att droppa över som sås och smaksättning. Bjud knäckebröd eller annat helkornsbröd till samt mager ost eller skinka som pålägg.

Melon och skinka

1 port

1 stor klyfta nät- eller
  cantaloupemelon
2–3 riktigt tunna skivor rökt
  skinka eller italiensk
  prosciutto

Tid: 5 min

Lägg melonen på en assiett med kärnorna borttagna. Drapera skinkskivorna ovanpå.

Servera med pepparkvarn tillgänglig och ev en bit bröd att bryta av, t ex grahamsfranska.

Tomat- och löksallad

☑ 4 port

5–6 tomater
1/2–1 gul lök eller
  1 knippa gräslök
1 msk kapris

Salladssås:
1 msk vinäger
2 kryddmått Vitam Körnig
ev 1 liten vitlöksklyfta
1 1/2 msk olja t ex olivolja
  eller solrosfröolja
hackad persilja eller
  t ex färsk körvel

Tid: 15 + 30 min

Skiva tomaterna tunt och lägg dem i t ex en vid skål. Strö på finhackad lök och kapris. Vispa samman vinäger och Vitam Körnig samt ev krossad vitlök och olja. Häll såsen över tomaterna. Låt salladen stå kallt minst 30 min innan den serveras. Strö persilja över.

Servera med grovt bröd, ev lite smör och någon god ost som entrérätt eller som sallad till en grillad fläskkotlett eller biff med kokt skalpotatis.

Rödlökssallad à la Lisa

Verkligt mustig och pikant sallad. Hållbar i flera dagar på kall plats.

Skala lökarna, halvera dem och skär dem i ganska tunna skivor. Varva löken i en skål med grovt krossade lagerblad, timjan och mejram. Häll på salladssåsen som du blandat av vinäger, salt, tomatpuré, olja och ev krossad vitlök. Späd såsen med ett par teskedar vatten och häll den över löken. Låt salladen stå flera timmar på kall plats, gärna 10–12 tim eller längre.

Servera salladen på råkostfat, på julbord till mager skinka eller med grovt bröd, smör och ost som entrésallad. (Lisa rekommenderar att ev rester t ex läggs på pizzadeg med tomater och ost över).

4 rödlökar
2 lagerblad
1 tsk timjan+mejram

Salladssås:
2 tsk vinäger, t ex äppel-
* cidervinäger*
1 kryddmått salt
2 msk tomatpuré
* (ej ketchup)*
2–3 msk olja, t ex
* solrosfröolja*
ev 1 liten vitlöksklyfta

Tid: 20 min + 6 tim

Skära lök med skalet kvar är det bästa, när man ska ha lökringar till garnering. Då får man många fina runda ringar, annars ofta bara några stycken. Skalet tar man förstås bort. Det går inte att äta.

Morotssallader

Tid: 15 min

Rivna morötter är gott ihop med många olika ingredienser t ex:

- apelsinbitar
- färska eller konserverade grapefruktklyftor
- rårivna äpplen
- krossad ananas + gräddfil eller filmjölk
- russin, nötter
- hackat kryddgrönt (persilja, grönkål, dill, gräslök, kryddkrasse)
- purjolök i tunna skivor
- hackad gul lök
- blekselleri eller paprika

Tänk på att alltid droppa 1 tsk/person av någon bra olja över morötterna. Då utnyttjas provitaminet till vitamin A mycket bättre. Till kokta varma morötter serverar man också olja eller lite smör (för att det också ger så fin smak).

Sellerisallad

V 4 port

1 burk skivad rotselleri, (glasburk) eller 3–4 dl kokt strimlad rotselleri
3 gula lökar
vatten, 1/2 tsk salt

Dressing:
1 msk vinäger
1/4 tsk salt eller herbamare,
vitpeppar
1 kryddmått paprika
2 msk olja, t ex solrosfröolja
1 dl hackad persilja

Tid: 20 min + 6 tim

En mycket mustig sallad med tyska anor. Kan även blandas med kokt potatis.

Häll av lagen från den konserverade sellerin och skär den i strimlor eller koka skalad strimlad selleri i lättsaltat vatten 3–4 min. Koka skalad, halverad och skivad lök i lättsaltat vatten i 1 min och häll löken i sil så att den rinner av väl. Blanda selleri och lök och häll på en dressing av vinäger, salt, nymald vitpeppar, paprika och olja. Strö persilja över och låt salladen stå minst 5–6 tim, gärna över en natt. Smaka av med mer kryddor om så önskas.

Servera till kall kasseler, rostbiff, kokt skinka, helstekt kalkon eller annat magert kött. God också på råkostbordet.

Surkålssallad med keso

Ganska mäktig – men ljuvligt god. En riktig festsallad.

Skölj surkålen hastigt i en sil i kallt vatten om den är mycket syrlig, låt den rinna av väl. Vispa grädden tjock, men inte styv, blanda ner keson, surkålen och grovt rivna äpplen. Rosta nötterna, se s 314, och hacka dem grovt. Lägg ett lager isbergssallad runt kanten på en skål. Lägg surkålssalladen i mitten och strö på nötter och persilja.

Servera salladen kall med helkornsbröd och ev lite smör.

4 dl surkål
3/4–1 dl vispgrädde
1–1 1/2 dl keso
2 äpplen, gärna röda
1/2 dl hasselnötter
strimlad isbergssallad
hackad persilja

Tid: 30 min

Blomkålssallad för julbordet

Julmaten behöver lättas upp med mycket grönt för att bli njutbar och näringsriktig. Sallader som ger något att tugga på, kokt rödkål, brysselkål, katrinplommon och färsk frukt är t ex sånt som absolut inte får fattas på julbordet.

Skölj blomkål och sallad och skär blomkålen i skivor eller bryt ner den i små buketter. Låt salladen rinna av väl och lägg den sedan i en krans runt en stor skål. Lägg i kålen och lägg tomatklyftor i en krans runt om. Garnera med hackad paprika.

Vispa samman filmjölk, majonnäs, salt och senap och häll såsen över blomkålen.

Servera salladen sval men ej kall på julbordet. Eller med kokt skalpotatis och helkornsbröd att bryta till som vegetarisk lunchrätt.

Se bild på s 59.

1 stort blomkålshuvud
1 salladshuvud
4–5 tomater
1 grön eller röd paprika

Salladssås:
2 dl filmjölk
2 msk majonnäs
1 kryddmått salt eller
  Herbamare
1 msk senap

Tid: 30 min

Isbergssallad med gorgonzola och valnötter

4 port

1 stort isbergssalladshuvud
1 dl valnötskärnor

Salladssås:
1 1/2 dl filmjölk eller grädd-
fil
2 msk majonnäs
2–3 msk gorgonzola
1/2 vitlöksklyfta
1/2 dl hackad persilja

Tid: 20 min

Den här salladen åt jag i Hollywood en gång för länge sedan. God och enkel.

Skär salladen i strimlor och fördela dem på mattallrikar – det ska vara *mycket sallad!* Rosta valnötskärnorna i ugn, ca 8 min i 200°C ugnsvärme. Hacka dem ev grovt. Rör samman filmjölk och majonnäs. Mosa gorgonzolan med en gaffel på en tallrik och rör ner osten i majonnässåsen. Smaka av med krossad vitlök och tillsätt persilja. Fördela en klick av såsen mitt på varje salladstallrik och strö valnötterna över.

Servera utan tillbehör eller med hembakat grahamsbröd att bryta av.

Variation: Lägg några klyftor avocado och ev skalade räkor på salladen innan du toppar med ostsås och valnötter.

Grönkålssallad

V 4 port

7–8 dl grovhackad rå
 grönkål
4 tomater
ev 1 dl russin

Dressing:
2–3 msk lättmajonnäs
1 dl filmjölk
1 tsk riven pepparrot
1–2 kryddmått salt eller
 kryddsalt

Tid: 20 min

Grönkål är god men lite torr i sallader. Den är rik på både kalcium, järn och vitamin C.

Skölj grönkålsbladen och skaka av vattnet väl. Hacka kålen grovt och tag med så mycket som möjligt av den grova nerven i mitten. Blanda kålen med hackade tomater och ev russin som legat och svällt i vatten ett par timmar. Vispa samman majonnäs och filmjölk till en slät sås, smaksätt den med pepparrot och salt så att den blir stark och fyllig. Häll såsen över salladen och rör om. Salladen ska vara saftig av dressingen. Kanske vill du ha mera filmjölk i?

Servera salladen till julskinka, kasseler, rökt fågel eller som lunch- eller entrésallad med helkornsbröd, lite smör och ost.

Odla vinterråkost i köksfönstret

Spirade bönor och säd är den verkligt "vitala" födan, full av vitaminer, salter och enzymer. Ett billigt, livgivande tillskott till den dagliga råkosten. Verkligt gott dessutom. Pröva att låta gröna mungbönor, råris, linser, krasse, helt vete, kikärter, sojabönor m m gro i köksfönstret. Efter bara några dagar har du härligt krispig råkost att strö över smörgåsar och sallader eller lägga i grytor, soppor, färsbiffar m m. I hälsoboden köper du råvarorna och efter en tid, när du kanske vant dig vid att alltid ha egen råkost på gång, en speciell 3-vånings plastburk med plats för flera sorter samtidigt. Annars gör du så här: skölj de bönor som ska få gro och lägg dem i en skål med ljummet vatten över natten. Häll av vattnet nästa dag, skölj bönorna hastigt och lägg dem på ett fat, fortfarande ganska fuktiga. Täck med gladpack eller en plastpåse och gör gärna små hål i plasten. Låt bönorna stå ljust några dagar och skölj dem varje dag. Genom att låta t ex sojabönor gro, s k spirade sojabönor, tilltar inte bara bönans C-vitaminhalt utan även halten av karotin, riboflavin (B2) och niacin!

Italiensk blomkålssallad

4 port

En bra sallad när man vill förbereda i god tid. Den kan gärna stå 2–3 dagar, det blir den bara godare av.

Skölj blomkålen och skär den i tunna skivor. Pressa vitlök direkt över blomkålen i skål av t ex glas eller rostfritt (ej plast som tar åt sig vitlökssmak). Mosa sardellerna på en tallrik med en gaffel och tillsätt vinäger och olja. Häll sardellsåsen över blomkålen och rör om väl. Låt salladen stå övertäckt minst 1 dag, gärna längre. Garnera med tunna tomatskivor i grupper och persilja.

Servera salladen med gott, grovt bröd att bryta av och med ost, rostbiff eller mager skinka som tilltugg.

1 blomkålshuvud
2 vitlöksklyftor
5–6 sardeller
1 msk vinäger
2–3 msk olivolja eller majsolja
2–3 tomater
1/2 dl hackad persilja

Tid: 15 min

Vitkålssallad på sommaren $\boxed{V}$

På sommaren och en bit in på hösten är vitkålen mjäll och saftig. Använd den finstrimlad – strimla med kniv – ensam eller tillsammans med strimlad isbergssallad samt givetvis andra bra ingredienser såsom lök av alla slag, tomater, gurka, råriven morot, äpple, apelsintärningar, paprika, salt- eller ättiksgurka, mjölksyrekonserverade grönsaker (från hälsobod), persilja och annat färskt kryddgrönt. Till vitkålssallad passar alla sorters salladssåser.

Bara vitkål + rårörda lingon (ej för söta) är en utmärkt sallad på råkosttallriken eller till lättstekt eller grillad fisk, korv, fläskkotlett, köttbullar, blodpudding.

Vitkålssallad på vintern $\boxed{V}$

På hösten och vintern är vitkålen ganska hård, många avstår från att servera den rå under den tiden. Då kan man gå en medelväg – inte servera den helt rå men heller inte kokt utan "slakad". Mycket bra tycker jag. För vitkålen är en av de billigaste salladsingredienserna och mättar fint.

Slaka vitkål så här:
Strimla 1/2 liter vitkål – med osthyvel eller kniv och lägg kålen i en skål. Koka upp 1 liter vatten + 1/2 tsk salt och häll vattnet kokande över kålen. Låt den stå 5–10 min och häll sedan av vattnet (spar det gärna till soppa). Låt kålen kallna och servera den sedan på samma sätt som vitkålssallad på sommaren, se ovan.

"Det bästa är att laga sin egen hälsokost på våra förfäders enkla vis."
Marianne Gillberg, Tidskriften Miljö och Framtid

Vitkålssallad med ananas

En lyxig vitkålssallad speciellt lämplig under höst och tidig vinter medan vitkålen är saftig och mjäll.

Skär vitkålen i riktigt fina strimlor med en vågtandad kniv eller med osthyvel, se nedan. Skär ananasskivorna i små bitar (krossad ananas går också bra att använda i denna sallad). Häll av spadet från mandarinerna och skär rotsellerin i riktigt tunna strimlor. Täck en salladsskål med väl sköljda salladsblad och varva vitkål, ananas och rotselleri i skålen. Täck med mandarinklyftor och droppa lite ananasspad över så att salladen blir saftig. Låt salladen stå minst 1 tim att ta smak. Garnera med citronklyftor och rör samman filmjölk, curry och majonnäs till en mustig, klimpfri sås. Servera salladen med currysåsen och något grovt bröd att bryta av.

Variation: Gör salladen mer mättande genom att också garnera med skalade räkor eller 1 burk krabba. Mycket gott dessutom!

1–1 1/4 liter finstrimlad vitkål
1 burk ananas i ananasjuice, ca 200 g
1 burk mandariner, ca 200 g
1 dl finstrimlad rotselleri eller blekselleri
1 salladshuvud
4 citronklyftor

Salladssås:

1–1 1/2 dl filmjölk
1/2–1 tsk curry
2 msk lättmajonnäs

Tid: 30 min

Hyvla vitkål med osthyvel fungerar mycket bra när kålen är fast och hård. Är enkelt att göra och ger utmärkt, saftig kålsallad.

Ingers råkostsallad

1 litet kålrotshuvud
6–8 morötter
1 gul lök
1/2 rotselleri
1/4 vitkålshuvud
persilja
1/2 citron

Tid: 30 min

Börjar man prata mat med folk blir man snart goda vänner! Det här receptet är resultat av en underbar skidtur bland jämtländska fjälltoppar. Inger, som är sjuksköterska i Åre, tyckte precis som jag att råkost det mår man så där extra bra av! Men eftersom det är lite jobbigt med allt rivande så får det bli en större sats för 2–3 dagar att ha färdig när man kommer hem från skidtur eller jobb.

Skala kålroten med kniv – man måste ta tjocka skal för att få bort allt det träiga, och dela den i bitar. Skala morötter, lök och rotselleri och putsa vitkålen. Skölj persiljan och skaka av vattnet väl. Riv allt i råkostkvarn, inte alltför grovt, och blanda det rivna i en plastpåse eller skål. Pressa citronen väl och droppa saften över råkosten så behåller den sin halt av vitamin C bättre. Förvaras i kylskåp med plastpåsen försluten så att så lite luft som möjligt kommer åt råkosten.

Helgrön sallad med mungbönor

1/2 huvud isbergssallad
1 huvud vanlig sallad
1 rejäl bit gurka
3–4 stjälkar blekselleri eller
  1 grön paprika
ev 1–2 avocado i klyftor
ev vattenkrasse (ej krydd-
  krasse)
1 dl spirade mungbönor
1 sats dressing, se s 240

Tid: 20 min

Mungbönorna är mycket fina i alla salladssammanhang. De är vackra att se på, underbart krispiga i konsistensen och har fint näringsvärde. Läs på s 69 hur du ska odla dem. Hållbara i kylskåp ca 1 vecka sedan de vuxit ut.

Strimla isbergssallad, vanlig sallad och gurka och blanda allt i en salladsskål. Skär bleksellerin i skivor eller paprikan i tunna strimlor och fördela ovanpå salladen. Lägg också på tunna avocadoklyftor samt gärna vattenkrasse som är en underbar grönsak. Strö mungbönor över och häll på någon favoritdressing ur såskapitlet.

Servera som sallad till lunch eller middag ev med magert kött till.

Marinerad sparris

Sparris är en grönsak för lite finare tillfällen. Serveras gärna marinerad som entrérätt före en lätt fisk- eller kötträtt. Sparris finns i många kvaliteter, det märker du på priset. Godast och "finast" är den tjocka, långa vita sparrisen, men den gröna är också mycket god ibland. Tillfället och priset får avgöra.

Öppna sparrisburken enligt anvisning på burken, på plåtburkar brukar det stå "open other end" d v s öppna i andra änden av burken. Detta för att skydda de ömtåliga, mjälla sparrisknopparna som lätt faller av. Häll av spadet och lägg sparrisen i ett djupt fat t ex. Rör samman citronsaft och salt, tillsätt oljan efter några minuter, när saltet har löst sig. Häll dressingen över sparrisen och låt den stå övertäckt på kall plats minst 2 tim. Strimla isbergssalladen riktigt fint och fördela den på assietter. Lägg sparrisen, med sin sås, ovanpå och garnera med hackade tomater och gräslök. Servera salladen med något helkornsbröd av t ex graham att bryta till, ev lite smör också.

Variation: Gör salladen mer mättande genom att strö över finhackat, hårdkokt ägg eller några skalade räkor. En skiva mager kokt skinka – gärna den billiga bogskinkan på burk – smakar också bra till den milda sparrisen.

1–2 burkar eller glas sparris, ca 700 g

Salladssås:
2 msk citronsaft
2 kryddmått salt
2 msk olja, t ex oliv- eller solrosolja
isbergssallad eller vanlig sallad
2–3 tomater
1 msk finskuren gräslök

Tid: 15 min

"Naturprodukter behandlade i minsta möjliga grad utgör den säkraste grunden vid planering av sund kost i olika länder."

Professor A J Virtanen, nobelpristagare i kemi,
Helsingfors

Entrésallader med avocado

1 avocado

Fyllningar:

- *skalade räkor eller krabba + fransk dressing eller Nästan majonnäs, se s 245*
- *marinerade champinjoner + musslor eller räkor*
- *rökt skinka + gurka i strimlor, citronklyfta*
- *finskuren sallad av rädisor + blomkål + tomat, 1 msk Cranks dressing, se s 239*
- *strimlad rostbiff + sparris, citronklyfta*
- *tonfisk mosad med lite majonnäs + gräslök, svarta oliver, citronklyfta*
- *majskärnor + hackad pimiento, fransk dressing*
- *strimlad blekselleri + höns- eller kycklingkött + tunn ädelostdressing, se s 240*

Tid: 30 min

Avocadohalva som entrérätt har med all rätt blivit en mycket populär rätt på några få år. Många får dåligt samvete och tror att avocado är lika kaloririkt som smör nästan, men så är det inte alls. Ca 130 kalorier ger en halva eller lika mycket som 2 äpplen eller 1 stor banan. Avocadons näringsinnehåll är dessutom mycket bra med både mineraler och A, B, C och E-vitaminer. Det fett som ingår (ca 12 %) är kolesterolfritt.

Skär avocadon mitt itu på längden och tag ut den stora kärnan. Lägg den fyllning du valt i den stora fördjupningen eller tag ut avocadoköttet först, blanda det, skuret i tärningar, med ingredienserna till fyllningen och lägg tillbaka i skalhalvan.

Servera avocadon kall, men inte iskall, så att smaken väl kommer till sin rätt. Bjud brytbröd, gärna något grovt och gott, och ev lite smör till.

"Det kan knappast vara en hemlighet för någon – fast många alltjämt föredrar att blunda – att människor blivit botade av fasta och vegetarisk mat. Det gäller reumatiker, mag- och tarmsjuka, allergiker och många andra. I vissa fall har man använt enbart maten som botemedel. I andra har maten kompletterats med örtmedicin.

Varför tar inte socialstyrelsen och läkarkåren på allvar upp frågan?

Det kan man bara undra, men aldrig förstå."

Matskribent Anna Bergenström, DN

Fransk bönsallad

Ⓥ 3 port

Denna entrésallad är lika vanlig i Frankrike som ovanlig här. Den är enkel, fräsch och lättgjord samt härlig att se på och väl värd att införliva i vårt salladssortiment.

Häll av spadet från bönorna och lägg dem som en botten på ett djupt fat. Skär tomaterna i strimlor och hacka löken fint. Fördela tomater och lök på bönorna och lägg oliver ovanpå. Blanda alla ingredienser till dressingen och droppa den försiktigt över grönsaksfatet. Låt gärna salladen stå 2–3 timmar på sval plats.

Servera med värmt helkornsbröd, ev smör och mager ost.

Variation: Blanda också tunt skivade, råa champinjoner i salladen eller strö hackat, hårdkokt ägg på vid serveringen i stället för oliver.

1 burk gröna bönor
(haricots verts) eller
1 pkt frysta skurna
bönor, kokta, kalla
3–4 tomater eller kokta
färska rödbetor
1/2 gul eller röd lök
15 svarta oliver, helst
grekiska från plåtburk
grovhackad persilja

Dressing:
1 msk vinäger
1/2 tsk kryddsalt
1 krossad vitlöksklyfta
1 1/2 msk olja t ex olivolja
eller solrosfröolja

Tid: 30 min + 2 tim

Fänkålssallad

Ⓥ 4 port

Putsa fänkålsståndet och skala bort ev grova trådar på de yttre bladen. Hacka de dilliknande bladen och spara dem till garnering. Skär hela fänkålen i tunna skivor och hacka ev en del till lagom stora bitar. Skär tomaterna i stora tärningar eller små klyftor och blanda med fänkålen. Klipp gräslök över. Gör iordning någon dressing, ev med krossad vitlök i, och häll den över. Låt salladen stå kallt en stund. Smaka av med kryddsalt eller Herbamare och garnera med de hackade fänkålsbladen.

Servera som entrésallad eller på råkostbord med andra grönsaker, helkornsbröd och god ost.

Variation: Tillsätt strimlad rökt skinka, osttärningar, musslor, kokta fiskrester eller skivat ägg för större mättnad, omväxling och variation i smak.

1 stort stånd fänkål
4–5 tomater eller 1 burk
skalade tomater
1/2 bunt gräslök

Dressing:
1 sats Cranks dressing,
se s 239, eller 2–3 msk
majonnäs + 1/2 dl fil-
mjölk eller gräddfil ev
1 klyfta vitlök
ev kryddsalt eller Herbama-
re

Tid: 20 min

Grönsakssallad i tomatgelé   ⓥ 2 port

5 blad gelatin
3 dl tomatjuice
3 dl blandade finskurna
grönsaker, t ex gurka +
små fina ärter + blek-
selleri eller blomkål +
finskuren morot + per-
silja eller gräslök
1 kryddmått salt
grönsallad
ev citronklyftor

Tid: 30 min + 3 tim

I USA gör man ofta en grönsakssallad i tomatgelé och det är riktigt gott som omväxling. Geléet gör salladen extra mättande också. En bra lunchsallad med bara grovt bröd, lite smör och ost eller magert kött som pålägg.

Lägg gelatinbladen i kallt vatten i 10–20 min. Tag upp dem och krama ur det mesta av vattnet och lägg gelatinbladen i en kastrull. Låt dem smälta över ytterst svag värme. De smälter redan vid ca 40°C (och får de koka blir smaken inte god).

Blanda tomatjuice, finskurna grönsaker och salt i en skål och tillsätt det smälta gelatinet. Grönsaksblandningen får inte vara alltför kall, då stelnar gelatinet ojämnt och salladen håller inte ihop. Rör om väl några gånger och häll ev över salladen i portionsglas eller en kransform som den sedan ska stjälpas upp ur. Ställ salladen kallt, övertäckt, i minst 3–4 tim. Garnera med finstrimlad grönsallad runt kanten av portionsglasen eller som en botten på assietter med tomatgeléet uppstjälpt ovanpå. Lägg gärna en citronklyfta bredvid.

Servera med en klick gräddfil på toppen eller med gräddfil eller filmjölk smaksatt med riven pepparrot.

"Spisa lök och leva länge
det är livets hemlighet
Huru detta hålla hemligt
ännu ingen mänska vet
Gammalt ordspråk om *vitlök*. Vitlökens effekt som universalmedicin är känd sedan många tusen år! På 5000-åriga kilskrifttavlor prisas vitlöken som ett medel mot hudsjukdomar, aptitlöshet, magont, hosta, magerhet, reumatism, smärtor i underlivet m m. En del av dessa effekter kan förklaras med vitlökens näringsinnehåll. Den är rik på vitamin B och C samt salter."

Matskribent Lillemor Broström

Rosig sallad med rödbetor och blekselleri

Till lunch vill man alltid ha något både magert och mättande, något som ser riktigt fräscht ut. Det här bjöd Marie-Anne, som redigerat denna kokbok, på när vi var där för korrekturläsning en gång. Ganska perfekt, inte sant?

Skär väl avrunna rödbetor på en tallrik – spadet färgar skärbrädan kraftigt – i tunna strimlor och lägg dem i en skål. Skär också äpplena i strimlor eller riv dem grovt och blanda dem med rödbetorna. Tillsätt blekselleri och kall potatis i tärningar. Rör samman gräddfil och senap till en stark sås och tillsätt någon matsked rödbetsspad så att såsen blir lagom tjock. Smaka av om det behövs mer salt och vitpeppar. Häll såsen över salladsingredienserna, rör om och lägg upp i vacker skål. Strö persilja över.

Servera med rökt kalkonbröst, som Marie-Anne gjorde, eller med böckling, rökt makrill eller kall rostbiff till. Grovt bröd och lite smör kompletterar.

3 dl strimlade, inlagda
  rödbetor
2 äpplen
1 dl strimlad blekselleri
2–3 kokta kalla potatisar

Salladssås:

2 dl gräddfil eller filmjölk
1 msk senap, ej för söt
finhackad persilja

Tid: 30 min

Rödbetssallad

Skala rödbetorna och riv dem ganska fint. Putsa äpplena om det behövs men skala dem inte. Riv äpplena grovt och blanda dem med rödbetor och russin. Droppa på citronsaft och olja och rör om helt lätt.

Servera salladen med nötter ovanpå och rikligt med fint strimlad isbergssallad runt om. God sallad som entrérätt eller som en del av ett råkostfat. Bjud helkornsbröd till.

Variation: Byt ut citronsaft och olja mot en sås av 2 msk majonnäs + 2 msk filmjölk + 1 tsk riven pepparrot. Också mycket gott.

4 råa rödbetor (eller kokta,
  på vintern)
2–3 äpplen
1/2 dl russin
1 msk citronsaft
2 tsk olja, t ex solrosfröolja
1/2 dl hackade rostade
  nötter, hassel-, cashew-
  eller jordnötter
isbergssallad

Tid: 30 min

Varma grönsaksrätter

De tillagade grönsaksrätterna är inte riktigt lika viktiga som råkosten, men har givetvis också mycket stor betydelse. Alla vitaminer påverkas inte vid tillagningen och salter och fibrer finns kvar antingen vi väljer att koka grönsakerna själva eller utnyttjar de konserverade och djupfrysta som finns. Näringsmässigt sett kan förresten de konserverade och djupfrysta grönsakerna vara bättre än dem vi odlar själva eller köper färska. Inom industrin skördar man grönsakerna precis den dag – ärter ibland inom den rätta timmen – de är som bäst. Behandlingen sker sedan mycket snabbt och under noggrann kontroll. Även odlingen kontrolleras mer radikalt än man kan göra själv. Vi serverar med fördel också en eller flera kokta grönsaker varje dag eller gör en rätt med tillagade grönsaker som huvudingrediens att ätas efter råkosten. Konsumtionen av grönsaker är på frammarsch men vi har lång väg ännu att gå innan vi når fram till italienarnas ca 125 kg och portugisernas ca 190 kg per person och år. Vi äter nämligen bara 41 kg! En mängd som med fördel kan fördubblas. Grönsaker innehåller ju bra med vitaminer, salter och spårämnen i förhållande till de få kalorier de ger. Med sin höga vattenmängd är de också härligt mättande. Detta är nog så väsentligt när man vill och behöver leva smalt, sunt, vegetariskt och kanske t o m gå ner i vikt. Grönsaker ger också bästa omväxling åt maten i form av smak, utseende, form och vackra färger.

Grönsaker är ganska dyra i Sverige så hela året runt behöver man hålla ett öga på priset. I veckoannonserna får man bra tips på vad som är billigt för årstiden. Köper man efter dem får man samtidigt bra omväxling alltefter som grönsakerna kommer och går under säsongerna. Vintertid när priserna är som allra högst och näringsvärdet lägst utnyttjar man förstås mer konserver och djupfryst och väljer av de billiga vitkål, morötter, lök om man vill vara ekonomisk.

Kumminkål

V 4 port

Lagad av den underbara färska vitkålen är detta något av det godaste till magert kött, skinka eller kasseler.

Putsa kålen och skär kålhuvudet i fyra stora klyftor. Koka upp vatten och buljongextrakt och lägg i kålen. Strö över salt och kummin och koka kålen under lock i 8–10 min. Klicka på smör.

Servera med kokt potatis och mager korv, skinka, färsbiffar eller kasseler.

800 g – 1 kg färsk sommar-
vitkål
1 dl vatten + buljong-
extrakt
1/2 tsk salt eller Herbamare
2 tsk kummin
1 msk smör

Tid: 20 min

Färgglad grönsaksgryta

V 4 port

Den här grönsaksgrytan lagar jag ofta. Jättegod, snabb, härlig i färg och inte så vanlig.

Lägg bönorna i en gryta och häll på 1/2 dl vatten. Koka bönorna 2–3 min. Häll av spadet från pimienton och skär den i grova strimlor. Lägg dem på bönorna och salta helt lätt. Koka grönsaksgrytan i 4–5 min under lock på svag värme. Häll av spadet och lägg på en liten klick smör.

Servera som grönrätt till kokt råris, potatismos eller linser. Eller till kött eller fisk, kokt eller grillad.

Se bild på s 203.

Variation: Tillsätt också små kokta lökar eller kokt purjo i bitar.

Variation: Riv lite muskotnöt över bönorna när du klickat på smöret och spritsa 1 1/2 dl gräddfil över. Strö på hackad persilja.

1 pkt djupfrysta skurna
brytbönor
1 burk pimiento à 200 g
1–2 kryddmått salt eller
vitlökssalt
1/2–1 msk smör

Tid: 15 min

Kokt grönkål

1 grönkålskrona
1 dl vatten + buljong-
  extrakt
1/2 tsk salt
ev 1 tsk honung eller brun
  farin
1–2 msk smör

Tid: 30 min

Den frosthärdiga grönkålen är både dekorativ, god och full av viktiga vitaminer och salter. Den borde serveras var eller varannan vecka året runt omväxlande med nässlor! Finns bekvämt djupfryst att stuva eller koka soppa på. Tillagad som grönsak, som i det här receptet, måste man dock utgå från ett stånd grönkål. Den djupfrysta kålen är alldeles för finhackad.

Skölj grönkålen väl, varje blad för sig och låt den rinna av väl. Skär bort de grövre, nedre delarna av bladens skaft, skär sedan kålbladen i strimlor. Även stocken kan skalas och den inre märgen skäras i bitar. Koka blad och märg i vatten, smaksatt med buljongextrakt, salt, ev honung och smör. Koka först under lock i 10 min, sedan utan lock tills all vätska kokat in och kålen börjar fräsa helt lätt.
  Servera med kokt skalpotatis eller råris till kall eller varm kasseler, grillade fläskkotletter eller revbensspjäll. Eller med potatis och stuvade morötter som grönrätt.

Tomater Provençale

8 stora tomater, ca 700 g
1/2 tsk salt eller
  Herbamare
2 skivor grahamsbröd
1 msk olja, t ex olivolja
1 vitlöksklyfta
1/2 dl finhackad persilja
1–2 msk riven parme-
  sanost

Tid: 30 min

Doppa tomaterna i 10 sek i kokande vatten, några i taget. Drag av skalet och lägg tomaterna på ett smort ugnssäkert fat, tätt intill varandra. Strö salt över. Smula grahamsbrödet mellan fingrarna över en skål till en grynig massa och täck tomaterna med brödet. Blanda olja och krossad vitlök med persiljan och fördela blandningen över brödet. Täck med riven ost och gratinera i 250°C ugnsvärme ca 10 min.
  Servera med råris eller avorioris som grönrätt eller som grönsak till omelett, grillad kyckling, fisk eller kött.

Mustig rödbetsgryta

V 4 port

Skala rödbetor och lök och skär i tärningar, rödbetorna i stora, löken i mindre. Fräs rödbetor och lök i matfettet i en gryta under lock i 10 min. Strö på mjöl, rör om och tillsätt vatten och buljongextrakt. Rör försiktigt tills rätten kokar, tillsätt lagerblad, salt och nymald vitpeppar. Koka på svag värme tills rödbetorna är mjuka men inte överkokta ca 35 min.

Servera med kokt råris, skalpotatis eller potatismos och ev mager falukorv eller fläskkotletter till.

6–7 rödbetor
3 gula lökar
1 msk smör eller olja
2 msk vetemjöl
4 dl vatten+buljongextrakt
1 lagerblad
1/2 tsk salt eller Herbamare, vitpeppar

Tid: 1 tim

Fransk grönsaksgryta

V 4–6 port

Höstens bästa grönsaksrätt är nog den här grönsaksgrytan. Fylld med härliga färska grönsaker i alla de färger, former och smaker som hösten ger. Gör gärna en stor sats när grönsakerna är billiga och frys in. I Frankrike heter rätten "ratatouille", i Italien "peperonata" (finns på burk här).

Skölj alla grönsakerna och halvera paprikorna och tag bort alla kärnor. Skär paprikan i bitar, tomaterna likaså. Skala löken och skär också den i bitar eller klyftor. Skär auberginen med sitt skal först i skivor, sedan i bitar, gurkan likaså och squashen om du har sådan. Värm olivoljan i en gryta och lägg i alla grönsaker. Rör om och smaksätt med krossad vitlök, lagerblad, rosmarin och salt. Koka grönsakerna på svag värme under lock i 15 min. Tag sedan av locket och låt rätten koka i ytterligare ca 10 min tills den blir lagom tjock och simmig. Smaka av med mer rosmarin eller salt om det behövs.

Servera med kumminpotatis, se s 94, spaghetti eller råris, som grönrätt eller till lammstek, kokta ägghalvor, grillat kött eller till fisk.

2 gröna paprikor
1–2 röda paprikor
5–6 tomater eller 1 burk
  skalade tomater, ca 450 g
2–3 gula lökar
1 aubergine (äggplanta)
1/2–1 gurka
ev 1–2 squash
1 msk olivolja
2–3 vitlöksklyftor
1 lagerblad
1–2 tsk krossad rosmarin
  eller basilika
1/2 tsk salt eller Herbamare
ev 1–2 tsk citronsaft

Tid: 1 tim

Ris- och spenatfylld paprika $\boxed{V}$ 4 port

4 stora gröna paprikor
vatten, 1 1/2 tsk salt
  per liter vatten
4–5 dl kokt råris eller
  avorioris
1 msk smör
1 dl tunt skivad purjolök
ev 1 burk blandsvamp
1 litet pkt hackad spenat
  eller finhackade nässlor
1 vitlöksklyfta
1 dl riven ost,
  t ex herrgårdsost

Tid: 45 min

Skölj paprikorna, halvera dem på längden och ta ur kärnorna. Koka upp lättsaltat vatten och låt paprikahalvorna koka i 2–3 min. Ta upp dem och låt dem rinna av. Ställ paprikahalvorna i en smord ugnssäker form. Häll riset i en skål. Smält smöret i en stekpanna, tillsätt purjolök och fräs den ett par minuter. Om du vill ha svamp i paprikafyllningen så hacka den grovt och koka den i sitt spad tills det mesta kokat in – tillsätt därefter smör och purjo och fräs allt några minuter. Blanda fräset med riset och tillsätt upptinad spenat och krossad vitlök. Fördela riset i paprikahalvorna och strö på riven ost. Gratinera i 250°C ugnsvärme ca 15 min.

Servera med potatismos eller dillkokt färsk potatis samt gärna inlagd gurka eller pickles.

Aubergine med rostbiff 4 port

2 auberginer, äggplantor
1 tsk salt
1 dl vetemjöl+1 tsk
  paprika
1 msk olivolja
200 g rostbiff i tunna
  skivor
2 gula lökar
150 g mald nötfärs
2 tsk basilika
4 tomater
1 dl riven ost, t ex
  port salut eller grevé

Tid: 1 tim 30 min

Aubergine är det franska namnet på äggplanta, den härligt lila, glänsande grönsak som numera finns ganska allmänt. Den är vanlig i länderna kring Medelhavet och serveras alltid tillagad – rå har den en närmast bomullsaktig konsistens och smakar nästan ingenting.

Skölj äggplantorna och skär dem, med skalet kvar, i cm-tjocka skivor. Lägg dem platt och strö över saltet. Låt dem ligga 1/2–1 tim så att en del av vattnet dras ur. Torka äggplanteskivorna i en handduk, vänd dem i mjöl blandat med paprika och stek dem snabbt i het olja. Lägg hälften av äggplanteskivorna på botten av ett smort ugnsäkert fat och täck med rostbiffskivorna. Fräs finhackad lök och den malda färsen på medelstark värme och fördela fräset över rostbiffen. Strö krossad basilika över och täck med skivade tomater, resten av äggplanteskivorna och riven ost.

Gratinera rätten i 225°C ugnsvärme ca 25 min.

Servera med kokt råris eller avorioris.

Stuvade nässlor, spenat eller målla

Om nässlans förträfflighet står att läsa i receptet på nässelsoppa s 156. Spenat är också en bra produkt och i alla fall enklare att skaffa fram hela året! Målla kanske du inte ens känner igen ute i markerna? Men om du gör det eller får hjälp att lära dig så pröva att plocka mållablad – alla sorters målla går fint, svinmålla, spjutmålla och lungrot. Mållan är släkt med både spenat och mangold samt sockerbeta!

Mållans smak ligger precis mitt emellan nässlor och spenat – den är alltså mycket god.

Hacka den hela spenaten grovt och lägg den i en kastrull. Strö över mjöl, rör om och tillsätt mjölken. Koka upp under omrörning och sjud stuvningen under lock på svag värme i 3 min. Smaksätt med smör, salt, vitpeppar, paprika och gärna stött timjan. Späd ev med lite vatten eller grönsaksspad till lagom konsistens.

Servera stuvningen till färsbiffar, rödbetsbiffar, grillad kasseler eller fläskkotlett, kokta ägghalvor, kokt skinka eller till råris som grönrätt.

Se bild på s 224.

1 pkt hel eller hackad spenat eller 4 dl förvällda hackade nässlor eller målla
3 msk vetemjöl
2 dl mjölk eller 1/2 dl grädde + 1 1/2 dl mjölk
1 msk smör
1/2 tsk salt, vitpeppar
1 kryddmått paprika
2–3 kryddmått timjan, anis eller fänkål

Tid: 20 min

Nässlor, råa eller stekta

Bara som kuriosa vill jag nämna att nässlor kan stekas frasiga i lite smör och serveras som verkligt näringsrikt och mycket gott tillbehör till grillat kött eller till fisk, på svampstuvning m m! Skölj då bladen, skaka av dem väl och skär dem i strimlor samt stek dem. Salta ytterst lätt. Många vegetarianer förordar riktigt finhackad rå nässla i sallader, i soppor och på smörgås. Men då ska den vara finhackad också, annars är det *inte* gott, bara strävt och kärvt!

Tomatkokta kåldolmar

4 port

1 vitkålshuvud, ca 1 kg
(helst sommar- eller
höstkål)
vatten, 1 1/2 tsk salt
per liter vatten

Fyllning:
3–4 dl kokt råris eller
avorioris
1 msk smör
1 finhackad gul lök
200–250 g malet nötkött
1/2 tsk salt eller Herba-
mare,
vitpeppar
1 tsk paprika
1 burk krossade tomater
(ca 450 g)
2 kryddmått salt
1 dl grovhackad persilja

Tid: 1 tim

Skär bort stocken i vitkålshuvudet och lägg det sedan i kokande, saltat vatten att koka ca 10 min. Tag upp kålhuvudet och låt det svalna. Lossa bladen och låt dem rinna av väl.

Lägg riset i en skål. Smält smöret och fräs lök och nötkött däri några minuter. Blanda fräset med riset och smaksätt med salt, nymald vitpeppar och paprika. För-dela riset på kålbladen, 2–3 msk fyllning per blad, och rulla ihop till fina paket. Lägg dolmarna tätt i en vid gryta med skarven nedåt. Häll tomaterna över och salta helt lätt. Koka kåldolmarna under lock på svag värme i 20–25 min. Strö persilja över.

Servera med kokt skalpotatis och gärna någon god inläggning. Ev också lite kall gräddfil för extragod smak.

Svampbiffar

V   4 port

2 1/2 dl finhackad
blandsvamp
(2 burkar à 200 g)
1 dl malda hasselnötter
1/2 dl sojamjöl
2 dl kall gröt av t ex ris,
havre eller rågflingor
2 dl kokt, mosad potatis
eller potatismos
1 tsk buljongextrakt i
pulverform, t ex
Vitam Körnig
2 finhackade gula lökar
1 tsk paprikapulver
1 msk smör eller olivolja

Tid: 1 tim

Blanda svamp, hasselnötter, sojamjöl och gröt till en jämn smet. Tillsätt kokt potatis och smaksätt med bul-jongextrakt, gul lök och paprika. Forma biffar av sme-ten och stek i smör i ej för varm stekpanna.

Servera med kokt potatis eller potatismos, ärter och inlagda rödbetor eller surgurka.

Grönsaksgratäng är gott med lite smält smör till. Kanske också några droppar citron? Enkelt och snabbt att laga dessutom med alla fina djupfrysta grönsaker som finns. Variera med spenat och broccoli eller med kokt råris eller hirs i botten om du har rester tillgängliga. Kokt skalpotatis är annars gott till. Recept finns på s 91.

Paj med palsternacka och svamp är en lite lyxig, vegetarisk rätt. Pajdegen innehåller både grahamsmjöl och vetemjöl och blir därmed både godare och nyttigare med mer kli. Kli ger ju inte bara god smak utan också något för tänderna att tugga på och för magen att arbeta med. Vill du ha något gott till så passar rökt skinka — mager, i tunna skivor — eller rökt makrill bra. Se s 100.

Purjosås till sojabönor m m

Purjolök, liksom annan lök, har bra näringsvärde. Borde användas i mycket större mängder än vi nu gör. Använd alltid så mycket som möjligt av det gröna på purjolöksbladen, där finns mer vitaminer än i de ljusa delarna. Och så är det mer ekonomiskt! Visste du förresten att det var med hjälp av lök, främst rödlök, och rovor, som pyramidernas byggnadsslavar fick tillräckliga krafter för sitt hårda arbete?

Ansa purjolöken, skölj den väl och skär den i cm-tjocka skivor. Smält smöret, lägg i purjon och fräs den några minuter under omrörning. Strö över mjölet, rör om och häll på mjölken. Rör om hela tiden tills såsen kokar upp och låt den sedan sjuda på svag värme under lock i 3 min. Smaksätt med salt och ev lite timjan.

Servera till kokta sojabönor, kikärter, linser eller broccoli och potatis som grönrätt eller med kokta ägghalvor eller mager rökt skinka dessutom, som mer traditionell måltid.

2 purjolökar
1 msk smör
2 msk vetemjöl
4 dl mjölk eller
  1/2 dl grädde+3 1/2 dl
  mjölk
1/2 tsk salt eller Herbamare
ev 2 kryddmått krossad
  timjan

Tid: 15 min

Lök- och morotsgryta

Skala morötter och lökar och skölj purjon väl. Skär allt i skivor och fräs dem i oljan på ej för stark värme några minuter – grönsakerna ska inte alls ta färg, bara värmas ordentligt. Tillsätt soja och 2–3 msk vatten. Lägg på lock och låt grönsakerna koka några minuter. Strö ev på grovhackade rädisor och persilja.

Servera till kött eller fisk eller som grönrätt till potatismos, kokt råris eller ugnsbakad potatis.

4 morötter
2–3 gula lökar
1 purjolök
1 msk olja t ex olivolja
2 tsk soja
ev 3–4 rädisor
grovhackad persilja

Tid: 20 min

Grönsaksfat att variera med

- blomkål (ta även med stock och omgivande blad) + sockerärter + purjolök + röd paprika
- ärter eller brytbönor + tomater + blomkål eller broccoli + stekt blandsvamp
- hel spenat + stekta champinjoner + blomkål eller brysselkål + kokt lök
- fänkål eller blomkål + gurka + rödbetor eller morötter
- vaxbönor eller brytbönor + grönsaksblandning + majs (burk)

Koka grönsakerna var för sig eller tillsammans där det passar dem (och dig) i lättsaltat vatten. Ta bara en bottenskyla vatten och koka på rätt stark värme så blir det en form av ångkokning men utan extra insatser och längre koktid. Ta vara på spadet – fin stomme till såser, soppor o s v. Strö rikligt med grovhackad persilja över.

Servera med dillkokt färsk potatis, råris eller ugnsbakad potatis och ev lite vitlökssmör eller gräddfil smaksatt med vitlök och persilja. Citronklyftor, magert kött, färsrätter eller rökt fisk därtill. Sojabönor, kikärter, linser eller adukibönor (röda sojabönor) kan man också servera till grönsakerna istället för kött och fisk. Tomatsås, svampsås, löksås eller pepparrotssås är också gott till.

"Nyligen har man visat, att vissa människor kan omvandla en relativt stor andel av tillförd askorbinsyra (konstgjort C-vitamin) till oxalsyra. Om personer med denna rubbning i ämnesomsättningen följer de nu så populära råden att äta flera gram askorbinsyra per dag för att förhindra förkylning så torde risken för njurstensbildning vara avsevärd."

Laborator Åke Bruce, Vår Föda

Svampgratinerad purjo eller gurka 4 port

Kokt gurka är inte så vanligt men inte desto mindre väldigt gott! Denna lyxiga grönsaksgratäng kan också lagas med konserverad palmmärg som grönsak. Skär i så fall väl avrunnen palmmärg i rätt stora bitar på längden. En elegant grönsak! Svampsås med tartex blir underbart fyllig och lite annorlunda i smak. Gott ihop med de kokta grönsakerna.

Putsa purjolöken och skölj den väl. Skär den i långa bitar och koka dem i 4–5 min i lättsaltat vatten. (Gurkan halverar man på längden och kärnar ur men skalar den inte. Skär gurkan i stora bitar och koka dem i 10 min i lättsaltat vatten.) Blanda svampen med sitt spad, tartex, grädde och vetemjöl i en kastrull och låt det få ett uppkok. Rör hela tiden så att såsen inte blir klimpig. Tillsätt paprika och 1 dl vatten och koka såsen i 3 min under lock. Smaka av med salt och lite vitpeppar. Lägg väl avrunnen purjolök på ett smort ugnssäkert fat. Häll svampsåsen över och strö på riven ost. Gratinera i 250°C ugnsvärme ca 15 min.

Servera med kokt avorioris eller vildris (wild rice) om du vill kosta på något som är alldeles extra gott (men dyrt!). Kokt färsk potatis eller ett lätt grahamsbröd och lite smör passar också bra.

6–8 purjolökar eller
1 stor gurka eller
1 burk palmmärg
(ca 800 g)
vatten, salt

Gratängsås:
1 burk skivade champinjoner, ca 200 g
1 burk tartex naturell, 115 g
2 dl tunn grädde eller 1 dl grädde + 1 dl vatten
2 msk vetemjöl
2 kryddmått paprika
1 kryddmått salt, vitpeppar
2 msk riven ost, t ex herrgårdsost

Tid: 45 min

Surkålsgryta med tartex 4 port

Skala morötter och lök, hacka dem grovt och lägg dem i en gryta tillsammans med surkål. Tillsätt vatten och buljongextrakt och koka grönsakerna i 20–25 min. Rör ner tartex och värm den så att den blir en god sås till rätten. Strö persilja över.

Servera med kokt råris, avorioris eller potatis eller med helkornsbröd och lite ost.

2 morötter
2 gula lökar
400 g surkål
2 dl vatten + buljong-extrakt
1 burk tartex, naturell eller med örter (à 115 g)
grovhackad persilja

Tid: 45 min

Lök stekt på mitt vis

$\boxed{V}$ 4 port

4–5 gula lökar
1 msk smör
1–2 kryddmått salt eller
  Herbamare
1–2 kryddmått paprika
ev 1–2 tsk soja

Tid: 15 min

"Löken är kungen bland vegetabilierna" sa Are Waerland. Och lök tillskrivs följande i Nils Kaléns "Hälsolexikon": "Löken innehåller närsalter i ideala proportioner, kan ställas i jämnhöjd med modersmjölken utom i fråga om järn och kalcium där den når avsevärt högre. Rik på A-, B- och C-vitamin och med hög halt av eteriska oljor. Lök är helande, renande, stärkande, desinficerande och allmänt hälsofrämjande".

Börja med små mängder för att undvika gasbildningar, om du inte brukar äta lök. Stekt lök smakar alltid gott men ofta är den för fet. Pröva att steka på mitt vis, det är ett mellanting mellan kokt och stekt lök, som jag funnit vara väl så gott.

Skala löken, halvera den och skär den i 1/2 cm skivor eller i klyftor = varje halva i fyra bitar på längden. Smält smöret i en gryta eller stekpanna, tillsätt löken och 3–4 msk vatten och koka löken under lock i 6–8 min. Rör om då och då och krydda med salt, paprika och gärna lite soja som ger fin färg och smak. Tag av locket och fräs löken tills mesta vätskan kokat in och löken fått fin färg.

Servera till kokt potatis, potatismos eller råris och ev grillat kött eller fisk.

Vintrig grönsaksgryta

$\boxed{V}$ 4 port

3 morötter
10 potatisar
2 gula lökar eller purjolökar
3 dl vatten +buljongextrakt
1 pkt brysselkål från frysen
1/2 tsk salt eller Herbamare
1 msk smör
1 dl grovhackad persilja
  eller grönkål

Tid: 30 min

Skär skalade morötter, potatisar och lökar i mindre bitar. Koka upp vatten och buljongextrakt och koka allt i 10 min. Tillsätt brysselkål och salt och koka rätten ytterligare i 7–8 min. Häll av ev spad, klicka på smör och strö persilja över.

Servera med kokt råris som grönrätt eller som grönsak till magert kött, färsrätter, grillad fisk.

Ostgratinerade grönsaker

 4 port

Koka någon grönsakssort i lättsaltat vatten så att den ännu är lite hård och inte helt genomkokt. Tag upp grönsaken och lägg den på smort ugnssäkert fat. Fördela osten över och strö på ströbröd och paprika så att gratängen lättare tar färg.

Gratinera i 250°C ugnsvärme ca 10 min.

Servera med kokt potatis eller potatismos som grönrätt eller som grönsak till lammstek, magra färsbiffar eller grillad kyckling.

4 fänkålsstånd eller 2 pkt
broccoli eller 1 stort
blomkålshuvud eller
5–6 purjolökar
vatten, 1 1/2 tsk salt per
liter vatten
1 1/2 dl riven ost, t ex
herrgårdsost
1 tsk ströbröd, osötat
1 kryddmått paprika

Tid: 30 min

Grönsaksgratäng

▢ 4 port

Täck ett smort gratängfat med tinad, urkramad spenat och tinade djupfrysta sommargrönsaker. Gör en gratängsås genom att blanda mjölk, vatten, buljongextrakt, smör och vetemjöl i en kastrull. Koka upp under ständig vispning till en klimpfri sås. Smaksätt med Herbamare och paprika och sjud såsen 3–4 min under lock på svag värme. Häll såsen över grönsakerna och strö på riven ost.

Gratinera i 250°C ugnsvärme ca 15 min till fin färg.

Servera med lite smält smör smaksatt med citronsaft och finklippt gräslök samt kokt skalpotatis eller råris. Mager rökt skinka eller knaperstekt bacon, 1–2 skivor per person, kan serveras till.

Se bild på s 85.

1 pkt hel spenat eller
förvällda nässlor
1 förpackning sommar-
grönsaker, 600 g eller
600–750 g kokta grönsa-
ker och rotfrukter t ex
blomkål, broccoli, sparris,
morötter + majs + ärter,
fänkål, purjolök m m

Gratängsås:

2 dl mjölk
3 dl vatten +buljong-
extrakt
1 msk smör
3 msk vetemjöl
1/2 tsk Herbamare eller
kryddsalt
2 kryddmått paprika
1/2–1 dl riven ost t ex
grevé + 1 msk
parmesan

Tid: 40 min

Kinesisk grönsakspanna

500 g vitkål
2 gröna paprikor
1 röd paprika
2 gula lökar
1 msk smör eller olja
t ex olivolja
2–3 msk soja
ev 1 burk blandsvamp
1–2 dl böngroddar, köpta
 färska eller på burk
 eller hemspirade
 mungbönor, se s 69.

Tid: 30 min

Strimla vitkålen fint och skär urkärnande paprikor i strimlor. Skala löken och skär den i tärningar eller tunna skivor. Värm matfett och soja och tillsätt alla de skurna grönsakerna samt ev svampen med sitt spad. Fräs allt på medelstark värme tills grönsakerna är något – men inte helt – mjuka. Rör om då och då, beräkna 7–8 min tillagningstid. Tillsätt böngroddar och låt dem bara bli precis uppvärmda.

Servera till kokt råris eller avorioris eller med ungsbakad potatis som grönrätt eller som grönsak till grillat kött, fisk, kyckling, till malda färsrätter eller mager rökt skinka.

"Att på kinesiskt vis snabbfräsa mycket grönsaker och lite kött är ett sätt att tillämpa matpyramiden. Det är att äta rätt och riktigt utan att pruta på att maten ska vara lockande, god och billig."

Matskribent Cajsa Stenmark, Tidningen Vi

Tomathalvor och tomatskivor blir vackrast i mönstret inuti när man skär tomaten på det håll som teckningen visar, dvs med fästet i mitten av första skivan.

Potatis och andra rotfrukter

För vegetarianer spelar potatis och andra rotfrukter en mycket stor roll och borde göra det för alla oss andra också. Undantag görs endast vid perioder av viktminskning. Då får man minska på mängden rotfrukter men aldrig ta bort dem helt i alla fall inte för en längre period.

Förr kunde en måltid bestå av ett stort fat med kokt skalpotatis som man åt precis som äpplen, ev doppade i lite fläskflott först. Om man hade sovel till så var det inte några stora mängder. Potatisen var basen i måltiden, ofta både en och två gånger om dagen.

Tittar man lite närmare på näringsinnehållet i en sådan måltid så finner man snart att det var en alldeles utmärkt matordning! Kanske inte lika gott, men ur kroppens synpunkt bättre än vad vi många gånger äter idag, hur otroligt det än kan låta!

Potatis ger nämligen en hel del protein av mycket god kvalitet, (högvärdigt), järn och vitamin C om den lagras väl och anrättas på riktigt sätt. Det ger inte så stora mängder per 100 g, men äter man 300–500 g, vilket är ganska lagom, blir det en hel del.

Näringsmässigt kan man faktiskt leva på nästan enbart potatis och det gäller inte för många andra livsmedel. Potatis är också en billig produkt som ger mycket energi (kalorier, joule) och bra med näringsämnen till lågt pris.

Fibrer och andra icke smältbara ämnen i potatisen har genom att de bildar slaggprodukter dessutom stor betydelse för tarmens arbete. Potatisens och de andra rotfrukternas styvmoderliga (styvfaderliga?) behandling i alla former av storkök (lunchmatsalar, restauranger, sjukhus, skolor, grillbarer) har gjort att alltför många människor dagligen tvingas äta potatis och rotfrukter som är antingen fel behandlade, dåligt anrättade eller inte förekommer alls. Just denna produktgrupp skulle behöva utvecklas ordentligt, ju förr dess bättre. Ty inte nog med att både pris och näringsvärde är utmärkt, det här är ju en produktgrupp som är otroligt välsmakande också. Var för sig och i blandning. Passar både kokt och stekt, som mos, i soppa, gratänger, sallader, som huvudrätt och tillbehör m m. Bäst är att laga till rotfrukterna själv men det tar onekligen en hel del tid som alla bara inte kan "skaffa fram". Mer eller mindre färdiglagade produkter måste utnyttjas. Tänk då på att kontrollera fettmängderna. En obehandlad potatis innehåller nämligen 0,1 g fett/100 g dvs inget alls att räkna med, medan köpt pommes frites kan innehålla ca 12 g fett och grillkiosks-pommes frites ända upp till 25 g fett, beroende på enskilda gatuköks anrättningsmetoder.

Vill du leva sunt, smalt, vegetariskt eller t o m banta kan du förresten lika gärna glömma sådana "lyxprodukter" som chips, pommes frites m m helt och hållet. Lär dig njuta av skalpotatis, ugnsbakad potatis och alla de andra goda rätterna på följande sidor i stället. En omställning som knappast kan bli särskilt svår. Det här är mustig mat för alla tillfällen, såväl vardag som fest.

Kumminpotatis

$\boxed{V}$ 4 port

1–1 1/4 kg kokt
  eller rå potatis
1 msk smör eller olja
1 tsk salt
2 tsk kummin

Tid: 45 min

Gott, enkelt men ändå lite festligare än stekt potatis.

Med rå potatis: Borsta potatisen väl, halvera den på längden och lägg den tätt i ugnssäker form med snittytan upp.

Med kokt potatis: Tag bort fula delar men skala inte potatisen. Skär den mitt itu på längden och lägg potatisen tätt i en ugnssäker form med snittytan upp. Pensla med smält smör eller olja och krydda med salt och kummin.

Stek rå potatis i 225°C ugnsvärme i ca 30 min, kokt potatis i ca 15 min.

Servera till fransk grönsaksgryta, se s 81, som grönrätt, till grillat kött och fisk, ev med sallad och rökt skinka eller renstek, lammstek, lammkotletter m m.

Variation: Byt ut kummin mot sesamfrön. De är inte alls starka så ta gärna lite mer, 1–2 msk blir lagom.

Skalkokt potatis

När man äter 250–300 g potatis – och gärna mer – kan man minska på det dyra köttet, på fisken, osten eller vad man nu har till. Proteinmängden räcker gott i alla fall. Vi behöver inte alls så mycket protein som vi äter nu för tiden, tvärtom mår vi bättre och håller oss friskare med mindre biffar, mindre fiskstycken osv.

Billigare blir det också och det är väl fint? Välborstad potatis, kokad eller ugnsbakad med skal på, är den potatis som vi ska äta oftast – tillagad så är potatisen mager och neutral i smak så att den passar till all slags mat och har kvar så mycket av vitaminer och salter som det går. På välborstad kokt potatis, helst biodynamiskt odlad, kan man med fördel äta skalet också. Det innehåller härliga aromämnen – bl a vanillin – och ger fint tuggmotstånd.

Borsta potatisen väl. Koka upp ca 3/4 liter vatten och salt och lägg i potatisen. Tillsätt ev mer vatten – det ska stå ca 1 cm under det översta potatislagret. Koka potatisen under lock ca 20 min. Känn efter med provsticka. Häll av vattnet och ånga av potatisen. På sommarens och höstens färskpotatis kan man gärna lägga en bunt dillstjälkar vid kokningen och även garnera den kokta potatisen med dill.

1–1 1/4 kg potatis
vatten, 1 tsk salt
ev dillstjälkar

Tid: 25 min

"Ingen dag utan potatis, ingen potatis utan skal. När man kokar potatis med skal förhindras urlakning av vitaminer och salter."
Hushållslärare Kate Carpenter
i "Moderna grönsaksrätter" 1939

Stekt potatis på mitt sätt

3–4 gula lökar eller
  4–5 färska lökar
1 msk smör
2 msk vatten + 1/2 tsk
  buljongextrakt
1 kg kokt kall skalpotatis
ev salt
1 kryddmått paprika
rikligt med dill

Tid: 15 min

Speciellt gott sommartid när både potatis och lök är extra mjälla. Gott och mättande med bara tomatsallad, sprött knäckebröd och ett glas lättfil därtill.

Skala löken och skär den i halvor, sedan i skivor, ej för tunna. Lägg löken i en stekpanna med smör, vatten och buljongextrakt och koka den halvmjuk under lock i 4–5 min. Tag av locket och låt mesta vätskan koka in. Skala potatisen om det är nödvändigt men rätten blir godare om skalen är kvar! Skär potatisen i skivor eller tärningar och lägg den på löken när den fått lite färg. Öka värmen och bryn potatis och lök till fin färg. Krydda ev med salt och paprika och strö på dill. Stek potatisen tills dillen blivit en aning frasig och torr. Delikat!
  Servera till magerstekt ägg, grillat kött eller fisk eller t ex kall, mager skinka.

Magrare potatismos

1 1/4 kg potatis
vatten, salt
1 1/2 dl lättmjölk
1 msk smör
1/2 tsk salt
1 dl grovhackad persilja
  eller grönkål
ev finskuren gräslök
ev finrivna morötter
ev 1–2 kryddmått muskot-
  nöt

Tid: 30 min

Hemlagat potatismos hör till något av det allra godaste som finns, särskilt om det inte är alldeles slätt utan har lite bitar att tugga på också. Har jag bråttom skalar jag inte heller potatis till mos, det blir grovt och gott till vardags.

Borsta potatisen väl och tag bort fula delar eller skala den. Koka potatisen i saltat vatten i 20 min. Häll av spadet men spara det och ånga av potatisen på kokplattan. Mosa potatisen med potatisstöt eller elvisp och tillsätt mjölk och smör. Vispa moset kraftigt och tillsätt potatisspad till ett lagom fast mos. Smaka av med salt och persilja, ev också gräslök eller riven muskotnöt eller morötter.
  Servera till grillat kött eller fisk, kokt magert nötkött, t ex salta biten, med stuvade grönsaker eller sallad som grönrätt eller till kokt korv, t ex mager falukorv.

Ugnsbakad potatis

Amerikansk jättepotatis, s k Idahopotatis, har alltid ansetts vara den bästa sorten när man ska bjuda på ugnsbakad potatis. I mitt tycke stämmer det dock inte alls! Vattnig och smaklös är mitt omdöme. Pröva dig gärna fram till egen "bästa sort", odlad i Sverige istället. Den svenska potatisen är dessutom avsevärt billigare.

Skölj och borsta potatisarna helt rena. Picka dem några gånger med en gaffel eller provsticka så att de inte spricker i ugnen. Pensla ev med olja för att få extra knaprigt skal och lägg dem på ugnsgallret i en långpanna eller på en bädd av grovt salt – ser så trevligt ut vid serveringen – i en ugnssäker form. (Att vira in potatisen i folie tycker jag inte är bra. Det goda skalet blir blött i stället för knaprigt och gott. När man bakar potatis i glöd vid sommarens grillfester är det dock lämpligt med folie.) Baka potatisen i 40–60 min i 200–225°C ugnsvärme. Skär ett kryss på ovansidan av varje potatis och kläm till ordentligt med båda händerna från sidorna så att potatisen öppnar sig. Lägg en klick smör i den heta potatisen och strö lite paprikapulver över.

Servera till matjessill, ugnstekt eller grillat kött och fisk, lammstek, antilopsadel, revbensspjäll, kyckling m m.

Variation: Smaksätt smöret med något gott, såsom senap + dill, pepparrot, kummin, osv efter tycke och smak. Omväxling förnöjer.

1–2 stora potatisar per person
ev olja
ev grovt salt
1–2 msk smör
paprika

Tid: 1 tim

"När ett djur blir sjukt undrar man vad det kan ha ätit. Men när det gäller människan då tror man att man kan ha magen till sopnedkast."

Lilly Johansson, hälsohemmet Föllingegården

Potatis- och nässellåda

1–1 1/4 kg potatis
2 gula lökar
1/2–1 liter nyplockade
nässelblad
ev 1 vitlöksklyfta
2 dl mjölk eller 1 dl grädde
+ resten mjölk
1 tsk salt eller Herbamare
1 msk smör

Tid: 1 tim

Bra rätt där man "smyger in" de otroligt näringsrika nässlorna nästan utan att det märks – om nu någon av gästerna inte förstår att uppskatta denna delikatess. Nässlorna kan bytas ut mot djupfryst hel spenat om tiden är knapp.

Borsta och putsa potatisen eller skala den eventuellt. Skala löken och skiva den och skölj nässelbladen riktigt väl. Hacka nässlorna grovt om de är stora. Varva potatis, lök och nässlor i en smord ugnssäker form. Krossa ev vitlök ur vitlökspress direkt över potatisen. Häll på mjölk och krydda med salt. Klicka på smör och grädda rätten i 225°C ugnsvärme ca 40 min.
Servera med lite smält smör och grönsallad som grönrätt eller till magert kött, fläskkotletter eller grillad korv.

Potatis kokt med tomat och mejram

1 kg potatis
3 gula lökar eller gärna
färsklök, 1 knippa
1–2 tsk mejram eller
oregano
2 msk olja, t ex olivolja
(smakar mest italienskt)
eller solrosfröolja
(nyttigast)
3 dl vatten, lite buljong-
extrakt
1/2 tsk salt eller Herbamare
4–5 tomater

Tid: 30 min

Potatis står inte så högt i kurs hos italienarna. Där är det pastan som framför allt är den mättande ingrediensen. Potatis är mer som en grönsak och kokt på det här viset en mycket god sådan. Prova receptet på den mjälla färskpotatisen. Det blir fräscht och gott.

Skala eller borsta potatisen väl och skär den i cm-tjocka skivor. Varva med skalad lök, skuren i klyftor eller skivor i en gryta, helst av en vid modell så att potatisen bara ligger i ett à två lager, inte mer. Smula sönder mejram helt lätt och strö den över. Tillsätt också olja, vatten och salt och täck hela rätten med tomatskivor. Koka potatisgrytan under lock på svag värme ca 20 min.
Servera som grönrätt eller till grillat kött eller fisk eller mager falukorv.

Potatislåda med keso

Keso är en fettfattig – ca 4 % fett – men samtidigt proteinrik färskost. Mättar alltså bra utan att ge så många kalorier (joule), men är i mångas tycke väldigt smaklös. Jag instämmer. Keso måste serveras med smakstarka tillbehör eller kryddas på olika sätt. Då blir den en utmärkt ersättning för vanlig 45+ ost (28 % fett), leverpastej (ca 28 % fett) böckling (ca 12 % fett) eller vad man nu tänkt äta. Keso är billigt också!

Skala potatis och lök och skär allt i skivor. Varva i en smord form. Gör en sås av upptinad spenat, keso, krossad vitlök, salt, nymald vitpeppar och muskotnöt och häll den över potatisen. Strö på riven ost och grädda potatislådan i 225°C ugnsvärme i 45 min om potatisen är rå, annars i 20–25 min.

Servera med en skiva mager rökt skinka eller rökt lammstek eller med tomatsallad, bröd och ev lite smör.

3/4 kg potatis,
kokt eller rå
1 pkt hackad spenat,
ca 350 g
2 gula lökar
1 burk keso, ca 200 g
1 klyfta vitlök
3/4 tsk salt, vitpeppar
2–3 kryddmått muskotnöt
1 dl riven ost t ex grevé

Tid: 1 tim

Potatissallad med rödbetor

När man sitter ute och grillar kött och fisk är en potatissallad alltid ett både gott och praktiskt alternativ till kokt potatis. Allting är klart, ser gott ut och blir inte förstört även om grillningen skulle dra ut på tiden. Men ställ salladen i skuggan om det är varmt.

Skala potatisen om det är nödvändigt (jag gör det nästan aldrig) och skiva den. Varva i en skål med rödbetor. Vispa samman majonnäs, filmjölk, pepparrot och salt och häll såsen över salladen. Rör om med lätt hand och låt salladen stå minst 1 tim på kall plats.

Garnera med salladsblad runt kanten och strö på purjo.

Servera till grillat kött eller fisk, köttbullar, mager skinka eller på råkosttallrik.

1 kg kokt kall skalpotatis
3 dl grovhackade inlagda
rödbetor eller 4–5 dl
hackade färska kokta
rödbetor

Dressing:
1/2 dl lättmajonnäs
1 1/2 dl filmjölk
2–3 tsk riven pepparrot
eller 1–2 msk kapris
1/2 tsk salt eller Herbamare
salladsblad

1/2–1 dl tunt skivad purjolök – det gröna helst

Tid: 20 min + 1 tim

Potatisgratäng på franskt vis

[V] 4 port

1–1 1/4 kg potatis
2 gula lökar
1 purjolök
1 vitlöksklyfta
3 dl mjölk eller 1 dl grädde
  + resten mjölk
1 tsk salt, vitpeppar
ev 2 kryddmått muskotnöt
1–2 dl riven ost t ex
  grevé eller herrgårdsost

Tid: 1 tim

Borsta potatisen och tag bort fula delar eller skala den. Skala löken och putsa purjolöken. Skär allt i skivor och varva i en smord ugnssäker form. Pressa vitlöken över. Vispa samman mjölk, salt, nymald vitpeppar och ev muskotnöt och häll mjölken över potatisen i formen. Grädda i 225 °C ugnsvärme ca 30 min. Strö på osten och grädda potatisgratängen i ytterligare 15 min.

Servera till grillat kött, lammstek, antilopsadel, grillad kyckling, rostbiff eller som vegetarisk rätt med varma tomater och ärter till.

Paj med palsternacka och svamp

4–5 port

Pajdeg:

125 g smör
2 dl grahamsmjöl
1 dl vetemjöl
2–3 msk vatten

Fyllning:

2–3 kokta palster-
  nackor
1 burk blandsvamp,
  ca 200 g
1 msk smör
2 gula lökar

Äggstanning:

3 ägg
2 dl mjölk eller 1 dl
  grädde + resten mjölk
1 1/2 dl riven ost, t ex
  grevé eller emmentaler
1/2 tsk salt, vitpeppar
2 kryddmått paprika
1 bunt gräslök

Tid: 1 tim 30 min

Lägg smör och mjölsorter i en skål. Finfördela smöret med en gaffel till en grynig massa. Tillsätt vatten och arbeta ihop allt till en deg. Låt degen vila övertäckt minst 15 min på sval plats.

Gör under tiden i ordning fyllningen. Skala kokta palsternackor och skär dem i skivor eller tärningar. Koka svampen med sitt spad, smör och lök i klyftor i en liten stekpanna i 5 min under lock. Tag sedan av locket och låt spadet koka bort och svamp och lök bli en aning brynt.

Vispa sedan upp äggen i en skål, tillsätt mjölk, riven ost, salt, nymald peppar och paprika. Klipp ner gräslök.

Kavla ut pajdegen och lägg den i en pajform. Forma till kanten så att den ser jämn och fin ut. Grädda pajdegen 10 min i 225°C ugnsvärme. Tag sedan ut den och fyll med palsternackor först, sedan svamp och därefter äggstanningen. Grädda pajen färdig i ca 20 min till.

Servera med lite smält smör smaksatt med citronsaft och ev knaprig grönsallad som middags- eller supérätt. Bjud ev också rostbiff i tunna skivor, grillad kyckling eller rökt, mager skinka till.

Gryta med palsternackor

Skala potatis och palsternackor och skär dem i stora tärningar eller grova skivor. Skölj purjon och tag bort det grövsta i toppen, skär sedan i 3–4 cm långa bitar. Skala löken och skär den i fyra klyftor. Lägg potatis och palsternackor i botten på en gryta. Lägg purjo och lök ovanpå. Häll på vatten och tillsätt buljongextrakt. Koka rätten under lock på svag värme i 15 min. Tillsätt grädde och koka rotfrukterna mjuka. Smaka av med salt och vitpeppar. Strö på kryddgrönt.

Servera som ensamrätt eller med t ex grillade fläskkotletter, grillad makrill, ugnstekt kyckling eller kalkon.

6–7 potatisar
2–3 palsternackor
2 purjolökar
2 gula lökar
2 dl vatten + buljong-
  extrakt
1 dl grädde
1/2 tsk salt, nymald vit-
  peppar
grovhackad persilja eller
  grönkål

Tid: 30 min

Kålrotslåda

4–5 port

I Finland serverar man ofta kålrotslåda. Det hör bl a julbordet till. God, rejäl och billig mat.

Skala kålrötterna med en rejäl vass kniv och skär dem i bitar. Koka dem i saltat vatten ca 20 min. Häll av vattnet och mosa bitarna med t ex potatisstöt eller elektrisk visp. Moset bör inte vara alldeles slätt utan gärna lite klimpigt. Tillsätt ströbröd, grädde, smör, salt, nymald peppar ev muskotnöt och rör om väl. Tillsätt äggen ett i taget och rör smeten kraftigt. Lägg kålrotsmoset i en smord, gärna bröad form och grädda rätten i 225° C ugnsvärme ca 25 min.

Servera till julskinka, som vegetarisk huvudrätt, till stekt fläsk eller korv, till lammstek.

2–3 kålrötter, ca 1 1/4 kg
vatten, 1 tsk salt/liter
  vatten
1/2 dl osötat ströbröd
1 dl grädde
1 msk smör
1/4 tsk salt, vit- eller
  kryddpeppar
ev 2 kryddmått riven
  muskotnöt
2 ägg

Tid: 1 tim 15 min

Potatissallad med fårost och oliver 4–5 port

1–1 1/4 kg kokt, kall skal-
potatis
1 gul lök
3 tomater

Dressing:

2 msk vinäger, t ex
äppelcidervinäger
2 msk vatten
3/4 tsk salt eller Herbamare
1/2 tsk paprika
ev 1 krossad klyfta vitlök
2 msk olja, t ex solros-
fröolja (nyttigast) eller
olivolja (ingår i origi-
nalrecepten)

Garnering:

salladsblad
150–200 g bulgarisk fårost
(vit, ligger i saltlag)
2 paprikor, gärna 1 röd + 1
grön
2 tomater
10–15 svarta grekiska
oliver (helst från liten
plåtburk där oliverna
ligger i en tunn olje-
dressing)

Tid: 30 min + 2 tim

I balkanländerna serverar man ofta en potatissallad som förrätt med bulgarisk fårost, färsk paprika i tunna skivor och svarta oliver som effektfull kontrast i färg och smak. En utmärkt fräsch och god rätt som också passar bra som billig men god supérätt med ett glas öl eller rosévin.

Skala potatis och lök och skär potatisen i skivor, löken i riktigt tunna strimlor. Skär också tomaterna i tunna skivor och varva sedan potatis, lök och tomater i en vacker skål.

Gör dressingen genom att blanda vinäger, vatten, salt, paprika och ev vitlök. Låt blandningen stå några minuter så saltet löser sig. Tillsätt därefter olja och vispa dressingen helt lätt. Slå den snabbt över potatissalladen i skålen och låt salladen stå svalt minst ett par timmar, gärna över en natt. Övertäckt, så att den får god smak.

Garnera sedan med salladsblad, fårost i bitar, löv-tunna paprikaringar, tomatklyftor och oliver.

Servera med hembakat grovt bröd eller ugnsvärmt knäckebröd och smör, gärna också en skål citronklyftor om någon vill pressa över sin sallad.

Se bild till höger.

PS. Även om du inte lagar den här rustika salladen – pröva både fårosten och de grekiska oliverna! Otroligt goda båda två.

"Ju radikalare man behandlar vår mat och råvarorna till de livsmedel som framställs av industrin, i desto större fara råkar människan."

Professor A J Virtanen, nobelpristagare i kemi,
Helsingfors

Potatissallad med fårost och oliver är bjudmat till hyggligt pris, se s 102. Den här salladen har jag lärt mig i Rumänien men fårosten vi har här kommer från Bulgarien. Den ligger i plåtburkar i saltlag och är något av det godaste jag vet. Också oliverna ligger i plåtburk — men är grekiska.

Härligt goda och saftiga blir biffar som man gör av rivna, kokta rödbetor, lök och potatis. Minst lika goda som vanliga köttfärsbiffar och betydligt billigare, men i gengäld mer arbets- krävande. Pröva dem någon skön höstdag när rödbetorna är mjälla och du har en stund över att koka, skala och riva. När du ändå kokar rödbetor till inläggning, kanske. Se s 106.

Potatisbullar på tre sätt

Skala potatis och lök och skär löken i fyra klyftor. Koka potatis och lök i saltat vatten i 20 min. Häll av vattnet – spar det gärna till någon soppa – och ånga av potatisen på kokplattan. Mosa potatisen med potatisstöt eller elvisp och lägg i smör. Tillsätt äggen ett i taget och arbeta hastigt in dem i moset. Smaksätt med salt, vitpeppar och ev muskotnöt, kikärter eller svampblandning. Forma moset till 12 platta bullar och stek dem i lätt brynt smör till fin färg.

Om du smaksätter med kikärter: Byt ut äggen mot mjölk och smaksätt moset med salt och vitpeppar. Tillsätt finhackade kikärter och persilja och forma bullarna lagom stora. Vänd dem ev i skorpmjöl innan du steker dem.

Servera med sojasås och en blandad grönsallad. Mycket god vegetarisk rätt. Kikärter ger härlig smak och är fina att tugga på.

Om du smaksätter med svamp och purjo: Hacka svampen och blanda den med sitt spad, purjo, smör och timjan och koka allt utan lock tills svampen börjar fräsa och ta lite färg. Blanda ner svampen i moset och forma det till bullar. Stek dem i lätt brynt smör till fin färg.

Servera med lingon – ej för söta – och strimlad vitkål eller med 2 skivor knaprigt stekt bacon/person samt en grönsallad.

1 kg potatis
2 gula lökar
vatten, 1 tsk salt
1 msk smör
2 ägg
1/2 tsk salt, vitpeppar
ev 2 kryddmått muskotnöt
1–2 msk smör

Smaksättning med kikärter:

1/2 dl mjölk i stället för 2 ägg
2 dl finhackade kokta kikärter
1/2 dl hackad persilja
ev 1–2 msk ströbröd

Smaksättning med svamp och purjo:

1 burk blandsvamp
1 dl tunt skivad purjo
1/2 msk smör
2 kryddmått timjan

Tid: 1 tim

"De närmsta årtiondena kommer att ställa stora krav på internationell solidaritet och på vår uppfinningsförmåga att utnyttja teknik och vetenskap för livsmedelsproduktionen. Inte minst måste vi lära oss att leva enklare och bättre. Att utnyttja våra livsmedel för att minska det enorma livsmedelssvinnet."

Generaldirektör A. Engström
Statens livsmedelsverk

Lökstuvad potatis på snabbvis 4 port

1–1 1/4 kg potatis
1 burk löksoppa, ej redd
1 tsk kummin
1/2 dl grädde eller
 1 msk smör
1 dl grovhackad persilja
 eller grönkål

Tid: 30 min

Löksoppan ger härligt sting åt vinterns potatis. Gott och enkelt.

Skölj och skala potatisen eller tag bara bort fula delar. Skär potatisen i 1/2 cm tjocka skivor. Värm löksoppan i en gryta med kummin, lägg i potatisen och koka den mjuk i 15–20 min. Tillsätt grädde eller smör och persilja.
 Servera till grillat kött, kokt, mager korv, rostbiff, kyckling eller lammstek m m.

Rödbetsbiffar med citron 4 port

4 kokta rödbetor
6 kokta skalpotatisar
2 gula lökar
2 msk ströbröd
1 ägg eller 1 msk sojamjöl
1 tsk Herbamare eller
 Vitam Körnig
1–2 msk smör eller
 olivolja
citron i skivor eller
 klyftor

Tid: 30 min

Kokta rödbetor är en alldeles utmärkt ersättning för kött och fisk i många rätter. De här biffarna är minst lika goda som någonsin biffar med köttfärs. Prova dem som bjudmat nästa gång du har gäster eller på familjen i helgen. Det är både biffarna och gästerna värda!

Skala rödbetorna efter kokningen medan de ännu är något varma och potatisen när den är kall. Skala också löken. Riv rödbetor, potatis och lök på medelfin rivyta och blanda det rivna med ströbröd, ägg och Vitam Körnig.
 Värm en stor stekpanna och bryn smöret helt lätt däri. Klicka ner rödbetsfärsen direkt i pannan till 8 biffar och forma till dem med stekspaden. Stek rödbetsbiffarna på medelstark värme och vänd dem försiktigt när de fått fin färg. Lägg på citron.
 Servera med kokt potatis eller råris och gärna med nykokta ärter (djupfrysta går bra) runt om för att det ser så extra gott ut. Eller servera med kokt potatis, gräddfil och haricots verts.
 Se bild på s 104.

Kokta jordärtskockor

Jordärtskockan är en underbart god rotfrukt, som borde serveras betydligt oftare. Påminner mest om potatis i både näringsvärde och konsistens men har en betydligt mer särpräglad smak.

Skölj jordärtskockorna och skala dem. Lägg dem i kallt vatten så att de inte mörknar. (Något mjöl behövs dock inte i vattnet som man kan se i gamla kokböcker.) Eller koka skockorna i vatten 4–5 min och drag av skalet. Koka skockorna mjuka i saltat vatten i 12–15 min allt som allt. Häll av kokspadet, spara det till ev soppa, klicka på smör och låt det smälta ner över de varma skockorna. Droppa citron över eller servera citronklyftorna separat så att var och en kan droppa citron över. Garnera med persilja.

Servera till grillad fisk, lätt värmd rökt fisk, t ex böckling eller magra grillade fläskkotletter. Också gott tillsammans med potatismos och grönsallad som vegetarisk måltid.

Se bild på s 193.

750 g jordärtskockor
vatten, 2 tsk salt/liter
vatten
1–2 msk smör
saft av 1/2 citron eller
* 4 citronklyftor*
1 dl grovhackad persilja
* eller grönkål*

Tid: 30 min

Råstuvad potatis

Skala potatisen så tunt som möjligt och skär den i sockerbitstora tärningar. Smält smöret i en gryta, helst med teflonbeläggning och lägg i potatisen, rör om, strö på mjöl och rör om väl igen. Häll på vatten och smaksätt med buljongextrakt, salt och nymald vitpeppar. Koka potatisen mjuk på svag värme under lock i 20 min. Tillsätt mjölken när 5–6 min återstår och rör om då och då så att stuvningen inte bränner vid. Rör ner rikligt med kryddgrönt.

Servera till rökt fisk eller kött eller med broccoli, kokta rödbetor eller en tomat- och löksallad som vegetarisk måltid.

1–1 1/4 kg potatis
1 msk smör eller margarin
1 msk vetemjöl
2 dl vatten + lite buljong-
* extrakt*
1 tsk salt, vitpeppar
2 1/2–3 dl mjölk
1 dl hackad persilja +
* dill + gräslök*

Tid: 30 min

Rödbetspytt

8–10 kokta potatisar
4–5 kokta rödbetor
1–2 gula lökar
ev 1 bit mager falukorv
  eller annat kokt kött eller
  sojaprotein
1–2 msk smör
1 dl hackad persilja eller
  grönkål

Tid: 15 min

Skala potatisen och rödbetorna och skär dem i tärningar, inte för stora. Skala löken och hacka den grovt och skär ev korv i tärningar.

Bryn smöret helt lätt i en stekpanna och lägg i allt det skurna. Bryn allt på medelstark värme till en härligt röd pytt. Strö på persilja.

Servera med sojasås att droppa över och med lättstekt ägg eller iskall gräddfil som sås. Passar också till grillat kött eller fisk.

Variation: Byt ut korv eller kött mot hackad blandsvamp.

Tips: Koka alltid rejält med rödbetor, när du ändå kokar och skala dem efteråt. Då kan du laga rödbetspytt, stuvade rödbetor, rödbetsbiffar m m de närmaste dagarna utan alltför mycket arbete. De är hållbara flera dagar i kyl.

Servera t ex rödbetorna varma första dagen med pepparrotssås, kokt majs och ättiksgurka. En mycket god "helgrön" måltid. Sommartid serverar du förstås ofta kokta rödbetor med bara lite smör till. Minst sagt gott! Koka gärna också rödbetsbladen separat och ät dem till. De är också härligt goda.

Rysk rödbetspudding

1 kg kokta rödbetor
3 dl torrt vitt bröd
4 dl mjölk eller 1–2 dl
  grädde och resten mjölk
4 ägg
2 gula lökar
1 tsk salt, vitpeppar

Tid: 45 min

Riv de kokta rödbetorna. Låt brödet svälla i mjölken i 5 min. Vispa upp äggen väl och blanda dem med finhackad lök, salt och nymald vitpeppar. Blanda rödbetor, brödblandningen och äggsmeten och rör om helt lätt.

Häll smeten i en smord form och grädda rätten i 225°C ugnsvärme ca 30 min eller tills smeten har stelnat också i mitten.

Servera med lite gräddfil eller smält smör som sås och med kokt potatis och ärter eller skurna bönor till.

Brynta rotfrukter

V 4 port

Skala morötter och lök. Skär moroten i strimlor eller tärningar och hacka löken. Fräs allt i smör och soja till fin färg. Häll på 1/2 dl vatten och koka rötterna mjuka under lock ca 15 min. Salta och strö på persilja.

Servera till grillad mager korv eller fläskkotletter, kasseler, lammstek eller som grönrätt med råris.

3/4 kg morötter, kålrötter, kålrabbi eller palster- nacka
2 gula lökar
1 msk smör
1 msk soja t ex Tamari
1/2 dl vatten
1/2 tsk salt eller Herbamare
grovhackad persilja eller grönkål

Tid: 45 min

Ostgratinerade skockor

V 4 port

Koka skockorna 10 min i saltat vatten. Låt dem svalna och dra sedan försiktigt av skalen. Halvera de största. Lägg skockorna på ett litet ugnssäkert fat. Häll grädde på fatet och fördela finhackad lök i grädden. Strö ost, ströbröd och paprika över alltihop och gratinera i 250° C ugnsvärme ca 15 min.

Servera som grönrätt med råris eller potatismos eller med magert kött, t ex kyckling, kalkon, mager skinka.

3/4 kg jordärtskockor
1 dl grädde
1 gul lök
1 dl riven ost, t ex grevé
1 tsk ströbröd
1 kryddmått paprika

Tid: 45 min

"Under 3 dagar ställdes 9 idrottsmän på olika koster varefter deras uthållighet prövades på ergocykel. De som ätit kött och fett orkade i medeltal cykla i 57 min. De som ätit en blandad kost orkade 114 minuter medan de som ätit en rent vegetarisk kost bestående av grön- saker och spannmål orkade cykla i 167 min, d v s 3 ggr så länge! Vegetarisk kost = största fysiska uthållighet."

Professor Per-Olof Åstrand GIH

Rotmos

$\boxed{V}$ 4 port

2 små kålrötter, ca 1 kg
1 morot
5–6 potatisar
vatten, 1 tsk salt
buljongextrakt, t ex
* Friggs, Plantaforce*
1 msk smör
grovhackad persilja

Tid: 1 tim

Skala kålrot och morot och skär dem i bitar. Lägg i kokande saltat vatten och koka i 30 min. Skala potatisen under tiden och skär den i bitar. Lägg också potatisen i kastrullen och koka allt mjukt i ytterligare 20 min. Häll av spadet men spara det till spädning.

Mosa de kokta rotfrukterna med potatisstöt eller elvisp. Späd med spadet till ett lagom fast mos och krydda med lite buljongextrakt som får lösa sig direkt i moset. Rör ner smör och strö persilja över.

Servera till kokt magert, rimmat fläsk- eller lammkött, kokt mager skinka eller falukorv eller som grönrätt med kokta ärter och stekt lök.

"Hur annorlunda rent C-vitamin, alltså syntetisk askorbinsyra fungerar jämfört med den som finns i naturligt tillstånd upptäckte nobelpristagare *Szent-Györgyi* redan 1936 då han studerade blödningar i kapillärnätet under huden. Med hjälp av C-vitaminrika safter upphörde blödningarna, men med analytiskt rent vitamin C gick det inte. Vad man enligt den tyska läkartidningen Selecta framför allt anser gör skillnaden är det naturliga C-vitaminets förbindelse med ämnen som kallas *bioflavonoider.* Bioflavonoiderna, som man ännu knappast kan framställa syntetiskt, finns i synnerhet i växternas färgämnen från gult över purpur till blått och är särskilt välkänt i rödbetor och framför allt i högkoncentrerad form i unga växtdelar, blomknoppar och nya skott. I citrusfrukter förekommer dessa ämnen rikligast i det vita innerskalet."

Tidningen Hälsa 1/77

Lättstuvade rotfrukter

Skala de kokta rotfrukterna, blanda gärna om du har flera sorter, och skär dem i tärningar. Blanda mjölk, kokspad, mjöl och matfett i en gryta och koka upp såsen under omrörning. Låt den koka 3 min och tillsätt sedan salt, nymald vitpeppar och paprika. Lägg i de skurna rotfrukterna och värm rätten ordentligt. Smaka av med mer kryddor om så önskas. Strö på persilja eller ev dill.

Servera de olika rotfrukterna så här:

Stuvad potatis till: kokt eller rökt mager skinka, grillad makrill eller strömming, grillade dubbla lammkotletter, kokt, mager falukorv (ej för ofta).

Dillstuvad potatis till: rökt skinka, rökt lax, böckling.

Stuvade rödbetor till: grillad fisk, kokt korv, fläskkotletter stekta i soja, se s 222, med råris, kokt potatis eller potatismos och t ex surgurka som grönrätt.

Stuvade morötter till: grillad eller kokt korv, grillad fisk t ex makrill, strömming, abborre, kotlettfisk.

Stuvade jordärtskockor till: lammstek, antilopsadel, färsk skinkstek, grillade fläskkotletter, med ett lättstekt eller pocherat ägg ovanpå, med råstekt potatis och broccoli eller tomatsallad som grönrätt.

Stuvad kålrabbi eller palsternacka till: lammstek, grillade lammkotletter, kokt, mager korv, sojastekta färsbiffar, se biff i sojasås s 198, med ärter, majs och paprika samt kokt skalpotatis som vegetarisk rätt.

6–7 dl kokta, kalla
 rotfrukter t ex potatis,
 rödbetor, morötter,
 jordärtskockor, kålrabbi,
 palsternacka
2 dl mjölk
3 dl kokspad från resp
 rotfrukt
2–3 msk vetemjöl
1 msk smör eller margarin
3/4 tsk salt eller
 Herbamare,
vitpeppar
1–2 kryddmått paprika
1/2–1 dl grovhackad
 persilja eller grönkål,
ev dill

Tid: 15 min

"Askorbinsyran, vitamin C, måste ägnas särskild uppmärksamhet vid matlagning ty den är ömtålig för både upphettning och framförallt den oxidering som sker i samband med kokningen. *Snabb kokning, vid vilken den starka ångutvecklingen håller luften på avstånd, skyddar askorbinsyran effektivt."*

Paavo Roine i "Människans Näring" 1953

Rotfruktslåda med tartexsås

[V] 4 port

6–8 potatisar
2–3 morötter
1 palsternacka
ev 1–2 gula lökar
1 liten burk tartex
 naturell, 115 g
2 1/2 dl mjölk eller 1 dl
 grädde och resten mjölk
1 tsk salt, vitpeppar
2 kryddmått paprika

Tid: 1 tim

Tartex, en ljuvlig pastej av sojabönor, finns på burk i hälsoboden. Underbart god på grovt bröd men också i form av gratängsås på detta vis.

Skala potatis, morötter, palsternacka och ev lök och skär allt i skivor. Varva rotfrukterna i en smord ugnssäker form. Vispa samman tartex, mjölk, salt, nymald vitpeppar och paprika under uppvärmning och vispa till en jämn sås. Häll såsen över rotfrukterna och grädda rätten i 225° C ugnsvärme ca 35 min eller tills potatisen känns mjuk.
 Servera med kokta grönsaker som grönrätt eller till grillat kött eller kyckling.

Gratinerade svartrötter med räkor

4–5 port

2 buntar svartrötter
vatten, 1 tsk salt/liter
 vatten
3 dl mjölk
2 dl kokspad
1 msk smör
3 msk vetemjöl
200 g skalade räkor,
 gärna djupfrysta
ev salt, vitpeppar
1 dl riven ost, t ex grevé
1 tsk skorpmjöl
lite paprika

Tid: 1 tim

Svartrötter är inte så vanliga och heller inte så billiga, men goda att växla om med. Skala och koka dem och ät dem med lite smör och en citronklyfta att pressa över. Svartrötter kom hit på 1700-talet och användes först som medicinalväxt.

Skala svartrötterna och skär dem i 3–4 bitar. Lägg dem i kokande vatten och koka dem nästan mjuka i 10–12 min. Tag upp dem och lägg dem i botten på en smord, ugnssäker form.
 Blanda i en kastrull mjölk, avsvalnat kokspad, smör och vetemjöl och vispa samman allt under uppkokning. Koka såsen på svag värme i 3–4 min. Tillsätt räkor och smaka av med salt och nymald vitpeppar. Häll såsen över svartrötterna och strö på ost, skorpmjöl och paprika. Gratinera i 250° C ugnsvärme ca 15 min.
 Servera som entré- eller supérätt, ev med lite smält smör.

Potatis- och morotstoppar

[V] 4 port

När vårsolens första strålar lyser händer det att nya matidéer bara kommer. Måste provas och bedömas. Här är ett sådant splitter nytt recept! Härligt goda och vackert lysande potatis- och morotstoppar.

Skala potatis och morötter och riv dem på råkostjärnets grövsta sida. Blanda potatis och morötter i en skål med riven ost, salt och ev kummin. Klä ett ugnssäkert fat med folie i botten eller smöra fatet. Lägg potatisblandningen i stora toppar på fatet och droppa smält smör över. Grädda potatis- och morotstopparna i 225°C ugnsvärme i 20 min.

Servera med stuvad spenat som grönrätt eller med lite magert kött eller korv till.

Variation: Byt ut 1 potatis mot 1 gul lök och riv den fint.

650–750 g potatis
250–350 g morötter
1 dl riven ost
1 tsk salt
ev 1/2–1 tsk kummin
1–2 msk smält smör

Tid: 1 tim

Potatis- och rödkålssallad

  4–5 port

En härlig sallad till julbordets magra skinka eller som sallad på råkosttallrik.

Skala potatisen och skär den i skivor eller tärningar. Blanda med rödkål och krydda med salt och rör om helt lätt. Koka kumminfrön i 1 dl vatten i 10 min. Sila av vattnet och tillsätt de mjuka fröna till salladen. Om du smaksätter med pepparrot så ska den förstås inte kokas. Vispa grädden tjock, men inte styv, och skär purjon i tunna ringar. Blanda grädde och purjo i salladen med lätt hand så att salladen inte blir alltför mosig. Smaka av med salt och tillsätt ev lite vatten om salladen ser torr ut. Lägg upp i skål, gärna av trä. Hacka gurkan och strö den över som nyttig prydnad.

800 g kokt, kall skalpotatis
ca 3 dl kokt rödkål (1 burk rödkål)
1/2 tsk salt eller Herbamare
2–3 tsk kummin eller riven pepparrot
1 dl vispgrädde
1 liten purjolök
1 bit gurka, ca 10 cm

Tid: 30 min

Koktider och serveringsförslag

Rotfrukt	Beräkna för 4 portioner	Ungefärlig koktid	Servera rotfrukterna så här
Jordärtskockor	ca 750 g	10–15 min	kokta, ugnsbakade, stuvade, gratinerade, i sufflé, i soppa
Kålrabbi	ca 1 st/portion	30–45 min	råriven eller rå i bit, färsfylld, i soppa, stuvning
Kålrötter	ca 750 g–1 kg	25–35 min	rårivna eller råa i bit, till rotmos, i gryträtter, brynta eller kokta i tärningar eller skivor, i låda, till soppa av purétyp
Morötter	ca 750 g	5–15 min på vintern ca 20 min	rårivna eller råa i strimlor/bitar, kokta, råstekta, i grytor, soppor, stuvade, till soppa av purétyp, gratinerade, pressade till råsaft
Palsternacka	ca 500 g	15–20 min	råriven, kokt i soppor, grytor, gratänger, stekt i skivor
Potatis	1–1 1/4 kg	18–20 min	råriven i s k potatisgröt, kokt, stekt, råstekt, stuvad, i sallader, grytor, soppor, gratänger, som mos, ugnsbakad
Rotselleri	ca 500 g	15–20 min	rå eller förvälld i sallader, kokt i soppa, grytor, gratänger, i potatismos, stekt eller råstekt
Rädisor	1–2 knippor		råa på råkosttallrik, smörgås, ostbricka, skivade i buljong, på sallader
Rättika	1 st		råriven eller rå i strimlor på råkosttallrik, smörgås, sallader, ostbricka
Rödbetor	ca 750 g	små färska 20 min, på vintern ca 1 tim	rårivna på råkostfat, smörgås, i sallader, kokt, stekt i tärningar eller skivor i rödbetsbiff, pressad till juice, i soppor, inkokta i ättikslag
Svartrötter	ca 750 g	20–25 min	kokas, stuvas, gratineras

Torkade ärter och bönor

Sojabönor, linser, kikärter och bruna bönor m fl sorters ärter och bönor, som vi köper torkade kan vi äta i stället för kött, fisk och ägg. Tillsammans med de grönsaker, rotfrukter, mjölkprodukter och cerealier, som våra måltider också består av, får vi måltider som är fullt tillfredsställande ur näringssynpunkt, både vad beträffar protein, vitaminer och salter.

Många anser att vi måste börja med en mer vegetariskt inriktad kost för att inte svälten i u-länderna ska utvidga sig till en global hungerkatastrof.

Husdjurens proteinproduktion står nämligen inte alls i proportion till den mängd växtprotein som de behöver äta för att växa. Växtprotein som människan mycket väl skulle kunna äta direkt – och kanske må bättre av!

Husdjurens proteinkonsumtion för att framställa 1 kg protein för mänsklig konsumtion

Nötkött	21,4 kg	1 kg köttprotein
Fläskkött	8,3 kg	1 kg köttprotein
Hönskött	5,5 kg	1 kg köttprotein
Mjölk	4,4 kg	1 kg mjölkprotein
Ägg	4,3 kg	1 kg äggprotein

Källa: F.M. Lappé: Recept för en fattig planet, A & K 1976.

En miljard människor i i-länderna använder praktiskt taget lika mycket spannmålsprodukter till *djurfoder* för köttproduktion som *två miljarder människor* i u-länderna använder *direkt som föda!*

Ett annat sätt att bedöma den relativa ineffektiviteten hos boskap är att jämföra med växterna och den mängd protein de producerar per hektar. Ett hektar med säd kan producera *5 ggr* mer protein än ett hektar som används för köttproduktion. Ärter, bönor, linser ger *10 ggr* mer. Allt beräknat i genomsnitt. Med tanke på dessa siffror och ett ständigt ökande köttpris kan det vara all anledning att börja lära sig mer om torkade ärter och bönor. För där finns verkligt *billig mat* att hämta. 1 kg sojabönor kostar 7–10 kr (våren 1977) och man kan räkna med att man behöver 75–100 g per person och måltid. Priset blir då bara 60 öre–75 öre eller 70 öre–1 krona för bönorna! Jämför det med köttfärs, kyckling, korv osv så märker du att ärter och bönor som huvudingrediens är det överlägset billigaste alternativet.

Kort om näringsvärdet

Bönor och ärter har ett utmärkt näringsvärde som, vad proteinet betrdäffar tillsammans med andra livsmedel, blir fullt jämförbart med kött, fisk och ägg. När det gäller sojabönan är näringsvärdet bra. Sojabönans protein är fullvärdigt, dess biologiska värde är mycket nära mjölkproteinets, dvs det innehåller tillräckligt mycket av de essentiella aminosyrorna. Sojabönan har odlats i Kina i omkring 5 000 år och den har i årtusenden täckt befolkningens behov av protein och till större delen även av fett. Fettet består till stor del av omättad linolsyra, dvs ett kolesterolsänkande nyttigt fett.

Födoämne 100 g	Energivärde		Protein	Fett	Kol-	Kalcium	Järn	Vita-
	Kcal	kJ	g	g	hydrat g	mg	mg	min C mg
Sojabönor	400	1650	37	20	27	257	9	–
Sojabönor, kokta	130	546	11	6	11	73	3	–
Linser	340	1428	23	1	56	74	7	–
Linser, kokta	106	445	8	–	20	25	2	–
Bruna och vita bönor	347	1440	19	2	62	100	7	–
Kikärter	360	1512	20	5	61	150	7	–
Mungbönor, spirade, råa	35	147	4	0	7	19	1	19
Ärter, torkade gula/gröna	310	1287	21	0	53	35	5	–
Strömming, rensad	160	666	17	10	–	100	2	–
Skinka	252	1053	17	20	–	6	1	–

Källa: E. Abramsons Kosttabell och Composition of Foods U.S. Department of Agriculture.

Kokning av torkade ärter och bönor

Lägg bönorna i en gryta och häll på ljummet vatten, rör om och häll av vattnet så att bönorna sköljs rena. Häll på nytt vatten så mycket att det står väl över dem. Salta. Låt bönorna stå minst 12 tim. För linser räcker 2–3 tim. Häll av blötläggningsvattnet och sätt på bönorna i 1 1/4 liter vatten. Smaksätt med buljongextrakt och tillsätt olja, lök, lagerblad, timjan och pepparkorn. Lägg ev också i en halverad vitlöksklyfta. Koka bönorna på svag värme under lock den tid som behövs, se lista nedan. De ska vara väl mjuka men inte mosiga.

Servera bönorna med lite smör, hackad persilja och citronklyfta, potatis och kokta grönsaker eller med svampsås, tomatsås, pepparrotssås osv. Se resp recept. Obs. Blötläggningsvattnet ska inte sparas, några vitaminer dras inte ur på denna tid.

3–4 dl (300–400 g) torra ärter eller bönor
vatten, 1 msk salt per liter vatten

Kokning:
1 1/4 liter vatten +
buljongextrakt
1/2 msk olja
1 gul lök
1 lagerblad
1 tsk timjan
5 vit- eller svart-pepparkorn
ev 1 vitlöksklyfta

Koktider för torkade bönor och ärter

Adukibönor (röda sojabönor) 30–45 min
Black-eyed peas (svartögda vita bönor) 45 min–1 tim
Bruna bönor 1–1 1/2 tim
Flageolets (milt gröna bönor) 20–30 min
Gula ärter 1–1 1/2 tim
Gröna ärter 1–1 1/2 tim
Kikärter 1–1 1/2 tim
Linser 10–20 min
Sojabönor 2 tim
Spräckliga bönor 1 1/2 tim
Vita bönor (många olika storlekar) 30 min–1 tim

Den som har tryckkokare kan använda sådan. Då minskas koktiderna med minst halva tiden och vattenmängden till 5 dl.

Sallad med vita bönor och oliver 4 port

4–5 dl kokta vita bönor,
(bruna bönor eller andra
går också bra)
1/2 huvud grönsallad eller
isbergssallad
1 bit gurka
3 tomater
1 rödlök
1 dl svarta oliver, helst
grekiska på plåtburk

Salladssås:

1 msk vinäger
1 tsk senap
1 msk olja
1 1/2 dl filmjölk eller
gräddfil
några korn salt

Tid: 30 min

Lägg bönorna i en skål. Strimla salladen och lägg i en krans runt om. Garnera med tunt hyvlad gurka, tomatklyftor, lökringar och oliver.

Vispa samman vinäger, senap, olja, filmjölk och lite salt.

Servera salladen med kall sås och gott helkornsbröd, mjukt eller hårt, lite smör och ev ost.

Sallad med linser, rödbetor och lök 4 port

3–4 dl kokta linser (1 1/2
dl okokta)
6–7 inlagda eller färska
rödbetor
1–2 dl tunt skivad purjo

Salladssås:

1/2–1 msk vinäger, t ex
äppelcidervinäger
1 tsk Vitam Körnig
1 msk solrosfröolja
ev lite krossad vitlök

Tid: 20 min

Blanda väl avrunna linser med finhackade rödbetor. Om du använder inlagda rödbetor så tag 1/2 msk vinäger till salladssåsen. Gör såsen genom att blanda vinäger och Vitam Körnig tills kryddan löst sig, vilket tar några minuter. Tillsätt olja och gärna vitlök, (om det passar in i ditt umgänge!) och häll dressingen över salladen. Rör om väl och strö purjo över. Låt salladen stå minst 15 min.

Servera med helkornsbröd och ost som lunchrätt. Eller som del av en råkosttallrik med ugnsbakad potatis och gräddfil som lunch- eller middagsrätt.

Variation: Byt ut 2 av rödbetorna mot 1 äpple. Eller ta 1/2–1 dl finhackad gul eller röd lök i stället för purjolök. Kokt rotselleri (finns på glasburk) är också gott ihop med linser liksom fänkål, grön paprika och gurka.

Linser med citron och timjan

Linser har odlats sedan urminnes tider i bl a Egypten och Främre Asien. Det är en 1-årig ärtväxt med högt järn- och B-vitaminvärde. Mycket god dessutom.

Skölj linserna i ljummet vatten och låt dem ligga i lätt saltat vatten att svälla några timmar. Häll av blötläggningsvattnet och koka linserna i vatten smaksatt med buljongextrakt, finhackad lök, timjan och lagerblad 15–20 min. Red av linsspadet med en pasta av smält eller mjukrört smör och vetemjöl. Klicka ner redningen bland linserna, rör om och koka 3 min. Smaka av med citronsaft och ev lite salt. Strö persilja över.

Servera linserna till rökt kött, t ex rökt lammstek, rökt kalkonbröst, kasseler, mager skinka eller knaperstekt bacon. Gott också med skalkokt potatis och kokta morötter som grönrätt.

4 dl linser
5 dl vatten + buljong-
 extrakt
2 gula lökar
1 tsk timjan
1 lagerblad
1 msk smör
1 1/2 msk vetemjöl
saft av 1/2 citron
grovhackad persilja

Tid: 30 min

Homous

Homous eller hommos är en ursprungligen arabisk puré gjord på kikärter. Finns här på burk men blir betydligt friskare och godare om man lagar den själv. Ett härligt pålägg på grovt bröd eller om den är lite lösare, som dipsås.

Skölj kikärterna och lägg dem i rikligt med vatten och salt minst 12 tim. Koka dem i nytt vatten, ca 2 tim så att de är riktigt mjuka. Se till att kikärterna hela tiden täcks av kokvattnet. Se kokning av bönor och ärter s 117.

Häll av spadet och låt kikärterna svalna något. Passera kikärterna i sil eller i en mixer. Ta inte för mycket ärter åt gången. Blanda de finfördelade kikärterna med olja, pressad citronsaft, pressade vitlöksklyftor, salt och lite nymald peppar. Strö gräslök över.

Servera gärna med några citronklyftor till.

4 dl kikärter
vatten, 1 msk salt per
 liter vatten
4–5 msk olja, t ex oliv-
 eller solrosfröolja
1 citron
2 vitlöksklyftor
1/2 tsk salt eller
 Herbamare,
svartpeppar
finklippt gräslök eller
 hackad persilja

Tid: 2 tim + 30 min

Chili con carne

3 dl bruna eller vita bönor
vatten, 1 msk salt per liter
 vatten
2 gula lökar
2 gröna paprikor
1 msk smör eller olja
250 g malet nötkött eller
 mört nötkött i små
 tärningar
1 burk krossade tomater
2–3 tsk chilipulver
1–2 vitlöksklyftor
ev 1 tsk oregano eller
 mejram
1 tsk salt, vitpeppar

Tid: 1 tim 30 min

Chili con carne betyder "Paprika med kött" och är en mexikansk rätt med bruna eller vita bönor, malet kött och chilipulver som smaksättning. Gott och mättande men inget för bantare förrän *efter* bantningen.

Skölj bönorna och lägg dem i saltat vatten minst 12 tim. Byt vatten och koka dem mjuka i saltat vatten i 1/2–1 tim. Låt bönorna rinna av väl. Hacka lök och paprika grovt och fräs dem i en gryta i smöret. Tillsätt köttfärsen och rör om kraftigt så att färsen delar sig. Häll på tomater och lägg i de kokta bönorna. Smaksätt med chilipulver, krossad vitlök, ev oregano, salt och nymald svartpeppar och koka rätten under lock på svag värme i 30–40 min.
 Servera med sprödvärmt vitt bröd att bryta av och ev smör. Citronklyftor, tabasco eller sambal är goda kryddor att variera med vid bordet.

Linsgryta med avorioris

$\boxed{\text{V}}$ 4 port

1 msk smör
2 hackade gula lökar
1 1/2 dl avorioris
3 dl kokta linser
4 dl vatten + buljong-
 extrakt
ev 1 dl russin
ev 1/2–1 dl osaltade
 cashewnötter
2 msk citronsaft
hackad persilja

Tid: 45 min

Linser är ganska mäktiga och kan därför med fördel kokas ihop med avorioris och lök. Ser extra gott ut dessutom. Variera gärna rätten genom att tillsätta strimlad morot eller palsternacka när du fräser löken.

Smält smöret och fräs löken däri några minuter. Tillsätt ris, linser, vatten och buljongextrakt och koka riset mjukt under lock på svag värme i 30 min. Om du vill ha russin i – och det är gott! – så lägg i dem när 5–6 min av koktiden återstår. Tillsätt ev grovhackade cashewnötter och citronsaft. Strö persilja över.
 Servera med soja och skurna brytbönor eller varma tomater som grönrätt eller med mager korv, kasseler, rökt skinka eller grillad kyckling och chutney till.

Sojabönor har odlats i Kina i 5000 år. Här är de ännu så länge en nyhet. Odling av sojabönor i Sverige ligger på försöksstadiet. Framtiden får utvisa om också vi kommer att byta ut en större del av vår köttkonsumtion mot kokta sojabönor. Till dess kan det vara intressant att servera sojabönor med svampsås, broccoli och kokt skalpotatis någon dag när man vill äta vegetariskt. I min smak "gott med tvekan" men smaken är ju delad. Se recept på s 125.

Min bästa frukost är både god, snabb, billig och näringsmässigt utmärkt. Örtteet dricker jag först, en god stund före, och sedan är det dags för 15 minuters joggning i morgonfrisk luft — och dusch förstås — innan jag äter min sköna frukost. En lagom rivstart på dagen — sedan har man gott "hälsosamvete" nästan hela dagen. Recept på müsli finns på s 128.

Grön ärtpuré

V 4 port

Grön ärtpuré kan serveras som grönsak till fläsklägg, kokt falukorv eller skinkstek, men kan också serveras i form av soppa, med ungefär samma konsistens som gul ärtsoppa. I båda fallen heter det faktiskt grön ärtpuré!

Skölj ärterna och lägg dem i saltat vatten minst 8 tim. Häll av vattnet och tillsätt nytt vatten och buljongextrakt. Koka ärterna mjuka ca 1 timme med lagerblad, morot och en gul lök med nejlikor instuckna. Använd lock och svag värme. Mosa ärterna i mixer eller genom sikt och blanda purén med smör. Smaka av med salt och späd ev med mjölk till lagom konsistens, som potatismos ungefär. Värm purén försiktigt.

Servera till fläskkorv eller kasseler som grönsak eller med helstekt lök och skalpotatis som vegetarisk rätt.

3–4 dl torkade gröna ärter
4 dl vatten + buljong-
  extrakt
1 lagerblad
1 morot
1 gul lök
4–5 nejlikor
1 msk smör
ev 2–3 msk mjölk eller
  grädde

Tid: 1 tim 30 min

Sojabönsbiffar

V 4 port

Mal sojabönor, skalade potatisar och lök i köttkvarn eller mixer. Rör samman det malda i en skål och smaksätt med salt, pressad vitlök och ev krossad timjan. Tillsätt sojamjöl, som binder ihop smeten, och persilja. Forma biffar av smeten och stek dem i lätt brynt matfett på ganska svag värme till fin färg.

Servera med potatismos och lingon + vitkål som sallad, se s 70. Eller med ugnsbakad potatis och filmjölk eller gräddfil, smaksatt med riven pepparrot.

6 dl kokta sojabönor
  (2 1/2 dl råa)
6–8 kokta potatisar
2 gula lökar
1 tsk salt eller Herbamare
1 vitlöksklyfta
ev 1/2 tsk timjan
1/2 dl sojamjöl
1 dl finhackad persilja
1 msk smör eller olivolja

Tid: 30 min

"Blir jag sjuk i vissa slags sjukdomar kommer jag omedelbart att söka hjälp på ett hälsohem i stället för att stanna här på sjukhuset."

Professor Per-Arne Öckerman,
Lunds lasarett, i intervju i
Saxons Veckotidning april 1977

Bruna bönor med citron eller ketchup 4 port

3–4 dl bruna bönor
5 dl vatten + buljong-
  extrakt
1 msk smör
saft av 1/2 citron eller
  2–3 msk ketchup
ev salt eller Herbamare
finklippt gräslök

Tid: 1 tim

Skölj bönorna i ljummet vatten och lägg dem i rikligt med saltat vatten att svälla minst 8 timmar. Häll av vattnet och tillsätt nytt vatten och buljongextrakt. Koka bönorna mjuka på svag värme under lock ca 1 tim. Tag upp 1 dl bönor, mosa dem väl på en tallrik med gaffel och blanda ner dem i böngrytan igen. Smaksätt med smör och citronsaft och kolla om du vill ha mer salt. Strö över gräslök.

Servera med kokt mager korv (1 korv, ca 50 g räcker fint), kokt tunga eller färsrätter eller grillade fläskkotletter.

Bruna bönor är också gott med kokt råris eller skalpotatis och blomkål eller morötter som grönrätt.

Ostgratinerade kikärter 4 port

6–7 dl kokta kikärter eller
  linser, sojabönor
1 burk redd tomatsoppa
1 dl mjölk eller 1/2 dl
  grädde + 1/2 dl mjölk
1 finhackad gul lök
1 dl grovt strimlad ost,
  t ex herrgårdsost

Tid: 30 min

Lägg avrunna kikärter i ett smort ugnssäkert fat. Blanda tomatsoppan direkt från burken med mjölk och hackad lök. Bred såsen över kikärterna och strö på osten.

Gratinera i 250° C ugnsvärme ca 15 min.

Servera med kokt potatis och broccoli eller blomkål som grönrätt eller till grillade lammkotletter, mager korv eller en skiva kasseler.

"Alldeles uppenbart är att ett gemensamt globalt ansvar kommer att påverka den framtida livsmedelssituationen. Stora delar av världen svälter, i andra delar, bl a vår egen, är det en kraftig överkonsumtion, särskilt av protein."

Generaldirektör A. Engström
Statens livsmedelsverk

Sojabönor med svampsås

V 4 port

Blötlägg sojabönorna i rikligt med vatten minst 12 tim. Koka dem sedan i 2 tim, se recept s 117. Gör den svampsås du vill ha. Receptets svampsås lagar du så här:

Blanda svampen med sitt spad, hackad lök och smör i en gryta och koka utan lock 5–6 min så att löken blir mjuk och mesta vätskan kokar in. Strö mjöl över, späd med vatten och grädde och rör om tills såsen kokar upp. Smaksätt med buljongextrakt, salt, nymald vitpeppar, paprika och krossad timjan. Låt såsen koka minst 5 min under lock på svag värme.

Servera de varma, väl avrunna bönorna med svampsåsen, skalpotatis och t ex broccoli.
Se bild på s 121.

3–4 dl sojabönor eller kikärter, linser, bruna bönor m m
1 sats svampsås med tartex, se Svampgratinerad purjolök s 89 eller

Svampsås:
1 burk blandsvamp
1 gul lök
1 msk smör
2 msk vetemjöl
3 dl vatten + buljongextrakt
1/2 dl tunn grädde
1/2 tsk salt, vitpeppar
1/2 tsk paprika
1–2 kryddmått timjan

Tid: 2 tim + 30 min

Sallad med vita bönor och tonfisk

4 port

En klassisk italiensk sallad som man aldrig tröttnar på. Frisk, fräsch, mättande.

Lägg bönorna i kallt vatten minst 8 tim. Häll av vattnet och koka dem i nytt vatten och salt, 2 tsk/liter vatten i 1/2–1 tim beroende på storlek. Skumma då och då. Häll av kokspadet och låt bönorna svalna, blanda dem sedan med tonfisk, purjolök, olivolja, nypressad citron och vitlökssalt samt nymald svartpeppar. Rör om väl och låt salladen stå svalt minst 2 tim. Smaka sedan av om du vill ha starkare smak. Lägg upp salladen med rikligt med salladsblad i botten, tomatskivor ovanpå och citronklyftor.

Servera med något bröd att bryta till, t ex grahamsbröd eller hirsbröd se bakningskapitlet s 272.

1 1/2 dl vita bönor eller
1 burk kokta vita bönor i saltlag
1 burk tonfisk i olja à 200 g
1/2–1 dl tunt skivad purjolök
1–2 msk olivolja
1–2 msk citronsaft
1/2 tsk vitlökssalt, svartpeppar
1/2 dl finhackad persilja

Garnering:
1 salladshuvud
4 tomater
4 citronklyftor

Tid: 1 tim + 30 min + 2 tim

Panna med linser och korngryn 4 port

2 dl linser
1 dl korngryn
5 dl vatten + buljong-
  extrakt
1 lagerblad
1 rödlök
ev 1 vitlöksklyfta
2 msk sojasås, t ex tamari
  eller svampsoja
1 tsk krossad mejram
1 msk smör eller olja,
  t ex olivolja
ev 2–3 tsk gomasio
grovhackad persilja

Tid: 1 tim

Lägg sköljda linser i rikligt med vatten några timmar. Häll av vattnet och blanda linser och korngryn i en gryta. Tillsätt vatten, buljongextrakt och lagerblad och koka linser och gryn mjuka i 35–40 min på svag värme under lock. Låt linserna kallna något, smaksätt sedan med finhackad lök, ev vitlök, soja och krossad mejram. Fräs upp matfettet och rör ner linsblandningen och låt den bli het och få lite färg. Eller forma linsblandningen till biffar, vänd dem i gomasio och stek dem på svag värme till fin färg. Strö persilja över.

Servera med inlagda rödbetor och kokt potatis eller lättstekt ägg eller med salt- eller ättiksgurka eller lingon och ugnsbakad potatis som vegetarisk rätt.

Snabb gratäng med vita bönor 2–3 port

1 förp hel spenat, lite salt
1 burk vita bönor i
  tomatsås
1 vitlöksklyfta
1 dl riven ost, t ex
  herrgårdsost

Tid: 30 min

Tina spenaten och fördela den på ett smort, ugnssäkert fat. Strö en aning salt över. Smaksätt de vita bönorna med krossad vitlök och häll dem över spenaten. Täck med riven ost och gratinera i 250° C ugnsvärme ca 15 min.

Servera till mager kokt falukorv (50–75 g räcker), grillad fläsk- eller lammkotlett eller med skalpotatis som grönrätt.

Mjöl, gryn, ris och hirs

Rätter av mjöl och gryn, ris, hirs m m utgör en mycket viktig del av den mat vi äter var dag. De ingår i den s k basmaten – den mat som vi kan och behöver äta varje dag. Rent teoretiskt behöver vi ca 50–80 g av dessa livsmedel varje dag. De som är lågenergiförbrukare behöver ca 50 g, medan de som jobbar eller växer eller motionerar mer behöver upp till ca 80 g. Barn under 10 år, bantare och pensionärer rekommenderas ca 30 g. Förutom ca 70 % kolhydrater ger dessa produkter ca 10 % protein, järn, fosfor, vitamin B_1, B_2 och niacin samt viktiga, men ännu ej så väl kända spårämnen.

Dessa produkter spelar en utomordentligt stor roll för hela mänskligheten eftersom de är både billiga och lätta att förvara och har bra näringsvärde. Tillsammans med de andra livsmedel som ingår i en blandad kost gör de att matens protein blir fullvärdigt också om mängderna kött/fisk/ägg är små eller inga. Bönor+vete kompletterar varandra så bra beträffande proteinet att proteinmängden ökar med 33 % jämfört med om man äter var produkt för sig vid olika måltider samma dag.

Förutom det viktiga näringsvärdet ger dessa produkter rikligt med *växtfibrer* om de anrättas så obehandlade som möjligt. Därför väljer vi hellre pressat helkorn än siktat kornmjöl, hellre råris än vitt, skalat ris o s v.

"Vad är fiber? Partiklar såsom membraner, skal, stjälkar, kärnor etc inräknas i begreppen fiber. Kli i olika former har i särskilt stor utsträckning fått stå som symbol för de indigestibla (osmältbara) kostingredienserna."

Docent Wilhelm Graf

Müsli

1 liter rågflingor
1 liter havregryn
1/2 liter vetekli
2–3 dl vetegroddar
1 pkt russin, 250 g
2 dl hela linfrön
1 dl sojamjöl
1–2 dl ädeljäst
ev 1–2 dl brun farin
  eller 2–3 dl strödadlar

Tid: 15 min

När jag gör müsli gör jag alltid en rejäl sats för det håller sig fint flera månader på torr plats. Det passar att äta "dygnet runt" d v s till frukost eller lunch eller mellanmål och smakar alltid gott med mjölk eller filmjölk och en färsk frukt eller rårörda bär.

Tips för dig som reser mycket och inte mår bra av utematen: Ta med en påse müsli att äta till frukost på hotellet, på flygplanet o s v. Med mycket kli i kan det vara just den hjälp som du behöver för att hålla magen "i trim". Och hur viktigt det är vet du när den inte vill komma igång! Müsli tar inte stor plats och är inte tungt. Bara nyttigt och därtill gott.

Blanda samman rågflingor, havregryn, vetekli, vetegroddar och russin i en stor bunke. Dela upp russinen med rena fingrar så att de inte klibbar i varandra. Tillsätt sedan linfrö, sojamjöl och ädeljäst och smaksätt ev med brun farin eller strödadlar. I stället för farin kan du smaksätta müslin direkt i tallriken med 1–2 tsk honung av någon flytande sort.

Servera müsli med lättmjölk, standardmjölk, någon slags filmjölk eller yoghurt och alltid färsk frukt, äppelmos, lingon eller andra bär. Beräkna 2 msk müsli när du bantar, 4–5 msk när du vill leva smalt. Hungriga ungdomar kan äta det dubbla och mer till utan att det gör något. De behöver ju rejält med bra mat!

Variation: Tillsätt gärna rostade, hackade nötter, hackad mandel eller sesamfrö för ännu godare smak. Hirsflingor, krossad hirs eller krossade korngryn passar också fint att variera med. Många tycker också om pulvriserade nässlor eller nyponpulver som näringstillskott.

Se bild på s 122.

Rostad müsli

Smörj en långpanna. Lägg i rågflingor, havregryn, vetegroddar, nötter och farin och blanda allt riktigt väl. Rosta blandningen helt lätt i 175°C ugnsvärme ca 15 min. Rör om då och då så att alla flingor blir värmda och spröda. Låt müslin kallna, tillsätt vetekli och russin. Förvaras torrt.

Servera med filmjölk, mjölk eller yoghurt och färsk frukt, rårörda bär eller äppelmos.

Variation: Byt ut nötter och mandel mot sesamfrön eller kokosflingor.

1 liter rågflingor
1 liter havregryn
2 dl vetegroddar
1–2 dl hackade nötter och mandlar
1–1 1/2 dl brun farin
4–5 dl vetekli
1 pkt russin à 250 g

Tid: 30 min

Kerstins goda grovgröt

 4 port

Lägg alla ingredienser, råg, havre, vete, råris, vatten, salt och russin i en gryta och låt blandningen få ett uppkok. Rör om och låt sedan stå att svälla över natten. Koka gröten färdig på morgonen i 20–30 min på svag värme.

Servera med mjölk och honung, färska bär eller äppelmos.

1/2 dl krossad råg
1/2 dl krossad havre
1/2 dl krossad vete
1 dl råris
8 dl vatten
1/2 tsk salt, helst havssalt
1 dl russin eller aprikoser

Tid: 10 tim + 30 min

Grov mannagrynsgröt

 4 port

Fibrer behöver vi mycket mer av. T ex i form av vetekli tillsatt på det här viset.

Koka upp mjölk, smör, salt och russin och tillsätt mannagryn först och därefter vetekli i en fin stråle under vispning. Koka gröten på svag värme under lock i 4–5 min.

Servera med mjölk och lingon eller äppelmos, färska bär eller rivet äpple eller päron.

8 dl mjölk eller 4 dl mjölk+
4 dl vatten
1 msk smör
1/2 tsk salt
1 dl russin
1 dl mannagryn
1 dl vetekli

Tid: 15 min

Kruskagröt

2 dl 5-kornskruska eller
   annan kruska
6 dl vatten
1/2–1 dl russin, fikon eller
   aprikoser
1 kryddmått salt

Tid: 15 min

Just kruskagröt förknippar vi med hälsokostens störste förespråkare, Are Waerland. En kraftig, näringsrik och härligt god gröt lämplig att äta till frukost eller lunch. Färdig blandning finns att köpa. Vill du hellre blanda själv så köp krossade gryn av vete, korn, råg, havre och bovete och blanda i lika delar eller hur du helst vill ha det.

Blanda kruska och vatten och låt det koka upp. Tillsätt russin och salt och låt gröten sjuda under lock på svag värme i 10–15 min eller låt gröten stå på avstängd platta i 30–40 min. Rör om då och då.
   Servera med äppelmos à la Waerland, se s 299, rårörda lingon eller litet flytande honung och mjölk.

Molinogröt

1 liter vatten
6–8 fikon eller katrin-
   plommon
1 dl russin
1/2 tsk salt
1/2 dl linfrö
2 dl grahamsmjöl

Tid: 12 tim + 20 min

Grahamsgröt med fikon, russin och linfrön blir både gott och annorlunda och dessutom en bra start på dagen för magen! Tugga väl.

Häll vattnet i en bra grötgryta (teflon rekommenderas) och lägg i hackade fikon, russin, salt och linfrön. Låt detta stå över natten, ca 12 tim. Koka upp på morgonen och tillsätt grahamsmjölet under kraftig omrörning. Låt gröten koka på svag värme under lock i 10 min.
   Serveraımed mjölk och gärna färsk frukt.
   Obs. När man rör ner mjölet så här blir gröten lite klimpig men personligen tycker jag om det. Om du inte gör det så blanda mjölet i grytan innan den sätts på spisen och rör om tills det kokar upp. Koka sedan i 8 min under lock på svag värme.

Hirsgröt med aprikoser

V 4–5 port

Hirs är ett urgammalt asiatiskt sädesslag som framför allt är mycket järnrikt. Gott och lättlagat dessutom så pröva snart!

Skär aprikoserna i mindre bitar och lägg dem i vattnet att svälla över natten. Koka upp aprikoserna på morgonen, vispa ner hirsgrynen i grytan under vispning och salta. Sjud blandningen under lock i 15–20 min så att grynen sväller ordentligt. Rör om då och då.
Servera hirsgröt med honung och mjölk.

Variation: Koka hirsen i vatten och salt i 15–20 min. Rör ner 3–4 rårivna äpplen och servera med honung och mjölk.

10–15 torkade aprikoser
9 dl vatten
2 dl hirs
1/2 tsk salt

Tid: 12 tim + 30 min

Korngrynsgröt

V 4–5 port

Förr åt man ibland korngrynsgröt till jul i stället för risgrynsgröt. Mycket gott det också.

Blanda korngryn, vatten, salt och socker och låt blandningen koka upp. Rör om och tillsätt mjölk samt smör. Koka gröten under lock på svag värme ca 20 min. Passa noga och rör om då och då så att mjölken inte kokar över. Om gröten är tunn när den kokat i 20–25 min, tag av locket och koka på kraftigare värme till lagom konsistens.
Servera gröten med lingon eller andra rårörda bär och mjölk. Honung eller sirap är också gott att växla om med.

2 dl krossade korngryn
2 dl vatten
3/4 tsk salt
1 msk socker
6–7 dl mjölk
1 msk smör

Tid: 30 min

"Ålderssjukdomarna beror inte på åldern – de beror på ett felaktigt leverne."

J.H. Tilden

Rågmjölsgröt

8–9 dl vatten
1/2 tsk salt
3 dl råg-, grahams- eller
  kornmjöl

Tid: 15 min

Rågmjöl är mjöl som malts av hela rågkornet, ingenting är bortsiktat.

Koka upp vatten och salt, vispa i mjölet lite i sänder. Koka gröten på svag värme i 5–10 min, grahamsmjöl alltid i 10 min. Rör om då och då.
   Servera med lingon eller äppelmos och mjölk. Eller med honung eller sirap i stället för lingon. Russin och mjuka katrinplommon är också goda på gröten.

Variation: Rågflingor är också goda i gröt. Se recept på förpackningen.

Rårisgröt

V 4–5 port

2 dl råris
3 dl vatten
3/4 tsk salt
1 msk socker
1 kanelstång
6 dl mjölk
1 msk smör

Tid: 1 tim

Godare och mer att tugga på än vanlig risgrynsgröt. Härligt mättande. Förbered gärna grötkoket genom att koka gröten på kvällen med vatten, häll på mjölken och låt den stå och svälla ytterligare under natten.

Blanda råris, vatten, salt och socker och låt blandningen koka upp. Rör om och tillsätt kanelstång och koka grynen på svag värme under lock i 20–25 min. Tillsätt mjölk och smör och sjud gröten ytterligare i 25–30 min. Mot slutet utan lock om den är för tunn.
   Servera med mald kanel, honung och mjölk eller med lingon eller andra rårörda bär. Rivet äpple, blötlagda aprikoser eller katrinplommon är också gott till.

Variation: Rårisvälling lagas också efter detta recept men med endast 1 dl risgryn och ytterligare 1–2 dl mjölk. Smaksätt vällingen med lite honung eller russin.

Kokt råris

Råris är skalat men opolerat ris. Grynen är långsmala och ser ut som säd. Den s k silverhinnan finns kvar och därmed mer protein, järn och B-vitaminer jämfört med vitt ris. Råris tar 40–50 min att koka. För att spara tid kan man t ex koka upp riset i god tid, låta det stå kvar på avstängd platta och sedan koka det färdigt strax före serveringen. Alternativt kan man låta riset ligga i vatten 8–12 tim och därefter koka det i 30–35 min.

Olika sorters råris kan ha något olika koktid. Smaka gärna av riset om det är en ny sort så att du vet om det är lagom mjukt.

Värm ris och olja under omrörning. Tillsätt vatten och buljongextrakt och låt riset koka under lock på svag värme i 40 min eller något längre. Smaka av med salt. Servera riset till alla rätter där du vanligen serverar vitt ris men minska gärna på mängden kött – fisk – ägg om det ingår. Råris har bättre näringsvärde och mättar mer. Enbart råris och stuvade grönsaker blir också en utmärkt måltid.

Gomasio och god sojasås är alltid gott att servera till riset. (Gomasio = malda sesamfrön + havssalt.)

2 dl råris
1/2 msk olja
4 dl vatten + buljong-
  extrakt
ev salt eller Herbamare

Tid: 45 min

"Råris är något som man skulle vilja se slå igenom kraftigt i Sverige. Lägg råris i vatten och det börjar gro. Det gör inte vanligt renskalat ris. Förmågan att gro betyder att råriset innehåller en oförstörd grodd och alla enzymer och näringsämnen inklusive spårämnen, det vill säga minimala mängder metaller, som behövs för att bilda en ny risplanta. Säger inte detta att råris är mycket bättre att äta än det vita riset?"

Matskribent Görel Kristina, Tidningen Vi

Kokt avorioris

Ⅴ 4 port

2 dl avorioris
1/2 msk olja
4 dl vatten+buljongextrakt
ev salt eller Herbamare

Tid: 30 min

Avorioris är ett gulvitt ris, i näringsvärde bättre än vitt ris men sämre än råris. Lämpligt att servera till finare rätter där råris blir lite vardagligt. Avorio är italienska och betyder elfenbensfärgad. Avorioris odlas i Italien och Kalifornien. Det utsätts för ånga under tryck i 120°C temperatur med påföljd att en stor del av vitaminer och salter stannar kvar i riset. Smaken blir också fylligare än i vitt ris.

Värm ris och olja under omrörning. Tillsätt vatten och buljongextrakt och låt riset koka på svag värme under lock i ca 25 min. Smaka av med salt.
 Servera riset som tillbehör till kött, fisk, grönsaker eller ägg m m.

Kokta korngryn

Ⅴ 4 port

2 dl korngryn
1/2 msk olja
4 dl vatten + buljongext-
 rakt
ev salt eller Herbamare

Tid: 30 min

Pröva att äta kokta korngryn i stället för kokt råris någon gång.

Korngryn är en bra ersättning för råris, minst lika gott, avsevärt billigare och med bätte näringsvärde. Kokas på precis samma sätt, se recept s 133, men ca 30 min koktid räcker.

Kokt hirs

Ⅴ 4 port

2 dl hirs
6 dl vatten+buljongextrakt
 ev salt eller Herbamare
1 msk smör

Tid: 15 min

Koka hirs, vatten och buljongextrakt i 12–15 min. Smaka av med salt och rör ner smöret.
 Serveras till alla rätter där man annars har kokt potatis eller ris, t ex får-i-kål, köttgrytor, fransk grönsaksröra, stuvade rödbetor m m.

Rårisgryta med svamp och purjo

 4 port

Värm olja och ris, rör om och tillsätt vatten samt buljongextrakt, salt, nymald peppar och paprika. Koka riset under lock på svag värme i ca 40 min. Fräs under tiden svampen med sitt spad och smör tills drygt hälften av spadet kokat in. Rör ner svampen i det färdigkokta riset. Strö persilja över.

Servera med kokt purjolök eller haricots verts och varma, hela tomater. Bjud också på gomasio eller tekka och soja. (Tekka är ett brun-svart pulver av sojabönor, sesamfrön, havssalt och kardborrerot. Mycket gott och annorlunda).

Variation: Smaksätt riset med medelfint hackad rå fänkål i stället för svamp. Rör då ner smöret direkt i det varma riset.

1 msk olja t ex oliv- eller
  solrosfröolja
4 dl råris
7 dl vatten +buljongextrakt,
  t ex Friggs
1/2 tsk salt, vitpeppar
1/2–1 tsk paprika
1–2 burkar blandsvamp eller champinjoner i vatten
1 msk smör
1 dl grovhackad persilja
  eller grönkål

Tid: 45 min

Biffar av råris och svamp

 4 port

Koka riset i vatten och buljongextrakt på svag värme under lock i 45–50 min. Tag av locket och låt riset svalna. Rör ner tartex och riven eller finhackad lök samt sojamjöl och arbeta allt till en smidig "färs". Om "färsen" är torr så tillsätt någon matsked mjölk, vatten eller svampspad. Låt svampen rinna av, hacka den fint och rör ner den i "färsen". Forma 12 st platta biffar och vänd dem ev i gomasio. Stek biffarna i brynt smör på svag värme ca 8 min.

Servera med kokt skalpotatis eller rotmos, någon kokt grönsaksblandning eller broccoli. Eller servera med svampsås i stället för att blanda svamp i biffarna, kokt potatis och t ex surgurka eller syltlök.

2 dl råris
4 dl vatten +buljongextrakt
1 burk tartex à 115 g
1 gul lök eller 1 bunt
  gräslök
4 msk sojamjöl
1 burk blandsvamp
ev 2 msk gomasio
1 msk smör till stekning

Tid: 1 tim

"Det har alltid varit roligare för folk att ha roligt än att sköta sig."

Professor Olof Lindahl, Linköping

Rårissallad

4 dl kokt, kallt råris
1/2 gul lök
1 grön paprika
1 hackad salt- eller
  surgurka
2 msk solrosfröolja
citronklyftor
grovhackad persilja eller
  grönkål

Tid: 20 min

Blanda riset med finhackad lök, paprika och saltgurka. Tillsätt olja, rör om och lägg upp salladen i en skål med citronklyftor och persilja ovanpå.

Servera med kokt skinka, ägghalvor eller musslor till, bröd och någon mager ost.

Riskaka med russin och mejram

V   4 port

2 dl råris
4 dl vatten+buljongextrakt
1 burk tartex à 115 g
2 tsk mejram
1 dl russin
1/2 dl mjölk
3 msk sojamjöl
1 msk smör

Tid: 1 tim 30 min

Koka riset i vatten och buljongextrakt under lock på svag värme i 45–50 min. Tag av locket och låt det svalna något, rör sedan ner tartex och arbeta allt till en smidig "färs". Smaksätt med söndersmulad mejram och russin och tillsätt mjölk och sojamjöl. Lägg "färsen" i en smord form eller på ett fat och forma till en limpa. Smält smöret och pensla hela ytan med det. Grädda i 225°C ugnsvärme ca 25 min.

Servera med skalkokt potatis eller potatismos och vitkålssallad med lingon.

Majsplättar

4–5 port

4 ägg
8 dl mjölk
2 1/2 dl vetemjöl
1/2 dl grahamsmjöl
3/4 tsk salt
1 pkt tinad grönsaks-
  blandning med majs
  och paprika
1–2 msk smör

Tid: 30 min

Vispa upp äggen i en stor skål och tillsätt mjölk, vetemjöl, grahamsmjöl och salt. Vispa smeten slät och jämn och rör ner de tinade grönsakerna.

Grädda pösiga plättar – eller pannkakor – i lite brynt smör, rör om smeten för varje lagg så att du får med några majskorn varje gång.

Servera plättarna nygräddade med soja och tomatsallad med gräslök eller gul lök.

Potatispannkakor med rågmjöl

V   4 port

Grova, goda, billiga. Utan ägg!

Skala potatisen och riv den medelfint. Blanda potatis och mjölk, tillsätt salt och därefter rågmjöl, kornmjöl samt vetemjöl och rör smeten slät. Grädda pannkakor i lite brynt smör i pannkakslagg på vanligt vis. Eller bryn små fläsktärningar först och häll på smet när de fått fin färg.
   Servera med lingon, helst rårörda, och med lättmjölk som dryck.

4 dl riven potatis
3 dl mjölk
1 tsk salt
1 1/4 dl rågmjöl
1/2 dl kornmjöl
2 msk vetemjöl
1–2 msk smör
ev en liten bit rimmat fläsk

Tid: 30 min

Pannkakor med grahamsmjöl

4 port

Godare, fiberrikare och mer att sätta tänderna i blir pannkakor och plättar om du byter ut en del av vetemjölet mot grahamsmjöl. Rekommenderas alltså.

Vispa upp äggen i en skål och tillsätt mjölk, vetemjöl och grahamsmjöl. Vispa smeten slät och fin. Tillsätt salt. Låt gärna smeten stå en stund om du inte vill grädda den genast. Bryn en liten klick smör i pannkakslagg och häll i ett tunt lager smet, ca 3/4 dl, vicka på pannan så att smeten fördelar sig jämnt. Vänd pannkakan när smeten är torr på ovansidan och låt den få färg också på undersidan. Fortsätt att grädda hela pannkakssmeten men tänk på att alltid vispa upp den väl för varje pannkaka.
   Servera pannkakorna nygräddade med lätt sötade bär eller lingon, äppelmos á la Waerland, se s 299, eller konserverad frukt+lättglass. Eller fyll dem med t ex rårriven vitkål+morötter+sojabönsgroddar och servera med sojasås som varmrätt.

2 ägg
8 dl mjölk
3 dl vetemjöl
1 dl grahamsmjöl
1/2 tsk salt
1–2 msk smör till stekning

Tid: 30 min

Pösiga, amerikanska pannkakor

6 port

3 ägg
5 dl mjölk eller filmjölk
1/2 dl solrosfröolja
1 msk farinsocker
1 tsk salt
3 tsk bakpulver
3 dl grahamsmjöl
2 dl vetemjöl
1 msk smör till stekning

Tid: 30 min

Serveras som lunch- eller middagsrätt eller som mättande efterrätt efter t ex grönsakssoppa, fisksoppa och liknande.

Skilj äggulor och äggvitor och vispa upp äggulorna först i en skål. Tillsätt mjölk, olja, socker, salt, bakpulver och grahamsmjöl. Rör-vispa smeten slät och tillsätt även vetemjölet och rör om igen. Vispa sedan äggvitorna till hårt skum och vänd ner dem i smeten.

Grädda pannkakorna i lite brynt matfett i pannkakslagg eller stekpanna, 1 dryg dl smet per lagg. Servera dem nygräddade med vitkål, hyvlad med osthyvel + råriven morot + mungbönor och sojasås. Gott och fräscht.

Se bild till höger.

Eller servera med:

- yoghurt blandad med inte alltför söta lingon. Jättegott, ljuvlig rosa färg!
- fint strimlad vitkål + ej för söta lingon
- filmjölk + rårörda bär t ex hallon, vinbär, jordgubbar, blåbär
- muskotkryddad, smörfräst hel spenat + tomatsallad
- blandsvamp + hackad lök + rikligt med persilja som frästs i lite smör. Timjan?
- sallad av tomater + kokt skivad rotselleri (burk) + purjo
- maple syrup (amerikansk lönnsirap) + rivet äpple + grovhackade nötter eller mandlar.

"Det är den onödiga energin du blir tjock av oberoende av varifrån den kommer."
Livsmedelskonsult Anne-Marie Ekman

Amerikanska pannkakor innehåller alltid bak-
pulver, blir därmed pösiga och lite torrare.
Prova att servera dem som huvudrätt med rå-
kost och sojasås i stället för söt sylt. Recept
på pannkakorna står till vänster och hur du
gror mungbönor beskrivs på s 69.

Pizza är både modernt och gott och passar fint när man har olika rester, se recepten på s 142. I degen har vi provat att byta ut en del av vetemjölet mot grahamsmjöl – det blir faktiskt inte bara näringsmässigt bättre utan också godare, för grahamsmjölet har fylligare smak.

Boveteplättar

Bovetet är en ört med trekantiga frön, nära släkt med vår rabarber. I Ryssland lagar man pannkakor med just bovetemjöl och dessutom jäst i smeten. Då får man pannkakor som är höga och luftlätta och med en viss speciell, aningen syrlig arom. Passar att servera som entrérätt med gräddfil, hackad lök och svart kaviar! Eller med någon riktigt god sylt – körsbär? björnbär? – och gräddfil eller vispad grädde som dessert. Mycket gott.

Rör ut jästen i en bunke med mjölken. Tillsätt gräddfil, salt, äggula och bovetemjöl och rör smeten slät. Tillsätt också vetemjöl och låt sedan smeten stå och svälla 45–60 min. Vispa upp äggvitan och vänd ner den försiktigt. Grädda stora plättar, ca 10 cm i diameter i pannkakslagg (eller ev i speciella bliniformar av gjutjärn). Använd sparsamt med olja till stekningen. Smält smöret men låt det inte ta färg. Droppa smör över pannkakorna så att de blir saftiga innan du serverar dem.

10 g jäst
2 1/2 dl ljummen mjölk
1 dl gräddfil
1/2 tsk salt
1 ägg
1 1/2 dl bovetemjöl
1 dl vetemjöl
1–2 msk olja
50 g smör

Tid: 1 tim 30 min

"Ju mindre du äter desto viktigare är det att maten är bra sammansatt. Den måste ge tillräckligt av alla viktiga näringsämnen utan att ge för många kalorier. Därför ska du först och främst minska på det som ger mest energi (kalorier = joule). Dra ner på fett- och sockerrika livsmedel. Där finns många onödiga kalorier. Och minska portionerna överlag men hoppa inte över någon måltid. Uteslut inget livsmedel i kostcirkeln och absolut inte bröd och potatis – dessa livsmedel är näringsrika i förhållande till energiinnehållet."

Professor Björn Isaksson
Ordförande i Socialstyrelsens medicinska expertgrupp
för Kost och Motion

9* *Sandquist-Bolin Den nya maten*

Pizza med champinjoner

50 g jäst (1 pkt)
2 1/2 dl ljummet vatten
1 tsk salt
2 msk olja, t ex olivolja
3 dl grahamsmjöl
4–5 dl vetemjöl
1 sats tomatsås till pizza,
    se s 143

Fyllning:

smörfrästa hela eller skiva-
de champinjoner eller
annan svamp
2–3 dl mjukkokt gul lök
eller purjolök
2 tsk oregano
150 g ost, t ex Port Salut
(45+) eller Boxholms
gräddost (60+)

Tid: 1 tim 30 min

Om man gör en riktig jäsdeg, tar både grahams- och vetemjöl i degen och gör en fyllning med mycket grönsaker men lägger på mer sparsamt med fet ost är pizza riktigt bra mat. God och näringsmässigt bra, ser god ut och är inte så dyr. Här kan man förresten ta med det mesta i restväg som huset förmår – förvandlade till pizzafyllning blir de oigenkännliga. Jag har ätit pizza med grötrest av korngryn och hirs, blandade med tomatpuré eller tomatsås. Det blev utmärkt gott!

Pizza kan utan svårighet göras helt vegetarisk och i denna bok tar jag bara med såna recept. Men vill du tillsätta räkor, musslor, strimlad mager skinka eller liknande så inte mig emot, betydligt dyrare blir det dock!

Smula ner jästen i en bunke, tillsätt vatten, salt, olja och grahamsmjöl och arbeta allt klimpfritt. Tillsätt det mesta av vetemjölet och arbeta degen kraftigt först i bunken, sedan på bakbordet så att den blir seg och fin. Låt degen vila 1 tim på mjölat bakbord under en duk och låt den jäsa till ungefär dubbel storlek. (Om du sätter degen på endast 25 g jäst kan den stå att jäsa i 6–8 tim. Arbeta ev ner den då och då. Bra om man vill förbereda.)

Dela degen i 5–6 bitar och kavla ut dem till runda kakor. Eller kavla ut hela degen så att den täcker en plåt till en "familjepizza". Låt degen bli ungefär 1/2 cm tjock och lägg den på osmord plåt lätt strödd med mjöl. Forma kanten och dra i degen så att kanten blir lite tjockare.

Bred på tomatsås och fördela svamp och lök över pizzan. Strö oregano och slutligen riven eller skivad ost över och grädda pizzan i 275°C ca 10 min eller tills degen gräddats och osten smält. Servera pizzan omedelbart.

Se bild på s 140.

Tomatsås till pizza

Mosa tomaterna direkt i en kastrull om de är hela och tillsätt lagerblad, persilja, salt, nymald peppar samt olivolja och koka såsen tjock och simmig i 15–20 min utan lock. Smaksätt med honung, krossad vitlök och ev lite vin. Låt såsen svalna innan den breds ut över pizzadeg.

1 burk skalade tomater, helst krossade
1 lagerblad
1/2 dl hackad persilja
1/2 tsk salt eller Herbamare, svartpeppar
1 msk olivolja
1 tsk honung
1 vitlöksklyfta
ev 1–2 msk vin, vitt eller rött

Tid: 30 min

Pizza med mest grönt

V 5–6 port

Arbeta ut degen enligt receptet till en stor eller flera mindre pizzor. Täck dem med tunt skivade tomater och strö över herbamare. Skala, halvera och skiva löken tunt. Fördela den över pizzan. Värm tartex och champinjoner med sitt spad. Koka såsen utan lock några minuter så att den blir tjockflytande och häll den sedan över pizzan. Lägg på väl avrunnen sparris och smörfräst spenat i grupper. Strö oregano över och täck med riven eller skivad ost.
Grädda i 275°C ugnsvärme ca 10 min.
Servera pizzan het direkt från ugnen.

1 sats pizzadeg se Pizza med champinjoner s 142
5–6 tomater+1/2 tsk Herbamare eller salt
2 röda lökar
1 burk tartex, ca 115 g
1 liten burk skivade champinjoner i vatten
1 burk sparris à ca 400 g
1 pkt hel spenat
2 tsk oregano
150 g ost t ex Vego, Port Salut

Tid: 1 tim 30 min

"Det finns inga bevis på att fasta och vegetarisk kost är nyttigt. Men det finns heller inte några vetenskapliga belägg för att s k normalkost är nyttig! Det hör till våra obevisade antaganden."
Professor Olof Lindahl, Linköping

Pizza med tartex och brysselkål 5–6 port

1 sats pizzadeg se Pizza
  med champinjoner s 142
1 sats tomatsås till pizza,
  se s 143
150 g tartex, naturell eller
  kryddad
3 dl kokt brysselkål eller
  rödkål eller hel spenat
1 tsk paprika
150 g ost, t ex Port Salut
  eller Vego

Tid: 1 tim 30 min

Vi "lånar" den italienska pizzan men gör en vegetarisk variant långt ifrån ursprunget. När man har en rest av tartex eller brysselkål eller rödkål . . .

Arbeta ut degen enligt receptet till en stor eller flera mindre pizzor. Täck med tomatsås och lägg på klickar eller tärningar av tartex och halverade kokta brysselkålshuvuden. Strö paprika och riven ost över.
  Grädda i 275°C ugnsvärme ca 10 min.
  Servera pizzan direkt från ugnen.

Pizza med ost, tomater och svarta oliver Ⓥ 5–6 port

1 sats deg till pizza,
  se Pizza med champin-
  joner s 142
10–12 tomater
3/4 tsk salt eller Herbamare
2–3 dl kokt skivad gul lök
  eller purjo
1 liten burk pimiento,
  ca 200 g
2 dl svarta, grekiska oliver
  med kärnor (säljs i plåt-
  burk, inlagda i mild
  oljedressing)
2 tsk oregano
150 g ost, t ex Port Salut
  eller Bel Paese

Tid: 1 tim 30 min

Arbeta ut degen enligt receptet till en stor eller flera mindre pizzor. Täck dem med skivade tomater och krydda med salt. Fördela lök och väl avrunnen strimlad pimiento över degen och lägg på oliverna utan att kärna ur dem. Smula oregano och riven eller skivad ost över. Grädda i 275°C ugnsvärme ca 10 min.
  Servera pizzan direkt från ugnen.

Soppa kan vi äta ofta

Soppor spelar en mycket viktig roll i ett "smalt kosthåll". Likaså i ett hälsokostbetonat kosthåll. Soppor ger en härlig mättnad tack vare stor vätskemängd i förhållande till fast föda. Planera gärna in en tallrik soppa var eller varannan dag, det mår man väldigt fint av.

Variera sopporna i både mättnadsgrad och finhetsgrad alltifrån en enkel kopp buljong med bara persilja i till en fin fisksoppa eller hemkokt kött- eller linssoppa. Möjligheterna till omväxling är oändliga – samtidigt som man kan leka lite med kryddor och blanda råvaror lite som man vill. Kort sagt slippa att slaviskt följa givna lagar och recept – viktigt i vår tid och vårt samhälle, tror jag.

Varje dag hela året runt kan man utan större besvär äta olika slags soppor om man så vill. För soppor är ypperlig mat ur alla synpunkter: billiga, mättande, lättlagade, näringsmässigt bra (relativt lite kalorier, kokt mat innehåller alla näringsämnen) ser vackra ut och smakar vanligen underbart. Det sista inte minst viktigt.

Bjud på soppsalong

För måltider med gäster kan en riktigt god soppa vara en perfekt huvudrätt. Då behöver kanske inte priset vara det viktigaste utan smaken, utseendet och som vanligt näringsvärdet. Den ovanliga soppan är också rolig att bjuda på. Överraskningsmomentet inom matlagningen är viktigt och särskilt tacksamt att ägna sig åt när gäster nalkas. Bjud vännerna på "Soppsalong" nästa gång ni träffas! Pröva nässelsoppa, laxsoppa eller soppa med linser och ett vackert, kanske hembakat, bröd. Jag tror jag vågar lova succé!

Med en soppa som entré- eller huvudrätt kan man också ganska lätt hålla bjudmaten inom bra gränser vad energivärdet beträffar – en liten gräddklick kan räcka länge när den toppas i en soppa. Ja, nog är det dags för en soppans renässans eller kanske snarare upptäckt; svenskar i gemen har ju ännu inte riktigt låtit sig intresseras av denna utomlands så viktiga maträtt. Jag vill dock gärna tro att tiden är mogen för "soppa varje dag" nu. Det är Soppan väl värd.

Obs. Mängden soppa är något större i dessa recept än du är van vid. Detta för att man ska bli rejält mätt av själva soppan. Buljong och spad mättar ju fint utan att ge så mycket energi (joule, kalorier). Vill du öka buljongmängden ännu mer så gärna det, likaså grönsaksmängderna; däremot inte fett, mjöl eller t ex bönor som alla ger mycket energi.

Soppa i termos

Många vill eller måste ta med sin lunchmat till arbetet varje dag. Att då hälla buljong eller tunn soppa i termosen är utmärkt som omväxling till andra drycker eller i stället för mat. Med ett par smörgåsar, en grönsak och en frukt blir det en utmärkt måltid året runt. Men hoppa inte över grönsaken och frukten – de har stor betydelse för välbefinnande och mättnad, ger volym åt maten, vitaminer och andra näringsämnen.

Spansk grönsakssoppa – Gazpacho $\boxed{V}$ 4 port

1/2 gul lök
1/2 gurka
5–6 tomater eller 1 burk
  krossade tomater
2 gröna paprikor
2 vitlöksklyftor
2 msk olivolja (för spansk
  smak) eller solrosolja (för
  bättre näringsvärde)
1 msk vinäger eller 2 msk
  citronsaft
1 liter vatten
1 tsk salt, vit- eller svart-
  peppar
några droppar tabasco

Tid: 30 min + 2 tim

Gazpacho är en härlig, kall sommarsoppa välkänd för alla spanienresenärer. Het, upphetsande kryddning rekommenderas. Samt gärna ett par isbitar som kyler ner! En elegant bjudsoppa för gäster när man vill ha en mättande men ändå mager entrérätt.

Hacka lök, gurka, tomater och paprikor i fina små tärningar och lägg i en skål. Krydda med krossad vitlök och tillsätt olja, vinäger, vatten, salt, nymald peppar och tabasco. Låt soppan stå övertäckt på sval plats några timmar. Smaka av den väl före serveringen och lägg ett par isbitar i tallriken.

Servera med t ex rostat grahamsbröd och mager smältost eller knäckebröd med keso och kummin på.

Potatis- och purjosoppa

☑ 4 port

Skala potatisen, putsa purjolöken och skölj den väl mellan bladen. Skala den gula löken. Skär allt i skivor och koka i buljongen tills potatisen är mjuk, ca 15 min. Låt lagerblad, timjan och paprika koka med. Vispa soppan lite med en stålvisp så att den blir ganska jämn i konsistensen. Tillsätt mjölk och smaka av med salt.

Servera som huvudrätt med bröd och ost eller något köttpålägg och lite bordsmargarin.

7–8 potatisar (600 g)
2 stora purjolökar
1 gul lök
1 1/4 liter vatten +
  buljongextrakt
1 lagerblad
1/2 tsk timjan
1 tsk paprika
2–3 dl mjölk (eller lite
  grädde och resten mjölk)
1/2 tsk salt, gärna vitlöks-
  eller sellerisalt

Tid: 30 min

Fisksoppa med fänkål

4 port

Häll juicen i en gryta och lägg i fänkål, skuren i bitar eller tunna skivor. Tillsätt fisken skuren i bitar eller, om den är upptinad, delad i filéer och koka soppan 6–8 min på svag värme under lock. Tillsätt skivad potatis, salt och grädde och låt allt bli riktigt varmt. Smaka av soppan och späd den med vatten om den är för stark. Strö persilja över.

Servera med grovt bröd, mager ost och ev lite smör.

1 liter grönsaks- eller
  tomatjuice (t ex V-8 juice)
1 liten fänkålsrot
1 fiskblock à 450 g, sej eller
  torsk
3–4 kokta potatisar
1 tsk salt
1–2 dl tunn grädde eller
  mjölk
1 dl grovhackad persilja
  eller grönkål

Tid: 15 min

Grönsaksjuice för mager soppa

☑ 1 port

Värm juicen med ärter och purjo och låt soppan bara koka upp, sedan stå och dra ett par minuter under lock. Smaka av med tabasco, om du inte är rädd för starka kryddor, samt salt.

Servera med t ex äggsmörgås av dubbla vita brödskivor + lite majonnäs + skivat ägg (inget matfett) eller med knäckebröd + smältost eller knäckebröd + mesost + rå lök.

3–4 dl tomat- eller V8-juice
1 dl djupfrysta små ärter
1/2 dl tunt skivad purjolök
ev någon droppe tabasco
1 krm salt

Tid: 10 min

Varm buljong med råa grönsaker ☒ 1 port

Snabbt, enkelt och nyttigt. Serveras gärna ofta!

Värm 3–4 dl vatten med något gott buljongextrakt, t ex plantaforce eller poule-au-pot, till en mustig buljong.

Häll buljongen kokande över finhackade grönsaker i t ex en vid tekopp eller sopptallrik. Eller lägg grönsakerna i buljongen och låt dem precis bara koka upp innan du häller upp den magra soppan.

Välj t ex grönsakerna så här:

- 1 tomat + 1 bit gurka + 1 msk gul lök + persilja
- 3–4 rädisor + 1 liten bit purjo + persilja
- 4–5 champinjoner, ev konserverade i vatten + 1 tomat + gräslök
- 1 morot + 1 liten bit purjo + persilja
- 1 tomat + 1 stjälk blekselleri eller 1 bit fänkål + persilja
- några blad spenat, nässlor, molla eller isbergssallad
- små blomkålsklyftor + 1 bit röd paprika + persilja
- någon god djupfryst grönsaksblandning + purjolök eller gräslök

Räkna med ca 1 dl finfördelade grönsaker – du behöver inte mäta upp dem, bara "se mängden framför dig".

Tomat, gurka och paprika skär man i tärningar, gul lök hackas smått. Persiljan kan gärna vara grovhackad och kvistarna får komma med, de är härliga att tugga på.

Rädisor, purjo och champinjoner passar att skiva tunt, medan moroten är så hård i konsistensen, att den bör rivas grovt på råkostjärn.

Blekselleri, fänkål och spenat, nässlor, molla och isbergssallad skärs lämpligen i strimlor. Och blomkål bryter man lätt i små, små nätta buketter.

Servera buljongen som entrérätt ev med ett brytbröd eller som lunchrätt med t ex helkornsbröd och keso om du vill äta extra magert och ändå bli behagligt mätt.

Varm buljong är en bra inledning på middagsmåltiderna. Varieras med olika grönsaker och tillbehör och med ägg, kokt eller pocherat, eller strimlat kött för större mättnad. Att pochera ägg är väldigt roligt och inte alls så svårt som det kan verka. Se s 173.

Nog ser den väl härlig ut, Linssoppa med tomat och vitlök som beskrivs på s 160. Snabb att laga är den också, om du låter linserna ligga i vatten några timmar att mjukna först. Grovt bröd och någon god ost eller skivad mager kasseler kompletterar bra.

Sommarens första skörd av ärter och morötter från trädgården serveras gärna i form av en mild soppa. I stället för persilja kanske du vill klippa ner några nässelblad? Omväxling förnöjer och nässlorna har lite starkare smak än persilja. Men en blandning av persilja + dill + gräslök är också gott i de flesta soppor. Se recept på s 161.

Laxsoppa med äggfylld pirog är en utmärkt bjudrätt när man inte vill äta så kraftig mat. För gäster som inte behöver tänka på den slanka linjen kan man ha några extra piroger till hands och bjuda på ett par goda ostar samt frukt som avslutning. Se s 163.

Kall buljong . . .

Om man sätter in en burk Campbells consommé i kylskåp några timmar får man en fin geléig buljong som kan skedas upp i buljongkoppar. En utmärkt grund till sommarens elegantaste entrérätt. Burken finns i två storlekar, 3 dl och 1,4 liter.

. . . med gräddfil och kaviar

Fördela den kalla, geléiga buljongen i buljongkoppar eller små djupa tallrikar. Spritsa på gräddfil direkt ur förpackningen. Toppa med kaviar och finhackad persilja.

1 burk consommé, 3 dl
1/2 dl gräddfil
2–3 tsk salt kaviar (ej rökt)
eller svart kaviar
hackad persilja

. . . med råa champinjoner

Skölj champinjonerna mycket hastigt i kallt vatten om det behövs. Skiva dem tunt och låt dem ligga en stund i en skål, smaksatta med kryddsalt och citronsaft. Portionera upp den halvfasta buljongen i t ex buljongkoppar och toppa med champinjoner. Strö persilja över.

1 burk consommé, 3 dl
50 g råa champinjoner
1 krm kryddsalt eller herbamaresalt
1 citronklyfta
hackad persilja, ev också gräslök

. . . med sherry och pepparrotsgrädde

Häll upp buljongen, som ej ska vara kall utan flytande, i portionskoppar och smaksätt med sherry. Rör om väl och låt buljongen sedan stelna i kylskåp i minst 1 tim. Täck över väl med t ex gladpack. Vispa grädden halvhård och blanda med riven pepparrot. Lägg en gräddtopp på den kalla buljongen och strö på persilja.

1 burk consommé, 3 dl
2 msk torr sherry
2 msk vispgrädde eller 1/2 dl gräddfil
1/2–1 tsk riven pepparrot
persilja

Tid: 3 tim + 15 min

Varm buljong med ägg på 3 sätt

Tid: 10 min

Värm 3–4 dl vatten med något gott buljongextrakt t ex Hügli (vegetabiliskt) eller köttbuljong.

Buljong med ägghalvor: Lägg kokta ägghalvor och 1/2 msk tomatketchup i sopptallriken. Häll på het buljong och strö persilja över.

Buljong med förlorat ägg: Låt buljongen sjuda. Knäck ett ägg direkt ner i kastrullen och låt ägget sjuda 2–3 min i buljongen. Tillsätt ev 1 msk sherry och strö rikligt med persilja och skivade rädisor över. Se bild på s 149.

Buljong med uppvispat ägg: Vispa upp 1 ägg och tillsätt ev 1 msk parmesanost. Häll äggsmeten i kokande buljong och låt soppan sjuda under lock någon minut. Servera med persilja över och med lite äkta soja till, att droppa i efter smak.

Rödbetsbuljong

V 1 port

2 1/2 dl buljong t ex kött- eller vegetarisk buljong
1–1 1/2 dl rödbetsjuice (på flaska i hälsokostaffär)
grovhackad persilja eller grönkål
1–2 msk gräddfil

Tid: 10 min

I det ryska och polska köket lagar man ofta en klar rödbetsbuljong. Serveras i vit tallrik så att den sagolika röda färgen kommer till sin rätt.

Värm buljong och rödbetssaft till kokpunkten. Häll upp i kopp eller tallrik och lägg i persilja och gräddfil. Servera med något grovt gott bröd och vällagrad ost. Samt ev lite matfett, smör – för att det är så gott – eller magert bordsmargarin.

Piroger och gratinerad smörgås med skinka och ost är också goda tillbehör.

Klar buljong med olika tillbehör

- 100 g strimlad kokt skinka eller tunga + 1 pkt djup-
  frysta små ärter + 2 grovhackade tomater + persilja
- 1 rå äggula + hackad persilja i varje tallrik
- 1 pkt hel spenat i strimlor + 4 hårdkokta ägg i halvor
- 1–2 dl kokta makaroner eller skuren spaghetti + ca
  100 g korv t ex falukorv i strimlor + 1 pkt grönsaks-
  blandning + purjoskivor eller persilja
- 2 burkar grönsaksblandning (à 400 g) + 1/2 tsk curry
  + persilja

1 1/4–1 1/2 liter buljong av
tärning eller från burk
2–3 msk äkta soja eller
sherry, helst torr

Tid: 15 min

Värm buljongen och smaka av den med soja eller
sherry.

Tillsätt de djupfrysta grönsakerna och låt dem koka
med ett par minuter. Övriga ingredienser behöver bara
värmas i buljongen medan äggulor och kokta ägghalvor
läggs direkt i tallriken. Strö på grovhackad persilja.

Servera soppan med grovt bröd och bredbar smältost,
så behövs inget matfett. Eller med tartex-pastej (av
sojabönor, på burk, mycket god) eller leverpastej som
också är bredbar men fetare, så ta "måttliga mängder".

"Den som får sin äggvita direkt från naturen får inte i
sig så mycket gifter som den som äter animalisk föda.
Det är en gammal irrlära att animalisk äggvita passar
oss bättre och att kroppen själv ur kosten plockar fram
vad den behöver. Vi är byggda för att ta hand om grov,
fiberrik föda, en och annan frisk folkspillra kan visa oss
hur viktig en frisk kost är."

Karl-Otto Aly, läkare, Tallmogården

Nässelsoppa

1 1/2–2 liter färska nässlor
1 1/2 msk smör eller
  margarin
4 msk vetemjöl
1 1/4 liter vatten +
  buljongextrakt t ex planta-
  force
1/2 knippa gräslök
ev körvel
2 dl mjölk eller lite grädde
  + resten mjölk

Tid: 30 min

Har man väl fått smaka på nässelsoppa vill man gärna äta det ofta. Det är en rätt som troligen har månghundraåriga traditioner i Norden. Så kan man läsa att när de norska vikingarna koloniserade Island på 900-talet tog de bl a med sig nässelplantor. Nässlan var en betydelsefull nyttoväxt. Till det fornnordiska hemmanet hörde inte bara en kryddgård, utan även en nässelgård som regelbundet gödslades och skördades.

Nässlan kan nämligen skördas flera gånger per säsong, från tidig vår till högsommar. Man klipper bara av toppen innan nässlan börjar blomma. Jag brukar klippa 7–8 cm ner när nässlorna är 30–40 cm höga. (Vitplister växer ofta in mellan nässelstånden. Den är mycket lik nässlan och skulle den råka komma med så gör det ingenting. Den går också att äta).

Handskar behöver man ha på sig vid nässelplockning ty brännhårens cellväggar är spröda pga inlagring av kalk och kisel. Därvid förvandlas brännhåret till en vass nål, som tränger in och avger sitt brännande innehåll. Papperskasse eller korg är bäst att samla nässlorna i. Plastpåse är inte så bra. Och tänk på att hellre böja knäna än ryggen när du plockar! Känns ovant, men är bra med tanke på den ömtåliga ryggraden.

Nässelsoppa finns inte med i Kajsa Wargs kokbok utgiven 1755. I dr Hagdahls Kok-konsten från 1879 finns däremot både nässelkål (som nässelsoppa kallades) och "stufvade nässlor".

Tillagningen är nästan likadan då som nu!

Lägg nässlorna i kallt vatten och skölj dem riktigt väl, byt gärna vatten en gång. (Diskhandskar rekommenderas!) Lägg nässlorna i en gryta med 1/2 dl vatten och koka dem under lock i 5–6 min. Rör om då och då så att alla nässlor blir väl kokta.

När du vill "spara tid": dela nässlorna lite snabbt, direkt i grytan, med en trä- eller plastsked med rak kant på skedbladet. Nässlorna är mycket mjuka och bitarna blir lagom stora delade på det här enkla viset.

När du vill vara "fin" och traditionell: tag upp nässlorna ur spadet och krama ur dem väl. Spara kokspadet. Hacka nässlorna med kniv eller hackapparat.

Smält matfettet i en gryta på svag värme och tillsätt vetemjölet. Rör om och tillsätt vattnet, först 4–5 dl, och låt redningen bli slät under uppvärmning, därefter resten av vattnet. Tillsätt så buljongextrakt och koka soppan 3–4 min under lock på svag värme. Lägg i nässlorna med sitt spad och krydda med finklippt gräslök samt ev "en handfull färsk körvel à la Hagdahl" eller ett par teskedar torkad körvel.

Tillsätt så mjölk eller gräddmjölk och smaka av soppan väl. Kanske vill du ha lite nymald vitpeppar i också?

Servera med 1–2 kokta ägghalvor i sopptallriken eller med ett förlorat ägg. Bröd och ost eller t ex mager skinka passar också bra till.

Variation: Smaksätt nässelsoppan med lite stött anis och fänkol i stället för körvel.

Nässelsoppa med potatis och lök   V   4 port

Smält matfettet och tillsätt skalad, skivad potatis och lök. Rör om väl och fräs det skurna några minuter. Häll på 5 dl av vattnet och koka potatis och lök alldeles mjuka, ca 20 min. Vispa soppan slät med t ex en stadig stålvisp, gärna "ballongvisp". Tillsätt resten av vattnet, buljongextrakt, timjan och nässlor och sjud soppan 5–6 min. Små nässelblad kan gärna läggas i hela, grövre nässlor kan skäras som hastigast innan de läggs i soppan. Smaka av soppan väl. Mer timjan kanske? Eller buljongextrakt?

Tillsätt uppvispad grädde precis i serveringsögonblicket, den invispade luften går snart ner i värmen.

Servera med t ex kikärtsbröd, se s 284, lite smör och en väl lagrad ost.

1 1/2 msk smör eller margarin
6–8 potatisar
2–3 gula lökar
1 1/4 liter vatten +
buljongextrakt
1 tsk timjan
1 liter färska eller 2 dl förvällda, frysta nässlor
1/2–1 dl vispgrädde eller tunn grädde

Tid: 30 min

Grönkålssoppa

*2 liter grovskuren grönkål,
ca 1 stånd grönkål
1 1/4 liter spad av julskinka
eller vatten + buljong-
extrakt
3 msk vetemjöl
1 msk smör eller fläskflott
ev salt, vitpeppar
1/2 tsk paprika
1/2 tsk timjan
2 dl mjölk eller lite grädde
+ resten mjölk*

Tid: 30 min

Grönkål ger liksom nässlor inte bara goda maträtter utan också rätter med mycket bra näringsinnehåll. Framför allt får man rikligt med järn, vitamin A och C i dessa grönsaker.

Grönkål finns bara i handeln i december – passa på att lägga upp ett litet förråd då. Om du har stor frys så frys gärna in både färsk, rå, hackad grönkål och använd i stället för persilja, som ju är dyr vintertid, och hackad, kokt grönkål till soppor och stuvningar.

Förbered grönkålen så här: skär loss alla blad från stocken, skölj dem riktigt väl i kallt vatten och skaka av mesta vattnet. Skär bort grövsta delarna av stjälkarna, men ta inte bort allt, de blir mjälla och goda när de blir kokta. Skär kålen i strimlor först på tvären, därefter på längden och hacka den mängd, som du fryser in direkt som "persilja", i plastpåse.

Koka grönkålen i skinkspad eller buljong i 10–15 min på svag värme under lock. Rör ut vetemjölet med 1/2 dl vatten till en slät redning och häll den under omrörning i soppan. Koka soppan 3 min. Smaksätt med matfett och salt om det behövs. Dessutom med nymald vitpeppar, paprika och timjan. Avsluta med mjölk. Servera grön-kålssoppan med 1–2 kokta ägghalvor i sopptallriken eller med ett förlorat ägg. Man kan också lägga i frika-deller på samma sätt som i Champinjonsoppa med snabba frikadeller se s 159 eller färdiglagade köttbul-lar, som tinas och värms direkt i soppan.

Gott, grovt bröd och mager ost eller keso hör också till. Men inte nödvändigtvis matfett på brödet, om du vill gå ner i vikt.

Variation: Koka några grovt rivna potatisar och ev hackad lök med grönkålen innan du reder av soppan.

Champinjonsoppa
med snabba frikadeller

4 port

Börja med frikadellsmeten: blanda skorpmjöl, vatten, salt och nymald vitpeppar. Låt blandningen stå och svälla 5–10 min. Tillsätt färsen och rör smeten kraftigt en liten stund.

Värm champinjonsoppan med 3–4 dl vatten. Klicka ner färsen i lagom stora frikadeller direkt i soppan (speciell köttbullsformare finns nu!). Vill du ha dem helt runda, så forma dem först i handen med en tesked. Sjud frikadellerna i soppan 3–4 min. Tillsätt sedan mjölk, saft och skal av citron samt paprikapulver och låt soppan bli het. Strö persilja över.

Servera med smörgås med grönsaker på, eller ät en råkosttallrik före soppan.

2 burkar redd champinjon-
soppa
3 dl mjölk eller lite grädde
och resten mjölk
saft och rivet skal av 1/2
citron
1/2–1 tsk paprika
persilja

Till frikadellerna:

1/2 dl skorpmjöl
1 1/4 dl vatten
1/2 tsk salt, vitpeppar
200 g köttfärs

Tid: 20 min

Musselsoppa

4 port

Musslor har bra näringsvärde, kan gärna ätas ganska ofta. Framför allt innehåller de järn och jod, men också protein och bara lite fett. En mild musselsoppa är t ex utmärkt gott, antingen som entré- eller som huvudrätt. Snabbt lagad dessutom, musslorna är ju helt färdiga att läggas i, behöver inte rensas alls.

Smält matfettet på svag värme och rör ner mjölet. Rör om till en klimpfri smet med t ex spiralvisp och tillsätt vatten, ungefär hälften åt gången och fiskbuljongtärning. Koka soppan 3–4 min under lock på svag värme. Tillsätt sedan mjölk, musslor med sitt spad och grönsaksblandning. Sjud soppan ett par minuter. Smaksätt sedan med finhackad dill med en del av skaften, paprika och citronsaft, ev salt och cayennepeppar dessutom.

Servera med gott bröd att bryta till, t ex bauernbrot eller grahamsfranska och en bit ost.

1 1/2 msk smör eller
margarin
3–4 msk vetemjöl
8 dl fiskbuljong (vatten +
fiskbuljongtärning)
5–6 dl mjölk
1 stor burk musslor i vatten
(ca 400 g)
1 pkt djupfryst grönsaks-
blandning med majs och
paprika
1 knippa dill
1/2–1 tsk paprika
2–3 tsk citronsaft
ev salt, ev cayennepeppar

Tid: 15 min

Linssoppa med tomat och vitlök $\boxed{V}$ 4 port

2 1/2 dl linser, ca 200 g
1 burk krossade eller
  skalade tomater
1 liter vatten + buljong-
  extrakt t ex morga
1 lagerblad
2–3 morötter
2 purjolökar
1 vitlöksklyfta eller 1 tsk
  vitlökspulver
ev 2 msk tomatpuré
1–2 msk pressad citronsaft
  eller 1–2 tsk vinäger
1–2 tsk honung
ev 1–2 msk smör eller olja
rikligt med grovhackad
  persilja eller grönkål

Tid: 2 tim + 30 min

Linser är gråbruna frön av en baljväxt, som växer i länderna kring Medelhavet, i USA och Sydamerika. Linser är en av de allra äldsta kulturväxter, som använts som människoföda. Det är en ettårig ärtväxt med korta baljor, som innehåller platta frön. Namnet har fröna fått efter sin optiska linsform. Det finns också linser i alla möjliga färger, även mindre i formen än de vanliga gråbruna. Trevliga att växla om med.

Linser är härligt goda och ger mycket bra näringsvärde i förhållande till sitt pris, framför allt järn, protein och flera vitaminer av vitamin B-komplexet. Linserna är så små att de bara behöver ligga 2–3 tim i vatten innan de kokas. Då kokar de på 10–15 min. De kan också kokas direkt, beräkna då 30–40 min koktid.

Se bild på s 150.

Lägg linserna i en skål, häll ljummet vatten över och skölj dem väl flera gånger. (Sil behövs inte). Låt dem ligga i rikligt med vatten att svälla i minst 2–3 tim.

Koka upp tomater, vatten, buljongextrakt och lagerblad och rör om så att extraktet löser sig. Tillsätt de vattlagda linserna och koka dem i 10 min. Skär morötterna i skivor eller strimlor och purjolöken likaså. Koka grönsakerna i soppan i 5–6 min. Tillsätt krossad vitlök och förstärk ev tomatsmaken med tomatpuré. Smaka av med citronsaft och honung. Ev också lite matfett för ytterligare smak och konsistens. Strö persilja över.

Servera soppan med t ex nyrostat knäckebröd, lite matfett och en god ost. Eller med något bredbart, magert pålägg, t ex keso, messmör eller smältost.

Ett par matskedar gräddfil i soppan smakar också utmärkt.

"Ett gott skratt befordrar matsmältningen."

J. L. Saxon

Spenatsoppa på två sätt

Koka upp vatten och buljongextrakt – det vegetariska till hönssoppan, fiskbuljong-extraktet till fisksoppan. Lägg i spenatpaketet, ev lite tinat och skuret i skivor så att bladen blir grovt skurna. Tillsätt så vetemjöl, utrört till en jämn smet med 1/2 dl vatten, och rör om hela tiden tills soppan sjuder. Tillsätt ingredienserna till respektive soppa och koka soppan 3–4 min på svag värme under lock. Häll i grädde och smaka av soppan så att den har fyllig smak.

Servera med gott mjukt helkornsbröd eller nyrostat knäckebröd och lite smör.

1 liter vatten + buljong-extrakt, vegetariskt eller med fisksmak
1 pkt hel spenat
2 msk vetemjöl
1 dl tunn grädde
ev salt, vitpeppar

Med höns eller broiler
1 1/2–2 dl bitar av kokt höns eller broiler + 1/4 tsk paprika + 1–2 kryddmått riven muskotnöt + ev kokta grönsaksrester t ex morötter.

Med fiskfilé eller fiskbullar
200 g rå eller kokt fiskfilé i bitar eller 1 liten burk fisk-bullar i buljong + saft av 1/2 citron + ev lite vitlöks-salt eller sellerisalt.

Tid: 30 min

Ängasoppa

[V] 4 port

Mormors härliga sommarsoppa är lika bra och riktig nu som då.

Skala och hacka löken grovt eller skölj purjolöken och skär den i skivor. Fräs det skurna i matfett, på svag värme, i en gryta några minuter. Strö över mjölet, rör om och späd med vattnet, en del i taget. Rör soppan slät tills den kokar upp och lägg i de skurna grönsakerna. Koka soppan på svag värme under lock i 10–12 min. Tillsätt mjölk, smaka av med salt eller buljongextrakt och mal över vitpeppar. Krydda också med paprika och strö ner nässlor. Sjud soppan någon minut till.

Servera soppan med grovt bröd och en god mager ost eller t ex leverpastej eller tartex.

Se bild på s 151.

1 gul lök eller 1 purjolök
1 1/2 msk smör eller margarin
3 msk vetemjöl eller 4 1/2 msk grahamsmjöl
1 liter vatten + buljong-extrakt t ex vegetariskt
1 liter skurna blandade grönsaker t ex morötter, blomkål, ärter, bönor ev några potatisar
3–4 dl mjölk eller lite grädde och resten mjölk
ev salt, vitpeppar
1/2 tsk paprika
1 dl strimlade färska nässlor eller persilja + dill

Tid: 30 min

Vitkålssoppa med svamp

$\boxed{V}$ 4 port

ca 750 g vitkål (2 liter
  strimlad kål)
1 gul lök
1 liten burk blandsvamp
1 msk smör eller margarin
2 msk vetemjöl
1 1/4 liter vatten +
  buljongextrakt
2–3 msk tomatpuré
1 lagerblad
1 tsk mejram
100–150 g prinskorv eller
  falukorv
grovhackad persilja eller
  grönkål

Tid: 30 min

Skär kålen i fina strimlor och löken i bitar. Hacka svampen grovt om det behövs. Fräs kål, lök och svamp med sitt spad i matfettet några minuter. Strö över mjöl, rör om och tillsätt vatten och buljongextrakt. Koka soppan 5–6 min under lock på svag värme. Tillsätt tomatpuré, lagerblad och mejram samt korv och sjud soppan ytterligare 5–6 min.

Smaka av med lite äkta soja om du vill ha mer salt. Strö persilja över.

Servera med ett fylligt bröd t ex kumminbröd, se s 277, smör och mager ost.

Jordärtskockssoppa

$\boxed{V}$ 4 port

750 g jordärtskockor
3–4 potatisar
1 1/4 liter vatten +
  buljongextrakt t ex planta-
  force
1 msk vetemjöl
2 dl mjölk eller lite grädde
  och resten mjölk
1/4 tsk paprika
1/2–1 msk smör
hackad persilja eller gräs-
  lök

Tid: 1 tim

Skölj och skala jordärtskockor och potatis riktigt rena. Koka upp hälften av vattnet och lägg ner skockor och potatis skurna i bitar. Koka rotfrukterna mjuka under lock ca 20 min. Pressa dem genom purépress, finfördela dem i mixer eller vispa bara sönder dem så gott det går med en stålvisp, direkt i grytan. Tillsätt resten av vattnet, buljongextraktet och värm till kokpunkten. Vispa ut mjölet, först med ett par matskedar mjölk, sedan med resten av mjölken till en slät redning. Häll redningen under omrörning i soppan och låt den koka 3 min. Smaka av med salt och tillsätt paprika och smör. Strö över rikligt med kryddgrönt.

Servera den mustiga soppan med t ex vitlöksbröd, se s 271, eller gratinerade smörgåsar med skinka, ost och tomat.

Laxsoppa för gäster

Skölj laxbiten och lägg den i en gryta. Slå på vatten och tillsätt salt samt vin. Sjud laxen på svag värme under lock tills den är nätt och jämnt färdig, ca 15 min. Låt fisken kallna i spadet. Rensa den därefter och dela den i fina bitar.

Skölj purjon och skala morötterna. Skär allt i skivor eller strimlor och fräs i en gryta tillsammans med champinjonerna i matfett. Grönsakerna ska inte ta färg det minsta utan bara fräsa några minuter. Strö över mjöl, rör om och späd med silad fiskbuljong. Sjud soppan 4–5 min med lagerbladet under lock. Lägg sedan i den rensade laxen, tillsätt mjölk och dill och värm soppan ordentligt. Smaka av med salt och vitpeppar.

Servera med en citronskiva i varje sopptallrik. Piroger eller grovt, mjukt bröd och lite smör serveras till.

Se bild på s 152.

Variation: Smaksätt soppan "på ryskt vis" med 1/2 dl strimlad saltgurka eller 2 msk kapris.

600 g lax i bit, gärna stjärt-
biten
5–6 dl vatten, 1 tsk salt
3 dl vitt vin, billigaste
sorten duger fint
2 purjolökar
2 morötter
1 burk skivade
champinjoner i smör
1 msk smör eller margarin
3 msk vetemjöl
1 lagerblad
3–4 dl mjölk eller lite
grädde och resten mjölk
1 dl hackad dill
salt, vitpeppar
4–5 citronskivor

Tid: 45 min

Lantlig soppa med vita bönor

 4 port

Värm bönor och juice eller tomatsoppa och tillsätt vatten, buljongextrakt samt skivad purjolök. Sjud soppan 4–5 min med krossad vitlök, sönderbrutet lagerblad och timjan. Smaka av med salt. Tillsätt olja och persilja.

Servera med citronklyftor och grovt, gott bröd.

Tips: Krossad vitlök åstadkommer du enklast med en vitlökspress. Mindre klyftor kan krossas utan att skalet tas bort först – skönt, för då slipper man lukta vitlök om fingrarna.

1 burk vita bönor i tomat-
sås
1 burk tomatjuice (4–5 dl)
eller tomatsoppa
7–8 dl vatten + buljong-
extrakt
2 purjolökar
1–2 klyftor vitlök
1 lagerblad
1/2 tsk timjan eller körvel
1 msk olja, t ex solrosolja
grovhackad persilja eller
grönkål

Tid: 15 min

Svampsoppa

$\boxed{V}$ 4 port

*1–1 1/2 liter färsk blandad
svamp eller 1–2 burkar
blandsvamp eller skivade
champinjoner i vatten
2 gula lökar
1 1/2–2 msk smör
2 msk vetemjöl
1 liter vatten + buljong-
extrakt t ex poule au pot
1/2 tsk timjan
1/2 tsk paprika
ev salt, vitpeppar
ev 1–2 msk sherry eller
citronsaft
1 dl grädde
persilja*

Tid: 45 min

Svampsoppa är en härlig entré- eller huvudrätt vid höstens finare middagar. Roligast att bjuda på om svampen är egenhändigt plockad, men blandsvampen som finns på burk är också bra. Lök och svamp är väldigt gott ihop, löken både drygar ut och ger god smak, så det brukar jag alltid ha i svampsoppa. Samt smör, det är nödvändigt för att ge god smak. Och lite grädde. Inga stora mängder behövs, men helt utesluta grädden vill jag heller inte.

Rensa den färska svampen och borsta den ren med en bakpensel. Skölj den endast om det är absolut nödvändigt. Skär svampen i bitar och lägg den i en kastrull tillsammans med grovhackad lök och smör. Konserverad svamp läggs i grytan med sitt spad, lök och smör. Koka svampen under lock på svag värme så att svamp och lök blir mjuk, sedan utan lock tills mesta vätskan kokat bort och svampen börjar bli lätt fräst. Strö över mjöl, rör om och späd med vatten. Låt soppan koka upp under omrörning och smaksätt den med buljongextrakt, timjan och paprika. Låt soppan sjuda 10–15 min eller längre. Det blir den bara godare av. Förbered soppan hit om du vill laga den i god tid. Smaka av med salt, mal lite vitpeppar (eller svartpeppar) över och tillsätt ev också sherry eller citronsaft. Rör ner grädden. Om du väljer tjock grädde så vispa den först och lägg den ovanpå soppan precis när den ska serveras. Strö persilja över.

Servera med gratinerade ostsmörgåsar, se s 270, eller grovt bröd och t ex kumminost.

"En stor del av Sveriges befolkning väger för mycket. Man vet att övervikt är olämplig i de flesta fall eftersom den innebär ökade sjukdomsrisker. Kan man få bort övervikt, ja då är fasta nyttig."

Professor Olof Lindahl, Linköping

Fransk löksoppa

V 4 port

Skala och skiva den gula löken. Smält matfettet i en gryta och fräs löken däri på svag värme tills den blivit guldbrun. Häll på vatten och tillsätt buljongextrakt, timjan, lätt sönderbrutet lagerblad och låt soppan koka 12–15 min. Smaka av med soja och vin och häll upp soppan i tallrik. Lägg i en ostgratinerad smörgås i varje tallrik. (Lägg brödskivorna på t ex en plåt och strö osten över. Sätt under grill 2–3 min tills osten smält och fått fin färg.)

Servera med ett glas vin eller öl.

Variation: Tillsätt 2–4 potatisar i skivor. Det reder soppan lätt och gör den mer mättande.

3/4–1 kg gul lök
1 1/2 msk smör eller
  margarin
1,4 liter vatten + buljong-
  extrakt
1 tsk timjan
1 lagerblad
2 msk äkta soja
1 dl enkelt vin, vitt eller rött
4 rejäla skivor bröd, vitt
  eller graham
2 dl riven ost t ex herrgårds
  eller grevé

Tid: 45 min

Rödbetssoppa

V 4 port

I Ryssland lagas denna härliga röda soppa på mjölksyrekonserverade rödbetor (finns här i hälsokostaffärer). Välj gärna det eller följ receptet med färska rödbetor och ge frisk, syrlig arom med citronsaft i stället. Soppan heter ungefär Borstj på ryska, men kan även skrivas Borchok och Barszcz!

Skala rödbetor, lök och morötter. Skär allt i strimlor eller bitar och vitkålen i grova strimlor. Fräs grönsakerna i matfettet några minuter, tillsätt vatten och buljongextrakt och rör om så att extraktet löser sig. Lägg i lätt sönderbrutna lagerblad och koka soppan på svag värme under lock ca 20 min. Smaka av med salt och citronsaft och lägg i korvskivor eller köttbullar, gärna ostekta och sjud soppan ytterligare 2–3 min. Strö persilja över.

Servera med en klick gräddfil i soppan och bjud gott bröd och vällagrad ost till.

4–5 råa rödbetor
2–3 gula lökar eller röd-
  lökar
2–3 morötter
1/2 liter strimlad vitkål
2 msk smör, margarin
  eller olja
1 1/2 liter vatten +
  buljongextrakt
2 lagerblad
ev salt
saft av 1/2 citron
ev 100 g wienerkorv eller
  12 köttbullar
grovhackad persilja eller
  grönkål
1 dl gräddfil

Tid: 45 min

Höstsoppa på biff

4 port

250 g nötkött, t ex innanlår
2 msk äkta soja
1 1/2 liter vatten +
buljongextrakt
1/2–1 dl krossade korngryn
1/2–3/4 liter blandade fin-
skurna grönsaker, färska
eller djupfrysta, t ex ärter,
purjolök, morötter, majs,
palsternacka, blomkål,
gröna bönor
ev 2–3 msk tomatpuré
1 dl persilja

Tid: 30 min

Mager, mättande med både kött och korngryn att tugga på. Det är viktigt att maten ger bra tuggmotstånd, det är skönt att tugga och man blir mätt på bättre sätt när man får tugga ordentligt.

Skär köttet i strimlor och marinera det i sojasås en god stund. Koka upp vatten och buljongextrakt (ta lite i underkant, sojan ger också smak och sälta) och tillsätt korngryn. Koka soppan 5 min. Tillsätt sedan grönsaker och kött + marinad. Sjud soppan 6–8 min. Smaka av med mer soja om du vill ha saltare smak, ev också tomatpuré. Strö persilja över.
  Servera med tunn ostsmörgås med t ex skivade tomater eller paprikaringar på.

Variation: I stället för korngryn kan man ta 1 1/2 dl kokt råris eller 2 dl kokta sojamakaroner. Kokt kall potatis i skivor gör soppan mer mättande.

Gul ärtsoppa utan kött

Ⓥ 4 port

4 dl gula ärter
1 1/2 liter vatten
2–3 gula lökar
2 morötter
1/2 tsk mejram
1 tsk timjan
1 lagerblad
2–3 tsk buljongextrakt t ex
Plantaforce eller Hügli
1 msk solrosolja
1 dl grovhackad persilja
eller grönkål
ev 1/2 tsk salt

Tid: 8 tim + 1 tim 30 min

Skölj ärterna väl, lägg dem i en gryta och tillsätt vattnet. Låt dem stå minst 8–10 timmar att mjukna. Koka dem sedan på svag värme i 1 tim. Skumma i början. Tillsätt hackad lök och grovt rivna morötter, mejram, timjan, lagerblad och buljongextrakt. Koka soppan tills ärterna är lagom mjuka, ca 30 min till. Avsluta med olja och persilja och smaka av med salt.
  Servera med en råkostsmörgås t ex eller med en knäckebrödssmörgås med falukorv, kokt tunga eller skinka och lite senap.

Snabb, fin jordärtskockssoppa

Värm buljong, jordärtskockssoppa och sherry till kokpunkten.

Servera soppan med skivade jordärtskockor eller bitar av kronärtskocksbottnar och en klick gräddfil i tallriken. Strö persilja över och bjud t ex sesamkex, se s 290, med smör, ost och rädisskivor på.

1 burk klar buljong (consommé)
1 burk jordärtskockssoppa
2 msk sherry
3–5 kokta jordärtskockor eller 1/2 burk kokta kronärtskocksbottnar
1/2 dl gräddfil
hackad persilja

Tid: 10 min

Linssoppa med potatis och lite korv

4 port

Lägg linserna i en skål, häll ljummet vatten över och skölj dem väl flera gånger. (Sil behövs inte.) Låt linserna ligga i rikligt med vatten att svälla i 2–3 tim eller längre.

Skala potatis och lök och skär dem i skivor eller klyftor. Koka upp vatten, buljongextrakt, lagerblad och timjan och lägg i linser, potatis och lök. Koka soppan på svag värme i 15–20 min. Mosa sönder potatisen lite grand med en sked mot grytans kanter, så att den reder soppan helt lätt. Tillsätt korven och låt soppan sjuda ytterligare några minuter. Strö ner persilja strax före serveringen.

Servera med riven ost att strö i soppan, gott bröd och lite smör. Gärna också en skål rivna morötter eller skivade tomater som pålägg.

Variation: Byt ut korven mot 100 g rimmat magert fläsk, som "brynts" i 1–2 msk äkta soja.

1 1/2 dl linser
5–6 potatisar
2 gula lökar
1 1/2 liter vatten + buljongextrakt
1 lagerblad
1/2 tsk timjan
100 g korv, t ex falukorv eller wienerkorv
rikligt med persilja eller grönkål

Tid: 2 tim + 30 min

Äggrätter med grönsaker

Ägg hör till de få livsmedel som hållit nästan samma pris i många, många år. Med tanke på sitt näringsvärde med bl a högvärdigt protein, A- och D-vitaminer och viktiga mineralämnen är ägg i hög grad prisvärd mat.

Vår genomsnittliga konsumtion av ägg uppgår till ca 4 ägg per person och vecka. Enligt MEK (socialstyrelsens medicinska expertgrupp för kost och motion) "torde denna mängd ha ringa höjande effekt på blodets kolesterolhalt" och med tanke på att ägg ger billigt och högvärdigt protein "anser MEK inte kunna förorda en inskränkning i nuvarande äggkonsumtion". (Kost och Motion, 1975).

Vill man leva vegetariskt måste man dock utesluta ägg ur sin kost, bara använda dem i undantagsfall till t ex vegetariska biffar, som har svårt att hålla ihop. Detta för att "ägg ruttnar i tarmkanalen och därvid bildar gifter." (Vår väg till hälsa).

Kanske mår vi bäst av att minska vår äggkonsumtion något, bara äta 1 à 2 ägg per vecka? I vilket fall som helst bör alltså 4–5 ägg vara den övre gränsen.

Här är några recept där äggen blandas med relativt mycket grönsaker för att balansera dem enligt syra-bas-balansens teori. Se s 46.

Pocherat ägg – det lättaste av allt

Det är precis lika enkelt att pochera ägg som att steka ägg! Av någon anledning omges dock pocherade ägg av något slags skimmer av högsta kokkonst! En "ordbubbla" som jag härmed ber att få sticka hål på. Just när man vill leva smalt är nämligen pocherade ägg ofta praktiska att ta till. Roligare och snabbare att laga än kokta ägg och "smalare" än ägg stekta med fett. Man kan pochera ägg på två sätt, med lite vätska så att gulan syns eller med mycket så att den göms.

Morotsomelett låter kanske inte så gott – men det är gott. Äggen "späds ut" med morotsrasp i stället för vatten och resultatet blir överraskande gott, se s 175. Bra lunch eller middagsrätt när tiden är knapp. Kan varieras med tärnad kokt potatis, hackad lök och lite strimlad bacon i stället för smör.

Äggrätter med grönsaker 169

Påskens goda äggsallad – med sardeller eller ansjovis – kan man servera ur plastägg om man vill vara lite originell! Kan göras iordning i god tid – locken håller tätt så att salladen inte torkar, se s 177.

Kalla, kokta bönor är en utmärkt stomme i många sallader. Här har jag använt de milt gröna flageoletbönorna (=krypböna enligt lexikon). Bruna, svartfläckiga, vita eller andra bönor går också bra. Skillnaden i smak är inte så stor, se s 177.

Friskt vatten är en underbar dryck som kommit alltför mycket i skymundan de sista välslevnadsåren. Helt kalorifritt, passar till allt och är billigt om du har fint vatten i kranen!

En isbit i glaset gör att framför allt barn tycker att vattnet blir mer spännande. Vi vuxna kanske också vill ha en citronskiva eller några droppar limejuice i då och då. Fram för gott vatten som dryck till och mellan målen antingen du vill leva smalt eller är problemfri beträffande vikten!

Pocherat ägg ...
... där äggulan syns = halvförlorat ägg

Häll vatten, vitt vin eller buljong till drygt 1 cm höjd i ett lågt kokkärl t ex en stekpanna. Tillsätt 1 tsk salt/liter vätska, ev mindre till buljongen. Låt vätskan sjuda och knäck ner äggen direkt eller häll dem först i en kopp och sedan i vätskan. Sjud äggen 3–4 min, tag upp dem med hålslev och servera dem direkt på t ex rostat, lätt smörat grahamsbröd som "äggtoast".

Om du vill servera det halvförlorade ägget kallt, lägg det i kallt vatten – försiktigt – så att det täcks. Kan göras flera timmar i förväg.

Om du vill servera det tempererat, lägg det i ljummet vatten högst 30 min före serveringen. Skär ev kanterna jämna med en kniv eller med ett runt mått, t ex ett glas.

Tid: 10 min

... där äggulan är helt gömd = helförlorat ägg

Häll rikligt med vatten i en kastrull med vid öppning och tillsätt 1 tsk salt/liter vatten. Låt vattnet sjuda. Häll upp äggen, ett i taget i en kopp och låt dem försiktigt glida ner i vattnet. Låt äggen sjuda 3–4 minuter och ta sedan upp dem med hålslev.

Förvara dem i kallt eller ljummet vatten, om de inte ska serveras omedelbart, se halvförlorat ägg.

Tid: 10 min

Snabbpocherat ägg i soppa eller buljong

För en à två personer kan man knäcka ägget direkt ner i t ex nässelsoppa eller buljong. Blir lite grumligt att se på men snabbt går det. Och buljongen kan t ex förskönas med rikligt med grovhackad persilja eller grönkål.

Tid: 5 min

Magerstekt ägg

1 ägg
ev 1 tsk smör eller olja

Tid: 5 min

Värm en teflonpanna till måttligt stark värme, knäck ner ägget i pannan och låt det steka över relativt svag värme tills äggvitan stelnat. Med just teflonpanna går det bra att steka ägg på det här sättet. Självklart blir ägget godare om du lägger i en klick matfett först. Den behöver inte vara stor för att ha stor effekt.

Servera ägget med kokta grönsaker, t ex ärter + morötter eller broccoli eller kokt hel spenat.

Lägg alltid ½–1 tsk smör eller bordsmargarin på grönsakerna – det förhöjer smak och näringsvärde på ett markant sätt.

Mager men god äggröra

1 port

1 ägg
1 msk vatten
1 msk finklippt kryddgrönt
t ex persilja + gräslök
1/2–1 kryddmått salt
ev 1 tsk smör eller olja
ev 1 tsk kapris

Tid: 10 min

Vispa samman ägg, vatten, kryddgrönt och salt med en gaffel. Det ska inte bli en skummig smet, bara en ganska slät och jämn smet. Smaksätt ev med kapris. Häll smeten i en inte alltför kraftigt uppvärmd teflonpanna och låt äggsmeten stelna under omrörning hela tiden. Om du vill lägga i den lilla matfettsklicken först får äggröran onekligen lite godare arom. Badrumsvågen får väl avgöra!

Grädda inte äggröran för länge. Den är godast när den är saftig och krämig, inte torr.

Servera äggröran omedelbart på t ex en skiva rostat grahamsbröd och med en rejäl sallad till.

"Fyra ägg i veckan är en för snålt tilltagen rekommendation. Kolesterolet från äggen spelar så liten roll jämfört med kroppens egen produktion av kolesterol att några ägg mer eller mindre inte tycks spela någon roll för den som har normala blodfettvärden."

Laborator Åke Bruce, Livsmedelsverket

Morotsomelett

1 port

Saftig och god, inte så mäktig tack vare allt morotsrasp!

Skala morötterna och riv dem fint så att det blir en saftig massa. Blanda morotsraspet med ägg, salt och nymald vitpeppar.

Bryn smöret helt lätt i en stekpanna, häll i omelett-smeten och grädda omeletten tills den fått fin färg på undersidan och blivit lagom fast. Strö på persilja.

Servera med rårörda lingon eller äkta soja, t ex mush-room soya, gott helkornsbröd eller knäckebröd och ett glas lättmjölk.

Se bild på s 169.

1–2 stora morötter
1 ägg
1 kryddmått salt, vitpeppar
1–2 tsk smör
grovhackad persilja eller
grönkål

Tid: 15 min

Omelett med flera sorters grönsaker

4 port

Häll tomaterna med sitt spad i en stekpanna och dela sönder dem med en stekspade. Skär paprikan i strimlor och löken i grova tärningar och lägg allt i stekpannan. Tillsätt krossad eller hackad vitlök och matfett och ko-ka allt utan lock 6–8 min så att mesta vätskan kokar in. Rör om ganska flitigt under tiden. Strö ev ner rivet bröd – gör omeletten fastare så att den går att skära i bitar – och krydda helt lätt med salt och nymald vitpeppar. Vispa upp äggen med en gaffel i en skål och häll smeten över grönsakerna i pannan. Öka värmen och rör om så att smeten fördelar sig väl. Stek omeletten bara precis så länge som behövs dvs tills smeten stannat, annars blir den torr.

1 burk skalade tomater
2–3 gröna paprikor
1 gul lök eller 1 purjolök
ev 1 vitlöksklyfta
1 msk smör eller olja t ex
olivolja
ev 1/2 dl rivet, torrt vitt bröd
1/2 tsk salt, vitpeppar
4 ägg

Tid: 20 min

Rödbetsomelett

1–2 rödbetor
1 ägg
1 kryddmått salt, vitpeppar
1 tsk kapris
1–2 tsk smör
grovhackad persilja eller
  grönkål

Tid: 15 min

Också en utmärkt grönsaksomelett på enkelt sätt. De vackra rödbetorna är härliga att variera med, både färgen och innehållet stimulerar.

Skala rödbetorna och riv dem fint eller medelfint. Blanda rödbetor, ägg, salt, nymald vitpeppar och kapris.
   Bryn smöret lätt i en stekpanna, häll i omelettsmeten och grädda omeletten tills den fått fin färg på undersidan och blivit lagom fast. Strö på persilja.
   Servera med gott, grovt bröd, bordsmargarin och ost.

Ägg i gelé

2 hårdkokta ägg
75 g skalade räkor eller
  musslor eller kokt, kall
  fisk eller kokt skinka
5 gelatinblad
3 dl tomatjuice
2 msk hackad dill
strimlad isbergssallad
1 bit gurka
ev kapris
2 citronklyftor

Tid: 30 min + 2 tim

I USA är detta klassisk mat för alla som "vaktar på vikten". Passar här också framför allt under den varma årstiden.

Lägg skalade ägg och räkor i t ex tekoppar. Låt gelatinbladen ligga i kallt vatten, krama ur mesta vattnet och smält dem över mycket svag värme tillsammans med 1/2 dl av tomatjuicen. Blanda sedan gelatinblandningen med resten av juicen och dillen och häll detta över äggen. Ställ kallt att stelna ca 2 tim i kylskåp.
   Stjälp upp kopparna – doppa dem ev snabbt i hett vatten – och lägg dem på tallriken. Lägg rikligt med fint strimlad isbergssallad och hyvlad gurka runt om. Strö ev kapris på salladen och lägg citronklyftorna vid kanten. Servera med gott bröd och ev bordsmargarin, kanske också lite dressing med solrosfröolja.

Påskens äggsallad med sardell

4 port

Påskägg av plast kan fyllas med en god sallad och serveras som dekorativ entrérätt! Se bild på s 170. Där är locken avtagna. I praktiken ska de förstås ligga på till serveringen. Salladen kan då göras i god tid.

En skaldjurssallad eller en vegetarisk sallad passar också fint i de färggranna påskäggen.

Skala äggen och skiva dem. Skär också tomaterna i skivor eller klyftor. Häll av oljan från sardellerna. Lägg fina salladsblad vid ena änden av plastägget. Varva skivade ägg och tomater och lägg ett par sardeller vid sidan. Sätt en liten bukett kryddkrasse vid andra änden och lägg på locket.

Förvara salladen kallt. Blanda alla ingredienser till salladssåsen. Servera med gott, grovt bröd, ev sprödvärmt, lite bordsmargarin och salladssåsen.

2–3 hårdkokta ägg
3–4 tomater
1 ask sardeller, raka eller
  rullade
salladsblad
kryddkrasse eller persilja

Salladssås
2 msk majonnäs, helst av
  solrosfröolja
4 msk filmjölk
1 kryddmått vitlökssalt eller
  kryddsalt
finhackad persilja och gräslök eller dragonört

Tid: 30 min

Min fina ägg- och bönsallad

4 port

Blanda de väl avrunna bönorna med krossad vitlök, olja, citronsaft och salt samt lite nymald peppar. Låt salladen stå i minst 1 tim på sval plats, smaka av den och tillsätt ev lite mer av kryddorna.

Klä en skål med strimlad isbergssallad och lägg i bönsalladen. Garnera med ägghalvor, skivade tomater och tunna lökringar. Sätt några dill- eller persiljekvistar där de gör sig bäst.

Servera salladen med gott bröd och lite bordsmargarin eller bredbar mager smältost. Eller bröd och någon god ost.

Se bild på s 171 där salladen är gjord med flageolet (uttalas flascholé). *Obs!* Uteslut äggen och du har en helt vegetarisk sallad.

5 dl kokta, kalla bönor, t ex
  bruna eller vita bönor eller
  flageolet (svagt gröna,
  torkade bönor)
1–2 vitlöksklyftor
2 msk olja, t ex olivolja eller
  solrosolja
2–3 msk citronsaft
1/2 tsk salt, t ex herbamare-
  salt
svartpeppar
isbergssallad eller vanlig
  grönsallad
2–3 hårdkokta ägg
2–3 tomater
1 röd eller gul lök
dillkvistar eller persilja

Tid: 30 min + 1 tim

Fisk och skaldjur

Fisk och skaldjur är underbar mat för alla som vill äta smalt eller gå ner i vikt. Alla sorter är tillåtna men däremot inte alla tillagningssätt eller recept. Så när du äter "ute" får du vara uppmärksam, inte "svälja"(!) vad som helst från menyn eller smörgåsbordet. Välj hellre kokt eller grillad fisk än stekt eller friterad. Pröva gärna recepten på mitt sätt här i boken, så förstår du vad som är bra, gott och samtidigt magert och omväxlande.

Fisk och skaldjur har mycket bra näringsvärde, proteinet är ur biologisk synpunkt likvärdigt med köttprotein. Dessutom har fisk och skaldjur den fördelen att de i regel är magra. Medan de sorter som räknas till feta fiskar har ett fett som är nyttigt; det innehåller rikligt med fleromättade fettsyror, vilket vi behöver. Man säger "fet fisk" även om t ex strömming, men i jämförelse med många köttsorter är det ändå en nära nog mager produkt! I förhållande till andra fisksorter är dock benämningen "fet fisk" riktig. Här gäller det alltså att se upp och lära sig vad som är rätt och riktigt.

Produkt per 100 g	Protein i g	Fett i g	Fleromättat fett i % av hela fettmängden
Torsk	18	1/2	–
Strömming	17	10	–
Sill, färsk	17	16	77
Räkor	22	1	–
Lax	19	15	79
Ål	14	25	73
Lammkött	ca 18	6–18	4
Nötkött	ca 20	2–22	3
Fläskkött	ca 16	3–50	15

Jämför också tabellerna på s 207–208.

"Ät fet fisk minst en gång i veckan" är en bra ny slogan att lära och leva efter! All saltvattensfisk och skaldjur har också stor betydelse på grund av sitt jodinnehåll, speciellt viktigt för alla som lever långt från kusttrakter.

Vegetarianer äter inte fisk eller skaldjur. De anser att dessa livsmedel liksom kött och ägg övergår i förruttnelse i tarmen och förgiftar vår organism. Resultatet härav är våra kultursjukdomar som dels är bristsjukdomar, dels förgiftningssjukdomar.

Hur är det med kvicksilverfaran?

Enligt livsmedelslagen får inte fisk med otillåtet höga halter av kvicksilver eller DDT saluföras. Man kan ringa hälsovårdsnämnden och få upplysning i lokala frågor. Livsmedelsverket, som svartlistar fiskevatten med för höga gifthalter, delar in fisk och skaldjur i tre grupper:

1 Fisk som kan ätas dagligen: Hit hör fisk, fångad i öppna havet eller andra "kvicksilverfria" vatten, med högst 0,2 mg kvicksilver per kilo. Hit hör vanligen torsk och kolja, lax, makrill, kummel, sill och strömming samt rödspätta, piggvar och slätvar. Räkor, musslor och andra skaldjur samt all djupfryst fisk hör också till grupp 1.

2 Fisk som bör ätas högst en gång i veckan: Hit hör fisk, fångad i kustområden eller insjöar, med förhöjd kvicksilverhalt. (Fisk med 0,2–1 mg kvicksilver per kilo). Främst är det hälleflundra och tonfisk, även som konserv. Dessa fiskar fångas visserligen i öppna havet, men de blir ganska gamla och kommer ibland upp till en vikt på flera hundra kilo, varför de hinner anrika gifter i muskulaturen.

3 Fisk som inte bör ätas alls: Fisk som innehåller mer än 1 mg kvicksilver per kilo. Sådan svartlistad fisk får inte säljas. Sportfiskaren kan höra med hälsovårdsnämnden om fiskevattnet är svartlistat.

Lever från östersjötorsk är svartlistad på grund av för hög DDT-halt.

All kokt fisk är OK

All kokt fisk är tillåten när du bantar eller vill leva smalt. Fisken kan serveras varm eller kall i form av kokt fisk med tillbehör, i gryta, soppa eller sallad. Beräkna 125–150 g fiskfilé eller 200–300 g orensad fisk per person.

Tonfisk, inkokt sill och lax på burk är bra produkter när tiden är knapp. Likaså torskrom. Beräkna 100–125 g av dessa produkter.

Fisken kan sjuda i lite vatten i en kastrull, i ånga ovanför potatisen eller i folie i ugn. Viktigt är framför allt att den *inte kokas,* bara får sjuda i ca 90°C spad. Annars blir den för torr. Piggvar, som har ett mycket tjockt skinn, kan läggas i en långpanna och kokas i svag ugnsvärme precis som den är – det tjocka skinnet fungerar ungefär som folie.

Tillbehören gäller det däremot att se upp med. Det serveras ofta feta såser till kokt fisk, t ex hollandaisesås eller fisksås med grädde och äggula. Men detta är långt ifrån nödvändigt, även mager fisk kan bli utmärkt saftig och god med andra såser eller sky, bara den är så försiktigt sjuden som nämnts här ovan.

Grönsaker till kokt fisk har stor betydelse. Här borde vi bli mer noggranna och tänka på att alltid servera minst en, gärna två kokta grönsaker förutom potatis eller råris till *varm,* kokt fisk. Till *kall,* inkokt fisk passar ofta både råa och kokta grönsaker bra, t ex sallad, gurka, tomater, sparris, ärter, gröna bönor, morötter osv.

Skaldjur är magert och gott

Skaldjur är magert och mättande, utmärkt mat när man vill leva smalt eller gå ner i vikt. Men då måste de förstås serveras på magert sätt och inte doppade i t ex frityrsmet och friterade i olja eller blandade i majonnässåser av vanligt slag. Har man väl vant sig att äta mindre fet mat är det inte ens gott att äta sådana rätter, de blir faktiskt motbjudande och man känner direkt att magen blir missnöjd och vantrivs.

Räksallad med råris och ärter, se s 185, är en lika god som vacker sallad. Med råris blir salladen både godare och näringsmässigt bättre. Råris har högre halt av både B-vitaminer och salter samt mer fibrer, som ger en fylligare arom. Också konsistensen blir bättre. Råris ger mer att tugga på. Våga pröva, det är råriset väl värt!

En extra snabb variant på paella lagar du med hirs som stomme. De små gula hirsgrynen kokar på 10–12 min. Hirs, som är ett gammalt asiatiskt sädesslag med kvastlik vippa, är gott att växla om med och ger bra med järn dessutom. Hirs, musslor och pimiento m m, se s 185. Visste du att hirs innehåller 6,8 mg järn/ 100 g, råris 1,6 mg och vanligt ris bara 0,7 mg!

Enklast och mycket gott är att servera skaldjur naturella, dvs kokta, kalla. Utom ostron som är godast obehandlade, direkt från havet.

Räkor: beräkna 200–250 g räkor med skal per portion. Lägg upp räkorna portionsvis eller i en kyld glasskål. Servera med nyrostat knäckebröd eller gott helkornsbröd, lite smör och mager ost. Gärna också ett fat med råa grönsaker att plocka av.

Krabba: 1/2–1 krabba, beroende på storlek, per portion. Gravlaxsås är godast till, men kraftig, så det är viktigt att ta små mängder. Eller pröva Senapssås för smalkostare, se s 245. Den är inte alls så fet, men ändå god och fyllig. Servera med samma tillbehör som räkor, se ovan.

Hummer: 1/2–1 hummer, beroende på storlek, per portion. Servera hummern halverad på längden med Nästan majonnäs, se s 245, och samma tillbehör som räkor, se ovan.

Ostron: 6–12 ostron per portion. Servera ostronen nyöppnade med citronklyftor, rostat vitt bröd och lite smör. Som dryck lättöl eller det klassiska porter (betydligt fler kalorier – joule).

Skaldjurssallad

2 port

Blanda räkor, musslor och strimlad fänkål eller sparrisbitar i en skål. Tillsätt tomater i tärningar och gurka i strimlor och klipp lite dill över. Droppa vinäger och olja över salladen och smaka av med salt. Mal en aning vitpeppar över. Låt salladen stå kallt minst 30 min. Garnera med dillkvistar.

Servera med grovt helkornsbröd, gärna hembakat, lite smör och ev ost.

Variation: Smaksätt ev ytterligare med lite krossad vitlök eller finskuren gräslök. Dryga ut salladen med kokt kall potatis eller hårdkokt ägg i skivor.

75–100 g skalade räkor
1 ask musslor i vatten,
  115 g
1 fänkål eller 1 burk sparris,
  gärna grön
2 tomater
1 bit gurka
dillkvistar
2 tsk vinäger eller citron-
  saft
2 tsk olja
ev salt, vitpeppar

Tid: 30 min + 30 min

Rökt fisk – god både varm och kall

Rökt fisk är härligt god och bekväm mat. Böckling, makrill, lax, ål och alla de andra sorterna är fina att servera när tiden är knapp – med olika tillbehör som inte heller behöver ta så lång tid att göra i ordning.

Om du vill servera den rökta fisken varm så vira in den i folie och värm den i 175°C ugnsvärme en kort stund. Ca 10–15 min räcker. Eller låt fisken ligga i kökstemperatur någon timme så att den inte är så kall. Då kommer smaken bäst fram.

Beräkna 100–150 g rökt fisk per portion. Alldeles nyrökt, varm fisk kan man bjuda på om man köper ett litet rökeri i järnhandeln. De är enkla och roliga att röka fisk i, röksmaken åstadkoms med hjälp av speciellt rökspån. Bäst är att röka utomhus eller direkt under en kraftig spisfläkt.

Böckling: Servera böcklingen med olika råa grönsaker såsom sallad, gurka, tomat, blomkål och en stor kokt skalpotatis eller ugnsbakad potatis. Citronklyfta och 1 tsk solrosfröolja eller linfröolja (*mycket* god) är gott att droppa över sallad och potatis. Eller servera böcklingen med 1 dl hackade rödbetor + 1/2 hackad lök + 1–2 tsk kapris, helkornsbröd och lite smör eller smältost.

Rökt makrill: Servera makrillen med hel spenat och kokt eller lättstuvad potatis. Eller servera den på samma sätt som böckling. Eller med kokta gröna bönor, kokt potatis och mager kryddsås, se Inkokt fisk med mager kryddsås s 188.

Rökt lax: Servera laxen med stuvad spenat och kokt färsk dillpotatis. Citronklyfta. Gott till både kallrökt och varmrökt lax.

Till varmrökt, värmd lax smakar det också gott med kokta gröna bönor, dillpotatis och Nästan majonnäs, se s 245, smaksatt med 1–2 tsk finhackad kapris och 1–2 kryddmått söndersmulad dragonört.

Räksallad med råris och ärter

4 port

Skölj riset i ljummet vatten. Koka det i vattnet på svag värme under lock i 45 min eller något längre. Låt riset kallna. Tina ärterna och hacka ättiksgurka, ansjovis och kapris. Blanda allt med riset, tillsätt också majonnäs, citronsaft och lite vatten så att riset blir lagom fast i konsistensen. Smaka av med salt och lite nymald vitpeppar. Lägg upp riset i en skål klädd med strimlad isbergssallad och lägg räkorna ovanpå. Lägg gärna några citronklyftor vid ena sidan.

Servera ev rostat knäckebröd eller mjukt grahamsbröd och lite smör till salladen.

Se bild på s 181.

1 1/2 dl råris
3 dl vatten
1 pkt små gröna ärter,
  à 250 g, (petit pois)
1 liten ättiksgurka
3 ansjovisfiléer
2 tsk kapris
1/2 dl majonnäs
2 msk citronsaft
salt, vitpeppar
isbergssallad
150–200 g skalade räkor
ev citronklyftor

Tid: 1 tim

Hirs, musslor och pimiento m m

4 port

Lägg hirsgrynen i kokande buljong och tillsätt finstött saffran. Koka hirsen på svag värme under lock i 12–15 min. Rör ner musslorna med sitt spad – jag brukar aldrig rensa musslor utan tar dem direkt från burken – och tillsätt strimlad pimiento och gärna kokta kikärter om du har sådana tillhands. Kikärter är så härliga att tugga på om de är lagom kokta, dvs inte för länge. Tillsätt upptinade men ej kokta ärter och rör ner dem i rätten så att de blir varma. Fräs svampen i matfett några minuter och häll över musselrätten.

Servera med soja som ger fin smak och mild sälta åt rätten.

Se bild på s 182.

2 dl hirs
6–7 dl vatten + buljong-
  extrakt t ex Morga
1 pkt saffran
1–2 burkar musslor i vatten
  ca 200 g
1 burk pimientos (röd
  paprika) ca 225 g
ev 1–2 dl kikärter
1 litet pkt ärter
1 liten burk svamp t ex
  champinjoner eller
  blandsvamp
1 msk smör (gott!) eller sol-
  rosfröolja (nyttigare!)

Tid: 30 min

"Äta är en av livets stora njutningar. Det är grymt att bara mana folk att äta mindre, och klok diet *räcker inte* för att säkra en fullödig hälsa. Det ska motion och rörelse till. Kroppen är gjord för aktivitet, inte för vila. Så ät, men träna!"

Professor Per-Olof Åstrand, GIH

Gädda från Djurö

1 gädda, ca 1 1/4 kg
2 tomater
100 g färska champinjoner
1/2 bunt dill
1 1/2 tsk salt
1 msk smör eller olja
1 msk skorpmjöl
lite paprikapulver

Tid: 1 tim

Gädda är fin fisk som många drar upp själva. Lönsamt, för gäddan på bilden kostade drygt 20 kr! Fylld så här ser den godare ut än vanligt och smakar förstås också mer.

Fjälla gäddan – helst ute! – eller be fiskhandlaren göra det om du köper fisken. Rensa den och skölj den väl. Hacka tomater, champinjoner och dill och blanda allt med lite av saltet. Bred ut lite smör eller olja på ett ugnssäkert fat. Gnid in gäddan med resten av saltet och lägg den på fatet. Lägg i fyllningen och bred resten av matfettet ovanpå fisken. Strö ett tunt lager skorpmjöl och paprika över. Stek gäddan i 200°C ugnsvärme i 35 min.

Servera med kokt skalpotatis – gärna upplagd i korg med servett – så ser det extra gott och trevligt ut.

Se bild på s 191.

Röd fiskargryta

2 gula lökar eller purjolökar
1 burk skalade tomater
1 tsk timjan eller fänkål
1 lagerblad
1 tsk salt
1 pkt sej, torsk eller kolja
hackad dill
ev 50–100 g skalade räkor
ev 1/2 dl vispgrädde

Tid: 30 min

Sej är en utmärkt god och därtill billig fisksort. Fin i en gryträtt – som i det här receptet – med mycket smak men få kalorier (joule).

Skala löken och skär den i skivor eller grova tärningar. Koka löken och tomaterna med sitt spad, timjan, lagerblad och salt i 5–6 min utan lock, så att såsen kokar ihop lite. Skär fiskblocket i sneda skivor (efter 30 min upptining) och lägg fisken i såsen. Låt den sjuda under lock i 6–8 min eller tills fiskbitarna är genomkokta. Strö på dill och lägg eventuellt på räkor och uppvispad grädde.

Servera fiskgrytan omedelbart med kokt potatis eller råris.

Se bild på s 192.

Strömmingsflundra från ugnen

Strömmingsflundror som steks i ugn drar mindre fett och osar mindre. Dessutom är de arbetsbesparande – klarar sig själva i ugnen. Fullt så knapriga och fina som vid stekpannestekning blir de dock inte, men nu gällde det ju att minska på fettmängden och då får man slå av lite på kraven i detta hänseende.

Strömming är en billig och bra vardagsfisk med rätta sortens fett, dvs fleromättat.

Skölj strömmingen och låt den rinna av. Klipp ev bort ryggfenan om du har tid och lust. Lägg ut alla strömmingar med skinnsidan ner och salta helt lätt. Fördela persiljan på hälften av strömmingarna och lägg de andra ovanpå. Smält matfettet och pensla ett ugnssäkert fat med hälften av matfettet. Lägg i flundrorna – de kan gärna ligga tätt – och pensla dem med resten av matfettet. Strö ett flortunt lager ströbröd över.

Stek fisken i 250°C ugnsvärme ca 15 min.

Servera med potatismos och ärter eller ugnsbakad potatis och kokt purjolök.

500 g strömmingsfilé
1/2 tsk salt
1 dl grovhackad persilja
1–1 1/2 msk smör eller
* margarin*
1/2–1 msk ströbröd

Tid: 30 min

Halstrad makrill med jordärtskockor

Djupfryst makrill har blivit storfavorit hos mig. Lagom fet och fin, praktiskt taget benfri.

Tina makrillfiléerna så att de kan tas loss ifrån varandra. Lägg dem med köttsidan ner först i en väl upphettad halsterpanna. Salta fisken på skinnsidan under tiden, vänd den nu härligt randiga fisken och salta helt lätt på ovansidan. Grilla makrillen så att skinnet blir frasigt brunt och gott, men inte längre än nödvändigt, då blir den torr och tråkig. Beräkna 3–4 min stektid. Om du tycker om varma tomater så stek dem gärna samtidigt med fisken.

Servera med kokta jordärtskockor, se s 107, eller kokt potatis samt varma eller kalla tomater.

Se bild på s 193.

1 pkt djupfryst makrillfilé
* eller 4 färska filéer*
3/4 tsk salt
dillkvistar

Tid: 15 min

Inkokt fisk med mager kryddsås

1 bit lax, ca 500 g eller
2 portionsfiskar t ex lax-
  öring eller annan
  god fisk
1 liter vatten
2 tsk salt
1 lagerblad
2 citronskivor
5 vitpepparkorn
dillkvistar

Tid: 30 min

Skölj fisken väl i kallt vatten. Koka vatten, salt, lager-blad, citronskivor, krossade vitpepparkorn och dillkvistar i 10 min under lock. Lägg därefter i fisken och sjud den under lock tills den är genomkokt. Kontrolleras bäst genom att skära ett litet snitt i den tjockaste delen av fisken. Fiskköttet ska vara ogenomskinligt – jämför med de yttre partierna, som är kokta.
Servera med dillkokt potatis, ärter, sparris och mager kryddsås.

Mager kryddsås: Blanda 1 dl filmjölk eller lättfil med 1 tsk senap och rikligt med dill och gräslök.

Mindre mager kryddsås: Gör 1 sats mager kryddsås och blanda den med 1 msk majonnäs eller hackat hårdkokt ägg. Motionera mera.

Gunnars goda gryta

2 purjolökar
1 msk smör
ev 1 klyfta vitlök
600 g sej, blåkveite (mycket
  god!) eller torsk
1 1/4 tsk salt
1 burk pimiento ca 200 g
  tabasco
12 skivade oliver
hackad persilja

Tid: 20 min

Billigt, magert och starkt måste det bli när Gunnar bjuder till fest, men vackert och gott också, för Gunnar är konstnär och vill skapa även vid spisen.

Putsa purjolöken men låt så mycket som möjligt av det gröna vara kvar. Skär purjon i cm-tjocka bitar. Lägg purjo, smör och ev krossad vitlök i botten på en rätt vid gryta. Tillsätt 2 msk vatten och koka purjon under lock i 4–5 min. Tillsätt fisken skuren i stora bitar, halvt eller helt upptinad och lägg den på purjon. Strö över salt och sjud fisken i 6–8 min under lock eller tills den är ge-nomkokt. Garnera med väl avrunnen strimlad pimiento och droppa tabasco över. Strö oliver och persilja över.
Servera med nykokt potatis eller avorioris.

Liten krabbsallad för två

Dela grapefrukten mitt itu och skär ut köttet med hjälp av en grapefruktkniv (oumbärligt redskap för detta jobb!). Försök att få bort så mycket som möjligt av de beska vita hinnorna. Rensa krabban om det behövs och varva sedan krabba och grapefrukt i fruktskalen eller i portionsglas. Mosa ädelosten med en gaffel på en tallrik och rör den smidig med oljan. Tillsätt gräddfil och persilja och fördela såsen över salladen.

Servera med något gott helkornsbröd att bryta av. Smör behövs väl däremot inte?

1 grapefrukt
1 burk krabba eller räkor à ca 150 g

Sås:

2 msk ädelost eller gorgon-zola
2 tsk olja, t ex oliv- eller majsolja
1 dl gräddfil eller filmjölk (magrare)
1 msk finhackad persilja

Tid: 30 min

Fiskbullar eller fiskfärs på kalasvis

Värm fiskbullarna i lite av buljongen och matfettet under lock på svag värme. Lägg på kapris och paprika samt tomater och värm tills grönsakerna är genomvarma. Strö persilja över.

Servera med skalpotatis eller råris samt någon kokt grönsak, t ex purjolök eller gröna bönor.

Variation: Byt ut 100 g av fiskbullarna mot musslor i vatten.

500 g fiskbullar i buljong eller fiskfärs
1 msk smör eller margarin
1 msk kapris
1 1/2 dl finhackad grön paprika
2 hackade tomater
persilja

Tid: 10 min

Tomatkokt fisk

Tina spenaten i en kastrull under lock på svag värme. Lägg på fiskfiléerna, helst tinade, eller ett block skuret i skivor på snedden. Salta fisk och spenat helt lätt. Täck fisken med tunna skivor tomat, purjolök, smörklickar och kryddgrönt. Sjud fisken under lock på svag värme ca 10 min.

Servera med kokt skalpotatis, grönsaksblandning med ärter och ev citronklyftor.

1 pkt hel spenat
400 g fiskfilé t ex djupfryst blåkveite (liten hälle-flundra, mycket god)
1/2 tsk salt, gärna havssalt
3 tomater
1 purjolök
1/2 msk smör
1 dl hackad persilja + dill

Tid: 30 min

Matjessill med Nästan majonnäs

Tid: 10 min

Matjessill passar fint i ett bantnings- eller smalkost-program. En hel filé per portion är lagom mängd att servera när sillen är huvudrätt. Gräddfil är alltid gott till men kan ersättas av 1 dl filmjölk + 2–3 msk finsku-ren purjolök + 3–4 hackade rädisor per bantare. Gräddfil innehåller 12 % fett medan filmjölk innehåller 3 % (lättfil 0,5 %).

Eller servera sillen med Nästan majonnäs, se s 245, smaksatt med 2–3 msk chilisås + 1–2 tsk riven peppar-rot. Servera dessutom 1 stor kokt skalpotatis eller ba-kad potatis och en skål råa grönsaker till matjessillen, vilken sås du än väljer.

Senapsgrillad sill

4 port

4 färska sillar, ca 1 kg oren-
    sad sill
1/2 tsk salt
2–3 tsk senap
2 tsk ströbröd

Tid: 15 min

Skölj sillen och rensa den om det inte är gjort. Låt ryggbenet sitta kvar och skär 3–4 snitt genom ryggbe-net i varje fisk för att den lättare ska bli genomstekt. Gnid in fisken med salt och lägg den på ett grillgaller eller ugnssäkert fat.

Pensla ett tunt lager senap över och strö på lite skorpmjöl.

Grilla fisken under grillelement i ugnen i 5–6 min. Eller stek den i 200°C ugnsvärme i 8–10 min.

Servera med kokt skalpotatis eller potatismos, helst hemlagat och kokt purjolök eller gul lök och ärter.

"Jag följer gärna Socialstyrelsens kostschema bara jag får hoppa över kött, fisk och ägg. I köttet ingår slagg-ämnen som inte är bra, som sätter sig i väggarna på våra finaste blodkärl, kapillärerna. De ger upphov till sjukdomar. Dessutom innehåller köttet syra som ger risk för skelettets urkalkning."

Karl-Otto Aly, läkare, Tallmogården

Gädda från Djurö står beskriven på s 186. Den är fylld med tomater och champinjoner samt dill – vår speciella svenska örtkrydda som vi har all anledning vara stolta över. Lite skorp-mjöl skyddar fiskskinnet vid stekningen så att det får god smak. Skalpotatis serveras till, gärna upplagd i en servettklädd korg för att det ser så gott ut.

Röd fiskargryta är härlig, lättlagad bjudmat som kan varieras i finhetsgrad, och därmed prisklass, efter behov och tillfälle. Blåkveite (liten hälleflundra) är en både billig och fin fisk. Sej är billigare men också mycket god, medan spättafiléer är avsevärt dyrare. Se recept på s 186.

Djupfrysta makrillfiléer blir sagolikt goda om man halstrar dem i het panna. Färska filéer också förstås, men de djupfrysta är lättare att ha till hands i egen frys och är nästan benfria.

Jordärtskockor med citron och smör smakar gott och lite annorlunda till fisken. Se recept på s 107 och s 187.

Min snabba goda fiskfilé, se s 195, är ytterst enkel att tillaga och får fin smak på enkelt sätt av en av mina favoritkryddor – kapris. Har du en sådan här dubbelgryta behövs bara en platta, men det är inte nödvändigt. Fisken kan sjudas på spenaten i folietäckt form i ugn eller i en annan gryta på spisen. Spenaten skyddar fö fisken från att bli sönderkokt, ett bra "knep" när det gäller ömtålig fisk.

Min snabba, goda fiskfilé

4 port

Smält smöret i en vid gryta, lägg i tinad spenat, rör om och salta. Lägg ut fiskfiléerna med köttsidan upp, salta dem och rulla eller vik ihop dem. Lägg dem ovanpå spenaten och strö på kapris.

Sjud fisken under lock i 8–10 min. Eller sjud fisken i en ångkokare över potatis eller ris med lock på. Beräkna då 12–15 min. Om du lagar fisken i ångkokare får du utesluta smöret och lägga en liten klick på fisken vid serveringen i stället. Strö persilja över och ev också hackat ägg eller hackad tomat.

Servera med kokt potatis eller råris och ev citron.
Se bild på s 194.

2 tsk smör
1 pkt hel spenat
2 krm salt eller vitlökssalt
1 påse danska spättafiléer
* eller 500 g annan fiskfilé*
1/2 tsk salt
1 msk kapris
hackad persilja
ev 1 hackat ägg eller
* 1 tomat*
ev citronklyftor

Tid: 20 min

Krabbfylld spätta för fiskkalas

4 port

Gnid in spättafiléerna med salt och lägg dem med köttsidan upp på t ex en skärbräda. Droppa citron över och fördela dillen jämnt över fisken. Lägg på avrunnen krabba på varje fiskfilé och toppa med en sked gräddfil. Vik ihop eller rulla de fyllda fiskfiléerna och lägg dem på smort ugnssäkert fat. Pensla med smör och strö ett tunt lager ströbröd över. Grädda fisken i 225°C ugnsvärme ca 20 min.

Servera med kokt skalpotatis eller pressad potatis och hel spenat. Eller med avorioris och varma tomater.

400 g spättafilé
1 tsk salt
1/2 citron
3/4–1 dl finskuren dill
1 burk rensad krabba ca
* 200 g*
1 dl gräddfil
1 msk smält smör
1–2 tsk ströbröd

Tid: 45 min

"Jag följer gärna Socialstyrelsens kostschema bara jag får hoppa över kött, fisk och ägg. I köttet ingår slaggämnen som inte är bra, som sätter sig i väggarna på våra finaste blodkärl, kapillärerna. De ger upphov till sjukdomar. Dessutom innehåller köttet syra som ger risk för skelettets urkalkning."

Karl-Otto Aly, läkare, Tallmogården

Malet kött och lite korv

Malet nötkött är en härlig produkt när man vill leva både smalt och ekonomiskt. Det smakar nästan lika gott som helt kött men kostar bara ungefär hälften så mycket.

Köttfärsrätter är roliga att laga till. De kan drygas ut, smaksättas och blandas på så många olika sätt att de alltid kan smaka lite annorlunda, ytterst personligt och varierat från gång till gång.

Fetthalten i färsen kan variera så försök alltid köpa nymalt kött av magra bitar. I nötkött är fettet insprängt i köttet, ligger inte samlat i en fettkant som på t ex fläskkotletter. Vissa delar är magra medan andra är ganska feta så man får kontrollera noga vad man köper.

Har man tillgång till malet älg- eller renkött är det också mycket gott och lämpligt. Fetthalten är ungefär 4 %, köttet är alltså mycket magert. Medelvärdet på fett i malet nötkött ligger på 15 % men tittar man på vad de olika styckningsdelarna innehåller så ser man att det går att få fram avsevärt magrare färs.

Ungnötkött	*Fett*
Innanlår	2 %
Ytterlår	5 %
Märgpipa	7 %
Enkelbiff	13 %
Entrecôte	22 %

Korv får man vara mer försiktig med när man ska gå ner i vikt eller leva smalt och sunt. Någon gång då och då, kanske en à två gånger i månaden kan man dock tillåta sig en måltid där korv ingår. För att det är gott och ofta billigt och för att det är trivsamt med omväxling i maten. Tillagningssättet får man rätta därefter, kokt och grillat är alltid bättre än stekt, om man inte steker utan fett förstås.

Och så kan man vara lite restriktiv med mängden korv man äter. Gärna minska på korvportionen och öka på grönsakerna istället. Dryga ut med t ex mycket lök, svamp, morötter, brysselkål m m.

Min bästa middag

Nåja, en av dem får jag väl säga för att vara rättvis. Men en klar favorit är det, så enkel att laga, fyllig i smak och mättande som den är, utan att ge så mycket kalorier.
Se bild på s 203.

Blanda det malda köttet med hackad kapris, ev senap, lök, salt och nymald peppar. Forma färsen till två stora eller fyra mindre biffar och pensla dem med ett tunt lager olja på ovansidan. Grilla biffarna i mycket väl upphettad grillpanna, på utegrill eller i elektrisk bordsgrill. Lägg dem med den oljepenslade sidan ner först i grillpanna och på utegrill, på den elektriska med den sidan upp. Vänd biffarna när de fått fin färg och grilla dem en stund till. De får inte bli genomstekta. Då är de strax torra och tråkiga istället för saftiga och goda.

Servera med ugnsbakad potatis med en liten klick gräddfil och haricots verts kokta med strimlad pimiento, se recept s 79.

Variation: Byt ut kapris och senap mot 1/2–1 msk grovhackad grönpeppar. Uteslut då också den malda pepparen.

250–300 g malet nötkött
1 msk kapris
ev 2 tsk senap
2 msk finhackad gul lök
eller purjo
2 krm salt, vit- eller svart-
peppar
1 tsk olja, t ex olivolja

Tid: 15 min

Allra magraste färsbiffarna

Rör köttet smidigt med salt och nymald peppar. Tillsätt vattnet och rör in det väl. Forma färsen till en eller två biffar och grilla dem i grillpanna, elektrisk grill eller på utegrill ett par, tre minuter på varje sida. Låt inte biffarna bli genomstekta, rosafärgade är de godast och vackrast.

Servera med kokt purjolök och morötter eller kokt potatis och lättstuvad spenat. Biffen är också god kall med råa grönsaker och senap som tillbehör.

100–150 g malet nötkött
1 krm salt eller kryddsalt,
vitpeppar
1–2 msk kallt vatten

Tid: 10 min

Biff i sojasås med tomat

300–400 g malet kött, blan-
  dat eller enbart nötkött
3/4 tsk salt, vitpeppar
1/2 tsk paprika
1 dl kallt potatismos eller
  3–4 kokta potatisar
1 1/2–2 dl mjölk
1 ägg
2 msk sojasås
2 tomater
2 msk finhackad lök eller
  gräslök

Tid: 30 min

Biffar kokta i sojasås får både fin färg och smak. Bra när du vill leva smalt eller banta, inget fett tillsätts vid tillagningen.

Rör köttet smidigt med salt, nymald peppar och paprika. Tillsätt potatismos eller riktigt väl mosad eller riven potatis och späd med mjölk till en lagom fast smet. Rör ner ägget. Forma 8–12 biffar av färsen. Värm en stekpanna med sojasås och 1 msk vatten och lägg i biffarna. Lägg på lock och koka biffarna i såsen på svag värme 4–5 min på var sida. Späd med vatten om det behövs under tiden. Garnera med skivade tomater och rå lök.

Servera med ärter eller gröna bönor och kokt potatis eller ris samt mer soja för dem som så önskar.

Färsfylld kålrabbi

4 kålrabbihuvuden
vatten, 2 tsk salt/liter
250 g malet nötkött
1–1 1/2 tsk timjan
1/2 tsk salt, vitpeppar
1 ägg
1/2 dl filmjölk eller vatten
1 msk ströbröd
paprikapulver

Tid: 1 tim + 25 min

Kålrabbi är en mild och god för oss lite ny kålsort, som är vanlig i sydligare länder, inte minst Tyskland. Också bladen är goda så tag vara på dem.

Skölj kålrabbihuvudena och skär bort ev blad. Koka kålrabbin hel i saltat vatten i 30–45 min. Tag upp kålhuvudena, låt dem svalna och skala dem sedan. Dela dem mitt itu och gröp ur halvorna något för att ge plats för färsfyllningen. Hacka det urgröpta ganska fint och blanda det med det malda köttet i en skål. Tillsätt stött timjan, salt, nymald vitpeppar och arbeta färsen smidig. Tillsätt ägget, rör om och späd med filmjölk eller vatten. Fördela smeten i kålrabbihalvorna och sätt dem på smort ugnssäkert fat. Om du fick kålhuvuden med blad på så lägg dem som en botten på gratängfatet: Skär bara av de långa skaften först. Strö på ströbröd och lite paprika så att färsen får fin färg. Grädda i 225°C ugnsvärme ca 25 min.

Servera med kokt, gärna pressad potatis.

Se bild på s 204.

Champinjonfärs i ugn

Rör färsen smidig med kapris, persilja och ägg, ett i taget. Tillsätt soppan, direkt från burken, salt, nymald peppar och paprika. Klicka ut färsen på ett smort ugnssäkert fat och forma den till en jämn limpa. Strö skorpmjöl över. Grädda färslimpan i 175°C ugnsvärme i 40 min.

Servera med kokt potatis och kokt eller stuvad blomkål eller purjolök. Broccoli, kokt gul lök och grönsaksblandning passar också bra.

Variation: Lägg skivad potatis varvad med skivad gul lök runt färsen innan den sätts i ugnen.

500 g malet kött, blandat
eller enbart nötkött
1 1/2 msk kapris
1/2 dl hackad persilja
2 ägg
1 burk redd champinjon-
soppa
1/2 tsk salt eller krydd-
salt, vitpeppar
1 tsk paprika
1 tsk skorpmjöl

Tid: 1 tim

Råbiff

Forma det malda köttet till två biffar, runda eller avlånga och lägg dem på tallrikar. Lägg finhackad lök, rödbeta och kapris runt om biffen i små grupper. Gör en fördjupning på varje biff och lägg en hel äggula där, antingen direkt eller låt äggulan ligga i en skalhalva. Servera råbiffen med salt- och pepparkvarnar på bordet. Bjud nyrostat knäckebröd och lite smör till. Smöret kan ev vara smaksatt med finhackad persilja och några droppar citron eller lite riven pepparrot.

250 g malet nötkött
1/2 dl hackad gul lök
1 dl finhackade rödbetor
2 msk kapris
2 äggulor

Tid: 20 min

Foliebiff med purjo och riven morot

Gör i ordning färsen och smaksätt den ev med hackad svamp. Riv morötter och skär purjon i tunna skivor. Blanda ner grönsakerna i färsen och klicka ut den på fyra bitar folie. Tillslut dem och grädda biffarna i 225°C ugnsvärme ca 20 min. Öppna paketen och strö på persilja.

Servera biffarna med kokt potatis.

1 sats köttfärs av 300 g
malet kött, enligt receptet
Biff i sojasås, se s 198
ev 1 burk blandsvamp
2 morötter
1/2 purjolök
hackad persilja

Tid: 45 min

Färserad squash

1–1 1/4 kg squash
2 krm salt
1 burk konserverade
tomater
300 g malet nötkött
1 äggula
1 dl gräddfil eller filmjölk
3/4 tsk salt, vitpeppar
2 vitlöksklyftor
ev 1 msk basilika
1/2–1 tsk paprika
1 dl grovhackad persilja

Tid: 1 tim

Squash är ett mellanting mellan melon och gurka. Vanlig i USA, men odlas nu även här, främst på Gotland. Mättande och inte så stark. Bra att dryga ut med i många olika rätter.

Skölj squashen men skala den inte. Skär den mitt itu på längden och kärna ur den med en sked. Strö på salt och lägg halvorna på smort ugnssäkert fat med snittytan ner. Stek squashen i 200°C ugnsvärme i 15 min och tag sedan ut fatet. Vänd squashhalvorna och fyll dem med köttfärsen. Häll tomaterna, något sönderdelade, runt om och grädda hela rätten i 20–25 min.
Gör färsen så här: Rör det malda köttet smidigt med äggula, gräddfil och salt. Tillsätt nymald vitpeppar, krossad vitlök och ev basilika samt paprika och persilja.
Servera med kokt eller pressad potatis. Ugnsbakad potatis eller råris går också bra. Syltlök eller inlagd gurka är gott till.

Korvgryta på 10 minuter

250–300 g falukorv,
helst mager
2 gula lökar
1/2 msk smör eller olja
1 burk redd tomatsoppa
1 dl vatten eller lättmjölk
grovhackad persilja eller
grönkål

Tid: 10 min

Drag av skinnet från falukorven och skär den i strimlor. Skala och hacka löken. Fräs korv och lök i matfettet under lock så att lökens fuktighet och en del av korvens fett tränger ut. Rör om ett par gånger och fräs-koka så att löken blir lite mjuk, ca 5 min. Tillsätt tomatsoppa och vatten och sjud rätten tills såsen är varm. Strö persilja över.
Servera med kokt potatis, råris eller makaroner och en kokt grönsak t ex vitkål i klyftor kryddad med kummin.

Kokt falukorv med pepparrotssky

4 port

Drag skinnet av korven och skär den i skivor. Lägg korven i en gryta tillsammans med upptinad brysselkål. Tillsätt vatten och buljongextrakt och sjud rätten under lock i 7–8 min. Smaka av spadet med riven pepparrot och strö persilja över.

Servera med potatismos, se s 96, eller råstuvad potatis, se s 107.

350–400 g falukorv,
helst mager
1 pkt brysselkål
2 dl vatten + buljong-
extrakt
1–2 tsk riven pepparrot
1 dl grovhackad persilja

Tid: 15 min

Grillad korv på spett

1 port

Skär korven i bitar eller skivor. Trä först upp tomaten och sedan korvbitarna varvade med champinjoner på grillspett. Strö lite grillkrydda över och grilla spetten över öppen eld eller i elektrisk grill.

Servera med helkornsbröd, t ex hembakade korvbröd av krossvetedeg, se s 287, eller potatismos, se s 96. En stor skål blandad sallad och senap hör också till samt ev hemlagad ketchup, se s 239, som inte är så söt, men har ren god tomatsmak.

100 g korv, t ex mager falu-
korv eller frukostkorv
1 tomat
5 hela champinjoner,
råa eller konserverade
i vatten
lite grillkrydda

Tid: 15 min

Köttfärs, lök och morötter i fyllig sås

4–5 port

Skala lök och morötter och skär dem i klyftor och skivor. Fräs dem i en stekpanna i matfett under lock i 5–6 min. Tag av locket och lägg i det malda köttet i klickar, direkt från paketet. Rör om lite grand och fräs det hela några minuter. Tillsätt oxsvanssoppa och mjölk och koka rätten på svag värme i 5–6 min. Smaksätt ev med vin och strö persilja över.

Servera med kokt potatis eller råris och inlagd gurka.

2–3 gula lökar
2–3 morötter
1 msk smör eller olivolja
200 g malet nötkött
1 burk redd oxsvanssoppa
1 dl mjölk
ev 2 msk rött eller vitt vin
grovhackad persilja eller
grönkål

Tid: 20 min

Malet kött och lite korv 201

Lamm, fläsk, kalv, nöt och sojaprotein

När vi vill äta något riktigt gott tänker de flesta av oss på en bit saftigt kött, välhängt och mört, med must och kraft i aromen. Vilden inom oss kanske gör sig hörd. Man längtar efter att sätta tänderna i ett stort saftigt stycke kött och få gnaga och slita lite. Och gärna det, kött är underbart gott och festligt som omväxling efter arbetsveckans slut, när vi vill bjuda familj eller vänner, koppla av ute eller inne o s v. Många forskare anser dock att människan inte är gjord för att äta kött – bl a anförs som skäl att vår tunntarm är lång – köttätande djurs tunntarm är kort. Dessutom bildar kött, när det bryts ner i tarmen, giftiga slaggämnen (urinsyra, amider, xantinderivat o s v) som bl a påverkar åldrandet och som är grogrund för en mängd sjukdomssymtom och sjukdomar.

Vi läser dagligen att många mår mycket bättre helt utan kött. Men knappast alla. Vi människor är ju alla olika – det gäller för var och en att finna sin egen rätta kostlinje både när det gäller val av livsmedel, smak, tillagningssätt och sist men inte minst mängden av mat. Av näringsmässiga skäl behöver vi inte äta kött- protein som är köttets viktigaste näringsämne. Det kan vi få i oss utan några som helst problem i en laktovege- tarisk kost. Kött äter vi främst av smakskäl. Som rikt- linje kanske man just nu skulle vilja rekommendera en, två eller tre vegetariska dagar i veckan, fisk två dagar och vilt och helt eller malet kött övriga dagar.

Pröva dig fram till en sammansättning som känns skön där god hälsa, normal vikt och sist men inte minst gott humör är förhärskande tillstånd! Tulipanaros sä- ger många – men man mår bra av att ha goda föresatser att sträva efter! Självklart är det inte bara maten allena vi lever väl av. Många, många faktorer spelar in. Mo- tion och uppskattat arbete bl a. Men eftersom våra organ och vävnader byggs upp av den mat och de dryc- ker vi förtär, kanske ändå kosten är den viktigaste pusselbiten i spelet om vår hälsa.

Smalmat med god smak är Min bästa middag, se s 197. En fräsch sallad att starta med, en färsbiff med smak av kapris, senap och lök samt grönsaksgryta med pimiento och små bakade potatisar. Pimiento är en ganska säl- lan förekommande grönsakskonserv trots att den är både hygglig i pris, god, vacker och har bra näringsvärde med bl a hög halt av A- och C-vitamin. Färsk frukt som avslutning.

Kålrabbi ser man allt oftare — en kålvariant med mild god smak. Smaka den råriven på råkosttallrik eller kokt och sedan färsfylld som i receptet på s 198 med filmjölk i färsen. När kålrabbin är färsk och nyskördad kan man med fördel använda även de gröna bladen. Koka dem några minuter i lite vatten och stuva dem, använd dem i soppa eller lägg dem som botten under färsfyllda kålrabbihalvor.

Sommartid är grilltid och grillning är ett här-
ligt sätt att laga mager mat så att den smakar
extra gott. Dubbla lammkotletter och tomater
t ex behöver bara kryddas med lite salt och
nymald peppar. Något extra fett behövs
knappast. Se recept på s 218. Potatissallad
med rödbetor, se s 99.

Lamm, fläsk, kalv, nöt och sojaprotein 205

Panna med sojaprotein i gräddig tomatsås, se
s 220, är verkligen utmärkt gott. Sojaprotein
är avsevärt billigare än vanligt kött och helt

fettfritt varför det finns utrymme för lite gräd-
de i såsen även när man vill leva smalt.

Kött har mycket olika fetthalt

När det gäller kött av lamm, fläsk, kalv och nöt får man se upp en hel del om man vill leva smalt och naturligtvis ännu mycket mer vid viktminskning. Fetthalten varierar nämligen mycket beroende på styckningsdel. Av samma köttslag finns alltså både fetare och magrare bitar. På grisen t ex innehåller skinkan bara 3 % fett om allt synligt fett skärs bort, medan benfritt kött av revbensspjället innehåller ca 17 % fett. Ofta kan man se om en köttbit är fet och då skära bort detta fett. Gör det till en god vana att alltid göra det. Barn gör det nästan undantagslöst, men så är de ju ofta så mycket naturligare och sundare än vi vuxna! I vissa köttbitar, t ex entrecote och rostbiff – alltså nötkött – är fettet insprängt mellan köttrådarna. Man säger att köttet är "marmorerat". Det gör att det blir saftigt och även mycket gott. I fettet finns många aromämnen och fettet är smakbärare (jfr smör). Byter man då ut sådant kött mot magert, t ex innanlår, kan man inte begära att det ska vara lika saftigt och aromatiskt. Eller hur? Här följer en tabell på fett- och proteinhalt i våra vanligaste köttslag.

Ungnötskött

Styckningsdel	Fett%	Protein%
Innanlår (ugnstekning, lövbiff sjömansbiff)	2	21
Rulle (kokas, saltas till saltrulle)	4	21
Ytterlår (marineras, grytstek)	5	20
Märgpipa (köttgrytor, grytstek)	7	20
Fransyska (ugnstek, grytträtter)	12	19
Dubbelbiff (T-benstek, steks, grillas)	12	19
Enkelbiff (clubstek, steks, grillas)	13	19
Högrev (köttgrytor, grytstek)	19	18
Entrecote (hel som rostbiff, grillad i skivor)	22	17
Bringa	26	16

Lamm, fläsk, kalv, nöt och sojaprotein 207

Fläskkött	Fett%	Protein%
Filé	3	21
Kött av kotlettrad eller		
skinka utan synligt fett	3–5	20
Kotlett med fettkant	13	19
Framlägg	15	18
Grishals	17	17
Revbensspjäll	17	17
Skinka med fett	20	17
Baklägg	20	17
Bog	22	16
Lammkött		
Lårstek	6	20
Rygg	12	18
Kotlett	14	18
Tunnbringa	14	18
Bröst	18	17
Kalvkött		
För de flesta stycknings-detaljer är fetthalten ca 6 % och proteinhalten 17–20 %. För rygg och bringa är fetthalten högre		
Innanmat		
Tunga, svin, nöt	15	17
Njure, kalv	4	17
Lever, nöt	4	20

Värdena är genomsnittsvärden från Köttforsknings-institutet och Kosttabell av E. Abramsson och gäller benfritt kött.

Koka, grilla, laga grytor med mycket grönsaker

När man vill leva smalt eller gå ner i vikt är det alltid bättre att koka och grilla kött än att steka det eftersom man vid stekningen alltid tillsätter en del fett. Gryträtter med mycket grönsaker och rotfrukter och ugnstekt kött är också "tillåtet". Panerat kött däremot endast i största undantagsfall, flottyrkokt och dylikt likaså.

Sojaprotein

Sojaprotein tillverkas av avfettat sojamjöl. Vid en speciell process behandlas mjölet med högt tryck och hög temperatur under kort tid. Därmed omvandlas sojaproteinet till köttliknande fibrer. Resultatet blir en torr, kexliknande produkt med 10 % fuktighetshalt. Vid tilllagning läggs alltid sojaprotein i buljong minst 20 min och absorberar då upp till 3 1/2 ggr sin egen vikt av buljongen.

Sojaprotein är smak- och luktfritt och innehåller inga kemikalietillsatser. Det innehåller mycket protein och nästan inget fett och blir påfallande köttlikt i smak och konsistens vid rätt tillagning. En utmärkt ersättning, till lågt pris, när man vill utesluta kött ur kosten.

Sojaprotein är praktiskt taget obegränsat hållbart i vanlig kökstemperatur.

100 g torrt sojaprotein innehåller:

50 g protein
1 g fett
38 g kolhydrater och mineralämnen
10 g vatten
100 g torrt sojaprotein ger ca 370 kcal (1555kJ)
Sojaprotein finns i olika storlekar, från stora biffar till kalopsbitar och färsgryn, så att man kan laga mat med all tänkbar variation, från biffar och grytretter till pizza, fyllda paprikor o s v.

Min goda lammgryta med citron

500–600 g benfritt lamm-
  kött av t ex lårsteken
1 msk smör
1–2 vitlöksklyftor
3–4 tomater
2 gröna paprikor
1 burk pimiento (ca 200 g)
1 rejäl klyfta citron
100 g färska champinjoner
1 tsk salt, vitpeppar
1/2 tsk paprika

Tid: 45 min

Citron sätter fin fart på denna rätt. Mycket gott.

Skär köttet i ca 2×2 cm stora bitar, hellre lite ojämna i formatet än jämna. Det ser trevligare ut tycker jag. Bryn smöret helt lätt och bryn köttet till fin färg. Pressa vitlök över (se teckning s 243) och tillsätt tomater i klyftor, paprika i stora bitar och väl avrunnen pimiento i grova strimlor. Pressa citron över kött och grönsaker och lägg den nypressade citronklyftan i grytan. Skölj champinjonerna och gnugga bort ev sand med fingrarna. Lägg också champinjonerna i grytan – hela eller halverade och koka rätten under lock i 15 min. Krydda med salt, nymald peppar och paprika och koka rätten utan lock tills mesta vätskan kokat in. Rör om då och då.

Servera med kokt potatis eller råris och ev någon ättiksinläggning. Buljongkokt hirs passar också bra i stället för potatis.

Kinafläsk à la Lena

200–300 g magert rimmat
  bogfläsk
1 msk smör eller olivolja
1 tsk curry
1 burk böngroddar eller ev
  3/4 liter strimlad vitkål
1 purjolök
2 dl strimlad blekselleri
  eller 1 dl strimlad rot-
  selleri
1 grön paprika
150–200 g skalade räkor

Tid: 30 min

Kinesisk mat är mycket elegant och mestadels mager. God och spännande dessutom. Nackdelen är att den ofta kräver rätt omfattande förberedelser vid skärbrädan. Men uppskattad blir den, så den är kanske värd jobbet?

Skär av ev svål och skär köttet i lillfingerstora strimlor. Fräs smör och curry någon minut så att currysmaken får blomma ut. Tillsätt fläsket och fräs det i currysmöret några minuter. Tillsätt sedan väl avrunna böngroddar, purjo i skivor, finstrimlad blekselleri och fräs allt under lock i 3–4 min. Strö finhackad paprika och räkor över.

Servera med råris och sojasås, ev också kinesisk ketchup eller mango chutney o d.

Dillkokt märgpipa eller kalv

4–5 port

Märgpipa och högrev säljs ofta samtidigt till lockpris i veckoslutsannonser. Välj då märgpipa. Det innehåller ca 7 % fett medan högreven är avsevärt fetare med ca 19 % fetthalt. Kalvkött innehåller ca 6 % fett. Också lammkött kan tillagas efter detta recept.

Skölj ev köttet hastigt under rinnande kallt vatten och lägg det i en gryta. Mät upp kallt vatten och tillsätt så mycket att det precis täcker köttet. Tillsätt salt och låt köttet koka upp på måttligt stark värme. Skumma väl under ca 10 min. Tillsätt sedan peppar och koka köttet mört under lock på svag värme i ca 1 1/2 tim. Tag upp köttet och håll det varmt. Koka ihop buljongen på stark värme utan lock tills ca 5 dl återstår. Lägg grovt skurna morötter, lök, purjo samt citronskivor och dill i buljong-en och koka grönsakerna mjuka ca 10 min. Lägg i köttet, skuret i portionsbitar och värm alltsammans. Smaka av med salt.
  Servera rätten med kokt ris, kokt potatis eller potatismos, syltlök eller ättiksgurka och ev lite gelé.

1 kg märgpipa eller kalv-
  kött med ben
1 tsk salt/liter vatten
8 vitpepparkorn
3 morötter
2 gula lökar
1 purjolök
2 citronskivor
1/2 dl dill

Tid: 2 tim

Bräserad stek av innanlår

4 port

Bind upp köttet med bomullsssnöre till ett jämnt stycke, eller be att få detta gjort i affären.
  Bryn köttet i lätt brynt matfett i en stekgryta till kraftig färg runt om. Vänd aldrig med gafflar som sticker hål i köttet – använd träskedar i stället. Krydda med salt och nymald peppar och tillsätt så mycket varmt vatten att det når upp till 1/4 av köttets höjd. Låt steken bräsera (sjuda) under lock i 1 tim. Tillsätt lök och morötter och fortsätt bräseringen i ytterligare 1/2–1 tim.
  Servera köttet med grönsakerna och kokt skalpotatis samt någon ättiksinläggning.

3/4 kg magert nötkött t ex
  innanlår, ytterlår eller
  märgpipa
1 msk smör eller margarin
1 tsk salt, vitpeppar
6–8 gula lökar
4–5 morötter

Tid: 2 tim

Kokt kalvhjärta i tomatsås

2 kalvhjärtan
vatten, 2 tsk salt/liter
1 lagerblad
4 kryddpepparkorn

Sås:
1/2 msk olja, t ex olivolja
1 gul lök
1 vitlöksklyfta
1 burk skalade, gärna
  också krossade tomater
1 lagerblad
1/2 tsk salt, vit- eller
  svartpeppar
1 tsk basilika eller
1/2 tsk timjan
ev 1/2 – 1 tsk honung
ev 2 morötter
1 dl grovhackad persilja

Tid: 1 tim 15 min

Kalvhjärta är underbart gott, magert (ca 6% fett) och billigt därtill. Våga prova, det är det värt. Serverat i skivor i en sådan här typ av italiensk sås kan det inte bli annat än uppskattat.

Skölj hjärtana och lägg dem i en kastrull. Mät upp vatten så mycket att det täcker dem och tillsätt salt. Koka upp och skumma. Tillsätt lagerblad och krydd-pepparkorn och koka hjärtana mjuka under lock på svag värme ca 1 tim. Laga under tiden tomatsåsen genom att koka olivolja, grovhackad lök, hackad eller krossad vitlök och tomater utan lock, först på svag värme i 5–6 min. Tillsätt lagerblad, salt, nymald vitpeppar och krossad basilika och koka såsen till lagom tjock konsistens. Smaka av och tillsätt ev honung. Om du vill kan skalade och i strimlor skurna morötter också koka med i såsen. Tillsätt dem i så fall när såsen kokat sina 5–6 min.
Skär hjärtana i skivor eller grova strimlor och lägg dem i såsen. Strö persilja över.
Servera med kokt potatis, råris eller spagetti.

Tips: koka gärna flera hjärtan när du ändå håller på eller koka hjärtan ihop med annat kött t ex höns, märg-pipa, kalvkött och frys in det färdiga köttet i lagom stora portionsförpackningar.
Kallt kokt kalvhjärta är gott som smörgåsmat i tunna skivor. Bred först lite senap eller pepparrot på smöret på brödet, som helst ska vara sprött men grovt knäcke-bröd eller osötat helkornsbröd.

Kokt tunga av nöt eller gris

Tunga är härligt gott och bekvämt kött, lika gott kallt som varmt. Köttet är ungefär "medelfett", fetthalten för tunga från gris och nöt är 15 % (jfr nötlever 4 % och kalvnjure 4 %). Tunga säljs vanligen rimmad, d v s saltad, men det finns också färsk och rökt tunga. Hårt saltad tunga behöver vattnas ur i kallt vatten över en natt. Hör efter i affären om de rekommenderar detta. Tunga på burk är färdig att användas direkt. Kolla gärna priser. Färsk tunga är ofta billigt, nåja, ganska billigt.

1 oxtunga (1 1/4–1 1/2 kg)
eller 5–6 gristungor
6 vitpepparkorn
6 kryddpepparkorn
2 lagerblad
1 morot
1 gul lök

Tid: 1–3 tim

Skölj tungan och låt den ev ligga i vatten ca 12 tim om den är mycket salt. Lägg tungan i en kastrull och häll på kallt vatten så att det täcker. Koka upp och skumma en stund. (Om du kokar färsk tunga så salta spadet med 1 1/2 tsk salt/liter vatten). Lägg sedan i pepparkorn, lagerblad, morot i bitar och halverad lök. Koka tungan på svag värme under lock. Beräkna 2 1/2–3 tim för nöttunga, 1–1 1/2 tim för kalv- och gristunga, 3/4–1 tim för lamm- och rentunga. Tag upp tungan och drag av skinnet medan den ännu är varm genom att göra ett snitt på undersidan av tungspetsen i det tjocka skinnet. Drag av det försiktigt. Låt tungan kallna i spadet om den ska serveras kall. Skär upp i tunna skivor från tungspetsen – de mindre tungorna i skivor eller halvor på längden och lägg köttet så det ser "helt" ut på trancherbrädan.

Servera tungan *varm* med kokt potatis, gärna färsk, med dill eller potatismos, se s 96, ärter eller haricots verts och varma tomater. Kokt blomkål eller ostgratinerad fänkål är också gott till varm tunga, liksom rotmos och kokt purjolök. Senap.

Servera tungan *kall* med sallader med potatis eller makaroner som grund och med mycket grönsaker till. Varm potatis och stuvad spenat eller nässlor, se s 83, passar också bra till kall tunga.

Köttgryta med rotfrukter och vin

3/4 kg nötkött av innanlår
  eller märgpipa
1 kålrot, ca 500 g
4 morötter
2 dl vitt vin eller buljong
1 bit rotselleri
3 gula lökar
8–10 potatisar
2 tsk salt, 10 vitpepparkorn
1 lagerblad
1 tsk timjan
1 dl grovhackad persilja

Tid: 1 tim 15 min

Skär köttet i stora tärningar. Skala kålrot och morötter och skär dem i stora tärningar och skivor. Varva kött, kålrot och morötter i en gryta och slå på vinet. Koka rätten under lock på svag värme i 25 min. Skär under tiden rotselleri i strimlor, löken i klyftor och potatisen i halvor. Lägg detta ovanpå köttet och krydda med salt, vitpepparkorn, lagerblad och timjan. Rör om och koka rätten ytterligare i 25–30 min. Smaka av och strö på persilja.

Servera med någon ättiksinläggning och ev osötad senap.

Rostbiff

6–8 port

1 1/4–1 1/2 kg nötkött
  av rostbiff, fransyska,
  dubbelbiff eller enkelbiff,
  med eller utan ben
2 tsk salt
1 tsk krossad vitpeppar
  eller biffkrydda

Tid: 1 tim 30 min

Gnid in köttet med salt och krossad peppar och lägg det på ett galler på en långpanna. Stick ev in en köttermometer. Stek köttet i 175°C ugnstemperatur tills termometern visar:

57° om köttet önskas blodigt, "rare"
59° om köttet önskas rött
63° om köttet önskas rosa, "medium"
70° om köttet önskas genomstekt, "well done"
(men då har saftigheten till största delen gått förlorad!)

Beräkna ca 1–1 1/4 tim stektid. Stektiden varierar med köttets form och vikt samt alltså på hur pass genomstekt du vill ha det. Avbryt stekningen genast när temperaturen visar den önskade innertemperaturen.

Låt steken stå i 10–15 min innan du skär upp köttet annars rinner alltför mycket av köttsaften ur.

Servera med ugnsbakad potatis med lite smör eller en klick gräddfil i, kokt lök eller purjolök samt någon god ättiksinläggning, t ex pickles.

Fläskfilé med svamp

Skär fläskfilén i 2 cm tjocka skivor. Platta ut dem en aning med knuten hand. Värm smör och soja och fräs filébitarna häri ca 2 min på var sida. Tag upp köttet och lägg grovt hackad svamp, hackad lök och finhackade morötter i stekpannan. Tillsätt 1 dl vatten och koka grönsakerna på svag värme först under lock i 5 min, därefter utan lock tills såsen blivit lagom tjock. Lägg i köttet och strö på hackad paprika. Krydda med salt och nymald vitpeppar. Strö nyttig persilja över.

Servera med kokt skalpotatis eller råris och t ex syltlök eller pickles och gelé.

400 g fläskfilé
1 msk smör
1 msk soja, t ex kinesisk
  eller japansk
1 burk blandsvamp
2 gula lökar
2 morötter
1 grön paprika
1/2 tsk salt, vitpeppar
grovt hackad persilja

Tid: 20 min

Filé med grönpepparsås

4–5 port

Med mager filé har man "råd" med en gräddsås någon gång. Men inte med vispgrädde (40 % fetthalt) utan med gräddfil (12 % fetthalt)! Den nya kryddan grönpeppar har kommit för att stanna. Mycket god krydda i all finare matlagning. Frys gärna in överbliven grönpeppar i små burkar. Den håller sig bara ca 2 veckor i kylutrymme.

Skär köttet i ca 2 cm tjocka skivor och platta ut dem helt lätt med knuten hand. Bryn smöret helt lätt i en stor stekpanna och lägg i köttet. Krydda med salt, en aning nymald peppar och paprika och stek oxfiléköttet ca 2 min på varje sida (det ska serveras rosafärgat inuti) och fläskfiléköttet 3–4 min på varje sida (det ska serveras helt genomstekt eller möjligen aningen rosafärgat). Tillsätt grönpeppar och gräddfil och värm såsen under omrörning men låt den inte koka så att gräddfilen skär sig.

Servera med dillkokt potatis eller avorioris och kokt purjolök samt ev pimiento (värmd tillsammans med purjolöken).

500–600 g filé av nöt
  eller gris
1 msk smör
3/4 tsk salt, vitpeppar
1 tsk paprika
2 tsk grönpeppar
2–3 dl gräddfil

Tid: 15 min

Lammgryta med kikärter

3 dl kikärter
3/4–1 kg lammkött med
  ben, t ex rygg eller bringa
3 dl vatten + buljongextrakt
2 lagerblad
1 tsk salt, svart- eller
  vitpeppar
1 tsk timjan
1 burk skalade, gärna
  krossade tomater
2–3 purjolökar
2 gröna paprikor

Tid: 12 tim + 1 tim 30 min

Skölj kikärterna i ljummet vatten och lägg dem i vatten ca 12 tim. Skär lammköttet i bitar och lägg dem i en gryta. Häll på vatten, koka upp och skumma spadet väl. Tillsätt buljongextrakt, väl avrunna kikärter, lagerblad, salt, timjan och tomater med sitt spad. Låt köttet koka mjukt på svag värme under lock ca 1 tim. Tag av locket och låt spadet koka ihop så att det blir mustigt och gott. Lägg i purjo och paprika och smaksätt med nymald peppar. Koka ytterligare 5–6 min under lock. Smaka av.

Servera med kokt potatis, råris eller buljongkokt hirs.

Lamm-i-kål

4–6 port

3/4–1 kg lammkött med
  ben, t ex rygg eller bringa
1 kg vitkål
1 1/2–2 tsk salt eller
  Herbamare
10 vitpepparkorn
2 lagerblad
2 msk soja, japansk eller
  kinesisk
1–2 tsk kummin eller timjan
1 dl grovhackad persilja

Tid: 2 tim

Skär köttet i portionsstora bitar och vitkålen i stora bitar eller strimlor. Varva kål och kött i en gryta med kål i botten och överst. Krydda också mellan varven med pepparkorn, sönderbrutna lagerblad, soja och kummin. Häll på 2 dl vatten och koka rätten under lock i ca 1 1/2 tim eller tills köttet är mört och lätt lossnar från benen. Smaka av och strö persilja över.

Servera med kokt potatis, råris eller korngryn och ev morötter som i så fall kan koka ovanpå lammgrytan de sista 15 min.

"Hälsa är ett tillstånd av fullständigt fysiskt, psykiskt och socialt välbefinnande och ej endast frånvaro av sjukdom eller skröplighet. Åtnjutande av hälsa på högsta nivå är en av de fundamentala rättigheterna, som tillkommer varje mänsklig varelse utan åtskillnad."

FN:s Världshälsoorganisation

216 Lamm, fläsk, kalv, nöt och sojaprotein

Lammnjure med pepparrotsfil

På hösten kan man passa på och köpa några kilo lamm-
njure och frysa in för senare behov. En billig, mager
delikatess och inte så vanlig.

Skär lammnjurarna mitt itu så att de blir som två
tjocka skivor. Bryn smöret på medelstark värme, lägg i
köttet och krydda helt lätt. Stek njurarna i 2–3 min på
varje sida – de kan med fördel serveras rosafärgade
inuti.
  Servera med filmjölk eller gräddfil smaksatt med
riven pepparrot, kokt skalpotatis och haricots verts,
gärna värmd med strimlad pimiento. Eller med peppar-
rotsfil, kokta rödbetor och kokt färsk dillpotatis.

400–500 g lammnjure
1 msk smör
3/4 salt, vitpeppar

Tid: 15 min

Gryta med lammnjure, kålrot och brysselkål

Skär njurarna i stora tärningar och bryn dem i smöret i
en gryta. Tillsätt grovt skivad lök och kålrot, häll på
vatten och rör ner buljongextrakt. Krydda med salt,
vitpeppar och mejram och koka rätten under lock på
svag värme i 30 min. Tillsätt äpplen skurna i klyftor
och brysselkål och koka ytterligare i 12–15 min.
  Servera gryträtten med ett lager järnrik persilja,
sojasås och kokt skalpotatis, råris eller korngryn.

5–6 lammnjurar, ca 400 g
1 msk smör
2 gula lökar
3/4 liter kålrot i tärningar
2–3 dl vatten+buljong-
  extrakt
1/2 tsk salt, vitpeppar
1 tsk mejram eller oregano
2–3 äpplen
1 dl grovhackad persilja
  eller grönkål

Tid: 1 tim

Lammkotletter från grillen

8 lammkotletter, ca 600 g
eller skivor av lårsteken
1 tsk salt eller kryddsalt,
vitpeppar
ev 1 tsk grovt krossad
rosmarin
4 stora tomater

Tid: 30 min

Lammkött är mycket gott och fräscht, kanske det bästa kött man kan välja idag. Lammen, som föds på våren får nämligen gå ute och beta hela sommaren med ett friskt, fint kött som resultat när de slaktas i september, ca 6 mån gamla.

Och tillagat på grillen tas smaken fram på bästa sätt. Även fläskkotletter blir goda tillagade enligt denna beskrivning.

Gör iordning en grillbädd av glödande grillkol, briketter eller ev kottar eller hetta upp en grillpanna eller elektrisk grill. Lägg lammkotletterna på gallret och krydda med salt, nymald vitpeppar och gärna lite rosmarin. Lägg också halverade tomater på grillen. Grilla kotletterna ca 3 min på varje sida eller tills de fått kraftig färg och är frasiga på utsidan men rosafärgade inuti. Låt tomaterna bli mjuka och varma men tag bort dem innan de helt "trillar ihop".

Servera kotletterna med tomater, bakad potatis och en liten klick vitlökssmör (1–2 tsk/person). Potatissallad med rödbetor, se s 99, kokt färsk potatis och grönsallad eller ärter passar också utmärkt till de goda kotletterna.

Se bild på s 205.

Grillspett med kycklinglever

350 g kycklinglever
2 gröna eller röda paprikor
100 g råa champinjoner
eller 1 burk hela champinjoner i vatten
2 msk sojasås
1 tsk olja, t ex olivolja
ev 1 tsk salvia

Tid: 30 min

Varva kycklinglever, paprikabitar och champinjoner på långa grillspett. Bland samman soja, olja och ev krossad salvia och pensla spetten med såsen före och under grillningen.

Servera med kokt färsk dillpotatis och tomatsallad eller med kokt råris smaksatt med smörfräst purjolök.

Oxfilé för finaste festen

Oxfilé är betydligt magrare än entrecôte, 4 % resp 22 % fetthalt. Anses finare, passar därför utmärkt när det ska bli kalas, för nästan alla är ju rädda om vikten numera. Men också tillbehören måste förstås väljas bland de magra – skivad gåslever, bearnaisesås, vitlökssmör och liknande får man avstå ifrån! Såvitt du inte vill "betala" sådana synder med en riktigt rejäl motionsdag! Det är bara att välja.

Förbered garnityren så att de är helt klara innan du steker oxfilén.

Garnering 1: Skölj paprikan och skär den i 1/2 cm-tjocka ringar. Skala *inte* löken utan skär den först i skivor. Plocka bort skalet efteråt. På detta vis förblir alla lökringar hela och fina. Riv parmesanosten fint om du köpt den i bit. (Jobbigt men gott!)

Garnering 2: Låt pimientofrukterna rinna av men dela dem inte. Stek konserverade champinjoner i en aning smör i 4–5 min. Krydda med vitlökssalt. Hacka persilja ganska fint.

Så till köttet: Platta ev till köttskivorna med knuten hand så att de ser större ut och blir jämna. Bryn smöret medelbrunt och lägg i köttet. Krydda med hälften av saltet och den stötta pepparn. Vänd köttet efter ca 2 min och krydda nu den stekta ytan. Stek köttet ytterligare en stund, hur länge beror på hur pass genomstekt bordets gäster önskar sin biff. Fråga gärna om du inte vet, alla vill inte ha sin biff genomstekt.

Lägg upp köttet direkt på varma tallrikar med garneringen ovanpå, pålagd i den ordning de olika ingredienserna är uppräknade i receptet ovan.

Servera med kokt potatis och kokta haricots verts.

500–600 g oxfilé,
i 4 skivor
1/2 msk smör eller olja
3/4 tsk salt, vitpeppar
eller 3/4 tsk krossad
vitpeppar

Garnering 1:

2 gröna paprikor
1 gul lök
3–4 msk ketchup t ex hemlagad se 239 eller chilisås
2 msk riven parmesanost

Garnering 2:

4 pimientos
2 dl vitlöksfrästa
hela champinjoner
hackad persilja

Tid: 20 min

Panna med sojaprotein i gräddig tomatsås $\boxed{V}$ 4 port

4–6 bitar sojaschnitzel,
ca 125 g
1 liter vatten, buljong-
extrakt, t ex Plantaforce
1 msk smör eller olivolja
2 gula lökar
1–2 msk sojasås, t ex
Tamari
2–3 msk tomatpuré
2 dl tunn grädde
1 tsk timjan
1 vitlöksklyfta
1 tsk paprika
1/2–1 tsk salt eller Herba-
mare, vitpeppar
grovhackad persilja eller
grönkål

Tid: 1 tim

Prova gärna sojaprotein någon gång. Det blir inte alls så oävet om det serveras i en sådan här god sås. Köps i hälsobod i torkat tillstånd. Den här rätten lagade jag av Vegetabilisk schnitzel som finns i stora 250 g – kartonger. Jättegott tyckte alla som fick en smakbit efter fotograferingen! Läs gärna lite om sojaprotein på s 209.

Lägg de torra sojabiffarna i vatten och tillsätt buljong-extrakt till en fyllig buljongsmak. Värm allt och sjud rätten under lock ca 30 min så att biffarna blir mjuka och får fin smak. Tag upp dem och häll av överflödig buljong. Skär biffarna i lillfingerstora strimlor. Fräs matfett och lök i skivor och tillsätt sojaproteinet samt sojasås. Koka allt under omrörning någon minut och tillsätt sedan tomatpuré, grädde, krossad vitlök, paprika samt salt och nymald vitpeppar. Koka rätten i minst 10 min under lock på svag värme. Späd ev med lite av buljongen från schnitzlarna så att såsen blir lagom tjock. Smaka av och strö persilja över.

Servera med kokt skalpotatis eller råris och någon ättiksinläggning.

Se bild på s 206.

Mustig gryta med sojaprotein $\boxed{V}$ 4 port

100–125 g sojaprotein i
grytbitar
5 dl vatten, buljongextrakt
1 burk hela eller krossade
tomater
2 lagerblad
1 tsk rosmarin+mejram
1 purjolök
1–2 msk tomatpuré
1 msk olja t ex olivolja eller
solrosfröolja

Tid: 1 tim

Koka sojaproteinet i vatten och buljongextrakt i 25–30 min. Rör om då och då. Tillsätt tomater, lagerblad, krossad rosmarin+mejram och koka rätten utan lock i 10 min så att en del vätska kokar in. Skär väl sköljd purjo i skivor och rör ner den och tomatpuré i rätten. Koka den ytterligare en stund så att purjon mjuknar och såsen blir lagom tjock.

Servera med kokta korngryn och brysselkål eller broccoli, kokt råris eller skalpotatis och kokta morötter.

Sojaschnitzel med gräddstekt lök 4 port

Lägg sojaproteinet i vatten och tillsätt buljongextrakt till kraftig smak. Koka det på svag värme minst 30 min under lock. Tag upp och pressa ut det mesta av buljongen.

Blanda samman gomasio och paprika och fördela blandningen på biffarna. Klappa in paneringen till ett tunt jämnt lager.

Bryn smöret helt lätt och stek schnitzlarna till fin färg och smak.

Servera med kokt skalpotatis och gul lök i skivor (stekt i 1/2 dl grädde + msk soja) eller med kokt råris och stuvade morötter.

4–6 bitar sojaschnitzel,
  ca 125 g
1 liter vatten, buljong-
  extrakt t ex hügli
1/2 dl gomasio
1/2 tsk paprika
1–2 msk smör

Tid: 45 min

Gryträtt med sojaprotein och champinjoner 4 port

Koka sojaproteinsbitarna i vatten och buljongextrakt i ca 30 min på svag värme under lock.

Fräs smör och skivad lök, champinjoner och sojasås under lock några minuter. Tag av locket, tillsätt väl avrunna sojaköttsbitar och låt allt puttra under omrörning tills rätten är lagom såsig. Strö blekselleri och persilja över.

Servera med kokt skalpotatis eller råris och sojasås samt ev ketchup, mango chutney, sambal o d.

75–100 g sojaprotein i
  grytbitar
1 liter vatten, buljong-
  extrakt
1 msk smör
4 gula lökar
100 g champinjoner eller
  1 burk hela eller skivade
  champinjoner, ca 250 g
2 msk sojasås
2 dl strimlad blekselleri el-
  ler hackad grön paprika
1 dl grovhackad persilja

Tid: 1 tim

Sojastekt lövbiff med purjo

400–500 g lövbiff av innanlår

Marinad:

1 dl soja, kinesisk eller japansk
1 dl vitt vin eller 1/2 dl sherry
1 msk olja
3 vitlöksklyftor
1 knippa gräslök
2 msk brun farin
1/2 tsk mald ingefära eller svartpeppar

Tid: 30 min

Gör först marinaden genom att blanda soja, vin, olja, krossad vitlök och hackad gräslök i en skål. Tillsätt farin och ingefära och rör om tills sockret löst sig. Lägg i köttskivorna och låt dem ligga i 1/2–3 tim. Tag sedan upp köttskivorna, låt dem rinna av och stek dem i minimalt med olja eller grilla dem ute en skön, ljum kväll. Tillagningen ska gå mycket hastigt, ca 1 min på varje sida.

Servera omedelbart med kokt råris eller potatis, kokt purjolök och värmda tomater. Sätt också en burk gomasio på bordet (malda sesamfrön+havssalt). Mycket gott att strö på råris och potatis.

Fläskkotletter stekta i soja

4 port

2 msk sojasås, kinesisk eller japansk
1–2 tsk olja, t ex olivolja
vitpeppar
4 fläskkotletter
hackad persilja + gräslök

Tid: 15 min

Värm sojasås och olja och mal vitpeppar över. Lägg i kotletterna, lägg på lock och koka-stek kotletterna 8–10 min. Vänd dem efter halva tiden. Strö på kryddgrönt.

Servera med lättstuvade rotfrukter, se s 111, och kokt skalpotatis, korngryn eller råris. Kokt fänkål eller blomkål smakar också gott till de magerstekta kotletterna.

Fläskfilé på spett

1 port

75 g fläskfilé
25–50 g ungnötslever
1 tomat
4–5 stora champinjoner
1/2 grön eller röd paprika
1–2 tsk färdigköpt grillolja eller 1 tsk soja + 1 tsk olja
ev lite stött rosmarin, salvia eller timjan

Tid: 30 min

Skär fläskfilé och lever i stora bitar och trä upp dem på långa spett, varvade med tomathalvor, hela champinjoner och paprikabitar. Pensla på lite grillolja eller blanda samman soja och olja och pensla på detta i stället. Strö ev på någon örtkrydda. Grilla spettet på utegrill eller i öppen spis. Vänd det då och då. Beräkna 5–7 min sammanlagd grilltid.

Servera med dillkokt skalpotatis eller potatissallad.

Verkligt mustig och ändå mager blir kyckling-
grytan tillagad med potatis, färsk lök, 1 burk
löksoppa och lite örtkryddor, se s 232. Lergry-

ta behöver man givetvis inte ha — annan gryta
eller ugnssäkert fat + folie som lock fungerar
också fint.

Stuvade nässlor är – precis som spenat – underbart gott till kasseler och annan rökt mat. Målla likaså, om du vet hur den ser ut! Råris och morötter, skurna i skivor på längden, är härligt tillbehör till den grillade kasselerskivan. Recept på nässelstuvning, se s 83, och kokt råris, se s 133.

Sommarfat med burkskinka

Burkskinka är mager, billig och bekväm sommarmat. Den passar kanske bäst kall med kalla eller varma tillbehör, men kan också värmas.

Skär skinkan i skivor och lägg den på ett stort fat. Lägg salladsblad runt om och garnera med tomathalvor och tunt hyvlad gurka i grupper runt om. Välj dessutom något av de andra garnityren efter tycke och smak. Strö rikligt med persilja över alltihop.

Servera med dillkokt färsk potatis och en god sås av 1/2 dl lättmajonnäs + 1 1/2 dl filmjölk + 1–2 msk senap + hackad dill.

1 burk kokt bogskinka, ca 450 g
1 salladshuvud
4–5 tomater
1/2 gurka, ev inlagd i ättika
grovhackad persilja

Garnering:

- *sparris+gröna oliver*
- *ananas i eget spad i bitar+grön paprika i ringar*
- *skivade råa champinjoner+grön paprika i ringar*
- *fint skivad rå blomkål+ gröna eller svarta oliver*

Tid: 20 min

Kasseler med stuvade nässlor

Ljuvlig vårmiddag eller sommarsupé när nässlorna är mjälla och fina. Lättlagad också. Kasselern behöver inte ens värmas om du inte vill det. Numera är den genomkokt när man köper den.

Servera kasselerkotletterna kalla eller värm dem i medelvarm stekpanna eller grill. Låt tillagningen gå rätt fort, så att köttet inte blir torrt och trådigt, ca 2 min på varje sida.

Servera med stuvade nässlor och kokt råris eller potatis samt kokta morötter. Se bild på s 224.

Variation: Byt ut nässlorna mot kokt surkål + kummin eller stuvad hel spenat.

400 g kasseler i kotletter
1 sats stuvade nässlor, se recept s 83

Tid: 30 min

Fågel och vilt

Fågel och vilt är magra och mycket goda produkter för alla festliga tillfällen. Undantag gås och anka som är desto fetare. Eftersom köttet är magert och därmed lite torrt och hårt serveras fågel och vilt ofta med en len, fyllig gräddsås och stekt eller friterad potatis. Och visst är det gott! Men inte nödvändigt. Dessa recept är nästan helt gräddfria och tillbehören är genomgående valda med försiktighet så att även den allra finaste middagen passar också dem som måste vara försiktiga. Det är viktigt att man inte steker eller kokar fågel och vilt för länge. Antilop och hare serveras med fördel rosafärgat i köttet, medan kyckling och kalkon ska vara genomstek-ta, men inte heller mer. Tillagade på det viset blir de inte så torra eller trådiga, så var försiktig med värmen. Låt gryträtter bara sjuda, inte koka och låt inte ugns-rätter stå längre än vad recepten anger.

Det är mycket enkelt att stycka en kyckling – när man kan det! Pröva gärna på en som är stekt eller kokt första gången du övar dig, det är betydligt lättare att stycka en tillagad fågel än en rå, men det går till på samma sätt.

Börja med att skära loss låren och benen, de lossar lätt om du pressar ner dem från kroppen först. Dela dem sedan ev i "knä-leden" till 2 bitar. Upprepa på andra sidan.

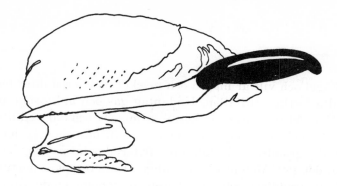

Skär av vingarna i leden och skär ev bort vingspetsarna. Nu har du fått sammanlagt 6 bitar av kycklingen.

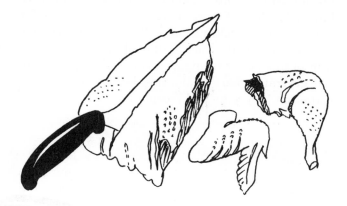

Skär sedan själva kroppen i 4 eller 6 bitar, med eller utan ben. *Utan ben:* Skär loss bröstköttet genom att försiktigt föra kniven utmed bröstbenen, lirka och lossa och se till att så mycket som möjligt av köttet kommer med. Dela bröstköttet i 4–6 bitar eller skär det tvärs över i sneda skivor.

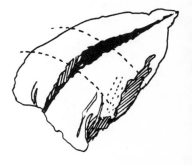

Med ben: Skär eller klipp kroppen mitt itu på längden och sedan i 4–6 bitar tvärs över.

Currykyckling på thailändskt vis

1 gödkyckling, ca 1 kg,
  helst färsk, eller 1 höna
5–6 dl vatten + buljong-
  extrakt
1–2 msk curry
2 gula lökar
1 bit kanelstång
1 1/2 tsk salt
2 lagerblad
1–2 dl russin

Tid: 1 1/2–2 1/2 tim

Chicken-curry är traditionsrik mat från Fjärran Östern. Curry i både pulver- och pastaform är huvudkryddan men eftersom den blandas på massor av olika sätt smakar maten alltid lite olika från gång till gång. Det finns många recept på hur man lagar currykyckling. Det här är både lättlagat och enkelt – men gott. Jag har fått det av goda vänner som bott i Bangkok och som ofta serverar det som söndagslunch med eller utan gäster.

Stycka kycklingen i 12 bitar, se s 226–227. På höns bör man vara noga med att skära bort det gula fettet. Koka upp vatten, buljongextrakt, curry, skivad lök, kanel, salt och lagerblad. Lägg i kycklingbitarna och koka dem riktigt mjuka på svag värme under lock. Beräkna ca 1 tim koktid för kyckling och 2–2$\frac{1}{2}$ tim för höns. Lägg i russinen när 30 min koktid återstår. Servera kycklingen med ben eller tag upp bitarna och bena ur dem innan du serverar kycklingen. Skumma av fettet om det behövs och servera kycklingen direkt ur grytan.

Servera med kokt ris och många goda tillbehör i små skålar, t ex skivad banan, mandarinklyftor (burk), salta jordnötter, mango-chutney, riven kokosnöt, skivad gurka blandad med yoghurt till en sval sallad, syltad ingefära, ananas osv.

Rökt renstek med råstuvad potatis

Mycket magert, mycket gott och elegant är det att bjuda på renstek till supé. Skär det väl kylda köttet med vass kniv i tunna skivor. Beräkna ca 100 g kött per portion.

Servera med lätt, råstuvad potatis, se s 107, och tomatsallad med en tunn senapssås. Eller med kokt potatis, ärter eller brysselkål och gräddfil smaksatt med pepparrot. Om du har tillgång till några enriskvistar så lägg dem bredvid köttet som garnering.

Kinakyckling med råris

Det kinesiska köket är otroligt fräscht, lätt, elegant och magert. Ofta idealisk smalmat som mättar fint utan att ge så mycket energi. Trots de ganska många ingredienserna är denna rätt snabbt lagad, för kycklingen kan du gärna köpa färdiggrillad.

Stycka kycklingen, se s 226–227, och tag av skinnet om du så vill. Bena ur alla bitar och skär dem i lagom stora munsbitar. Häll ananasspadet i ett litermått och skär ananasen i lagom stora bitar, 6–8 bitar av varje skiva. Häll champinjonspadet i litermåttet också. Skär purjon i skivor eller strimlor och paprikan i bitar. Häll kycklingskyn i litermåttet och tillsätt ev vatten så att hela mängden blir 5 dl. Koka upp spadet tillsammans med majsenamjöl under ständig omrörning och smaka av med honung, soja och tabasco. Lägg i kyckling, ananas, champinjoner, purjo, paprika och ev skivor eller strimlor av bambuskott. Sjud rätten 3–4 min under lock. Strö nötter över.

Servera med kokt råris, sojasås och någon sorts chilisås. Duka ev med pinnar istället för kniv och gaffel. Bra, för man får alltid upp så lagom små bitar! Och eftersom pinnarna är svåra att äta med tar det tid och man hinner bli mätt innan man ätit för mycket.

Se bild på s 241

---

1 grillad kyckling + 1 dl sky
1 liten burk ananasskivor, ca 225 g
1 burk hela champinjoner i vatten
1 purjolök
1 röd eller grön paprika
ev 1 burk bambuskott
2 msk majsenamjöl
1–2 tsk honung
1 msk soja, t ex mushroomsoja
några droppar tabasco
1 dl nyrostade osaltade cashewnötter, se s 314

Tid: 45 min

"Är det farligt att äta grillade och rökta livsmedel? I alla typer av sot och rök förekommer en grupp ämnen som kallas benzpyrener och som visat sig kunna framkalla cancer. Efter grillning och rökning av kött och fisk kan benzpyrener i små mängder påvisas. Man bör därför inte *alltför ensidigt* äta rökta eller grillade matvaror. Hur försiktiga vi än är kommer vi ständigt i kontakt med benzpyrener. De finns i den luft vi andas och tobaksrök innehåller betydande mängder av dessa ämnen. I rökiga lokaler kan halterna vara mycket höga."
Livsmedelsverket, ur Tidningen Vi

Grillad kyckling på två sätt

1 gödkyckling, ca 1 kg,
  helst färsk

Med soja:
1/2 dl soja
1 msk citronsaft
2 msk sherry eller rött
  eller vitt vin
1 msk olja

Med kryddor:
2 tsk kryddsalt eller
  vitlökssalt
1 tsk grovstött rosmarin
4–5 citronskivor
1 msk olja

Tid: 1 tim 30 min

Stycka kycklingen i 10–12 bitar, se s 226–227. Om du vill smaksätta med soja så blanda soja, citronsaft, sherry och olja i en skål och vänd alla kycklingbitarna i såsen. Lägg dem sedan tätt i samma skål. Låt kycklingen stå på kall plats minst 1 tim för att ta smak.

Om du vill smaksätta med kryddor så blanda kryddsalt och rosmarin och gnid in kycklingbitarna med kryddblandningen. Varva dem med bitar av citronskivor och olja i en skål och låt dem stå kallt 1 tim eller gärna 2.

Gör iordning en fin glödbädd i en utegrill och lägg kycklingbitarna på galler 12–15 cm ovanför. Grilla köttet till fin färg på båda sidor och tills det samtidigt är genomstekt. Beräkna 12–15 min grilltid.

Servera med en stor skål sallad och bröd, ev värmt på grillen, eller med en mustig grönsaksgryta och kokt potatis eller råris.

Kycklingpanna med blomkål och räkor

1 kokt eller grillad (köpt)
  kyckling, ca 900 g
3 dl buljong av extrakt eller
  från burk (consommé)
1 msk soja
2 msk sherry
1 msk vetemjöl
100 g råa champinjoner
  eller 1 liten burk skivade
  champinjoner i vatten
3–4 dl små blomkåls-
  buketter
2 morötter i 4–5 cm stavar
ev 1–2 gröna paprikor
50–100 g skalade räkor

Tid: 45 min

Kyckling är alltid lite festlig mat, mager och omtyckt i alla åldrar dessutom. Och kycklingrecept kan man inte få för många av. Här är ett med lätt österländsk touche.

Rensa kycklingköttet så att det är helt benfritt och skär det i lagom stora bitar. Tag ev bort skinnet först. Blanda vatten och buljongextrakt, soja, sherry och vetemjöl i en kastrull. Koka upp allt under ständig omrörning och låt sedan såsen sjuda i 3–4 min under lock. Lägg i skivade champinjoner, blomkålsbuketter, morotsstavar och ev paprika i bitar. Låt allt få ett uppkok och blanda ner kycklingbitarna. Strö på räkor när rätten är rykande het och servera den omedelbart.

Servera med kokt råris och soja samt ev tabasco och mango-chutney.

Minikalkon

När man är några stycken är det gott att välja kalkon istället för gödkyckling. Smakar underbart gott och fylligt. Stek gärna kalkonen i stekpåse. Då blir den betydligt saftigare och godare, speciellt det torra bröstköttet torkar lätt vid vanlig stekning.

Tina kalkonen om den är djupfryst. Beräkna 2 dygn i kylskåp eller 12 tim i kallt vatten. Tag ur ev krås och koka det i 45 min i saltat vatten. Gnid kalkonen med citron både inuti och utanpå och krydda den med en blandning av salt, nymald vitpeppar, paprika och ev örtkryddor. Bind upp benen i gumpen så behåller den fin form. Smält smöret och pensla det över bröst- och lårkött. Lägg in kalkonen i en stor stekpåse, slut till och klipp en öppning ovanpå eller lägg kalkonen med bröstsidan upp på galler över en långpanna. Stek i 175°C ugnsvärme i 2–3 tim eller i 45 min per kg kött.

Känn med en provsticka i låret om köttet känns färdigt. Köttsaft som sipprar ut ska vara klar, inte rosafärgad, och lårköttet som tar längst tid ska vara mjukt. Låt kalkonen stå minst 10 min innan du skär upp den, helst på trancherbräda.

Tag vara på skyn i stekpåsen så gott det går eller vispa ur långpannan med buljongen från det kokta kråset. Värm allt i en kastrull tillsammans med finhackat kråskött, potatismjöl, sherry och soja. Vispa tills såsen kokar upp, tag sedan genast bort den från värmen. Smaka av så att såsen har fyllig smak och tillsätt ev ananas.

Servera med kokt potatis eller kokt ris, brysselkål och rött vinbärsgelé eller med kokt potatis, gröna bönor och varma tomater, syltlök och gelé.

1 minikalkon, 2 1/2–3 kg
1/2 citron
3 tsk salt, vitpeppar
1 tsk paprika
ev 1 msk grovstötta ört-
* kryddor, t ex rosmarin +*
* salvia eller dragon +*
* salvia + timjan*
1 msk smör

Till såsen:
8 dl sky från kalkonen
* + buljong från kråset*
det kokta kråset i små
* bitar*
4 tsk potatismjöl
2 msk sherry
1–2 msk soja
ev 2 dl ananas i små bitar

Tid: 12 tim + 3 tim

Sallad med kyckling och ananas

1 rejäl bit isbergssallad
1 tomat
1/2 kokt ägg
1 bit färsk gurka i strimlor
1 dl kokt kall grönsaks-
blandning
75 g kokt kall kyckling
utan ben
2 skivor ananas i ananas-
juice
kryddsalt eller salt
1 tsk solrosolja eller
2 tsk lättmajonnäs
hackad persilja

Tid: 20 min

Skär salladen i strimlor och tomaten i halvor eller klyftor. Lägg salladen som en grön bädd på en tallrik och tomaterna ovanpå. Lägg också ägghalvan, gurkan, grönsaksblandningen och kycklingen på tallriken. Garnera med ananas i ringar, halvor eller bitar och strö kryddsalt – så lite som möjligt – över alltihop. Droppa på olja eller majonnäs utrörd med lika mängd vatten och strö persilja över alltihop.

Servera med mjukt eller hårt helkornsbröd att bryta till.

Kycklinggryta med lök och potatis

1 gödkyckling, ca 1 kg,
helst färsk
1 msk smör eller olivolja
1–1 1/4 kg potatis
3 gula lökar
1 1/2 tsk salt
1 burk löksoppa, typ fransk
löksoppa
2 lagerblad
ev 2 tsk stött rosmarin +
timjan
ev 2 krossade vitlöks-
klyftor
grovhackad persilja

Tid: 1 tim 30 min

Kycklinggryta lagad i en oglaserad form, s k lerhöna, ser extra god ut vid serveringen. Nödvändig är den givetvis inte alls. Men omväxling förnöjer ju alltid, inte minst i matlagningen.

Stycka kycklingen i 12 bitar, se s 226–227, och bryn dem i matfett till fin färg. Skala potatisen eller borsta bara, och skär den i skivor. Skala löken och skär den i skivor eller klyftor. Varva potatis, lök och kyckling i en gryta, på ugnssäkert fat eller i en vattlagd lerhöna och salta mellan varven. Häll på löksoppan, direkt ur burken, och tillsätt 1 dl vatten. Stick ner bitar av lagerbladen lite varstans och krydda ev ytterligare med rosmarin, timjan och vitlök. Koka rätten i 175°C ugnsvärme i 1 tim under lock eller folietäckt. Strö persilja över.

Servera grytan med någon ättiksinläggning. Se bild på s 223.

Pepparrotskyckling

5–6 port

Pepparrot är en underbar krydda – rik på C-vitamin dessutom. Ger väldigt fint sting åt alla rätter där den används.

Stycka kycklingen i 12 bitar, se s 226–227, gnid in dem med citron, salta och strö på paprika. Låt bitarna ligga minst 30 min. Bryn smöret försiktigt och lägg i kycklingbitarna. Häll på buljongen och sjud rätten i 25 min på svag värme under lock. Rör ev ut mjölet i grädden och tillsätt redningen. Koka rätten i 3–4 min på svag värme. Eller tillsätt bara grädden, rör om och smaksätt med pepparrot. Smaka av såsen väl. Strö persilja över.

Servera med kokt potatis, gärna pressad eller kokt råris eller avorioris samt syltlök och något gott gelé.

1 gödkyckling, ca 1 kg,
  helst färsk
1/2 citron
1 1/2 tsk salt eller krydd-
  salt
1/2–1 tsk paprika
1 msk smör
1 burk klar buljong
  (consommé)
ev 1 msk vetemjöl
1/2 dl grädde
2–3 tsk riven pepparrot
1 dl hackad persilja

Tid: 1 tim 30 min

Antilopstek för finaste middagen

8 port

Antilopkött, importerat djupfryst, är en fin nyhet till överkomligt pris. Ytterst magert är det och smaken är frisk och fin, som hjort ungefär. Stek gärna köttet i stekpåse. Det gör att det blir saftigare samtidigt som ugnen hålls ren. Bra och arbetsbesparande.

Tina köttet, helst i kylskåp så behåller det sin köttsaft bättre. Köttet behöver inte vara helt upptinat men ju mer tinat desto kortare stektid. Gnid in köttet med salt och stötta pepparkorn och lägg gärna in steken i en stekpåse annars på galler över långpanna. Stek köttet i 175°C ugnsvärme i 1–1 1/2 tim beroende på upptiningsgrad. Låt steken stå i 15 min innan du skär upp köttet med vass kniv i lagom tjocka skivor. Köttet bör vara rosafärgat inuti.

Servera med potatisgratäng, se s 100, sky, sallad, gelé och syltlök eller med kokt potatis, stuvade grönsaker, lingon eller inlagd gurka.

Se bild på s 242.

1 1/2 kg antilopsadel
  eller -stek
2 1/2 tsk salt
1 tsk stött vit- eller
  svartpeppar

Tid: 12 tim + 2 tim

Marinerad viltstek

*1 1/2–2 kg renstek eller
älgstek*

Marinad:
*1 helflaska billigt rödvin
2 morötter
2 gula lökar
2 lagerblad
10 grovkrossade svart-
pepparkorn
3 msk grovkrossade enbär*

Till stekning:
*2 tsk salt
1 msk smör
1 msk soja
1 burk skivade champin-
joner*

Tid: 24 tim + 1 tim 30 min

Lägg steken i en så liten bunke eller gryta som möjligt. Slå på rödvinet som helst ska täcka och lägg i morots-skivor, lökklyftor, lagerblad, peppar och enbär. Låt köttet stå att ta smak i minst 1 dygn på kall plats, gärna 2–3 dygn. Tag upp köttet och låt det droppa av väl, torka om det behövs. Gnid in steken med salt och bryn den väl runt om i brynt matfett i en stekgryta. Tillsätt soja och 2 dl av marinaden och låt steken sakta sjuda under lock i 1 tim. Tillsätt de väl avrunna champinjonerna och fortsätt att sjuda köttet i 15 min. Låt steken vila 10 min innan du skär upp den i ej för tunna skivor. Köttet bör vara rosafärgat inuti, då är det vackrast, saftigast och godast. Smaka av såsen med soja om den inte är tillräckligt salt. Servera med kokt potatis, gröna bönor och lingonsylt eller med ugnsbakad potatis, brysselkål och gelé.

Sallad med kyckling, valnötter och ostsås

*1 rejäl bit isbergssallad
1 tomat
1 bit gurka
1–2 halvor konserverade
  päron eller persikor
råriven morot eller kålrabbi
  eller några bitar färsk
  röd eller grön paprika
100 g kokt eller grillad ben-
fri kyckling (eller höns)
1/2–1 msk grovhackade
  valnötter*

Sås:
*1–2 tsk lättmajonnäs
1 msk lättfil
1 msk ädelost eller
  gorgonzola*

Tid: 20 min

Skär salladen i strimlor och lägg den på en tallrik eller i en skål. Skär tomat och gurka i t ex klyftor och tunna skivor och lägg bitarna i högar på salladen. Lägg också väl avrunnen frukt, morot och kyckling på salladen och strö valnötter över. Blanda lättmajonnäs och lättfil på en assiett, smula ner osten däri och mosa den väl. Fördela såsen över kycklingssalladen.

Servera salladen med en bit helkornsbröd att bryta till.

Sallad med kyckling och äppelfil

1 port

Skölj salladen om det behövs och skär den i strimlor. Lägg den på ett fat eller en tallrik. Lägg en hel eller halverad tomat och blomkålsbuketter ovanpå. Skala av det grövsta på selleristjälkens baksida om du tar en av de yttre stjälkarna. Kniv eller potatisskalare gör jobbet. Skär bleksellerin i strimlor och strö den över salladstallriken. Lägg på kycklingkött och avsluta med en aning salt över alltihop.

Blanda lättfil, rivet äpple och pepparrot till en sås med sting i. Rör ner majonnäs om du "har råd", dvs inte behöver gå ner i vikt eller om du varit i flitig rörelse. Gör onekligen såsen mjukare och godare.

Servera salladen med såsen över och något gott bröd att bryta till.

1 rejäl bit isbergssallad
  eller grönsallad
1 tomat, gärna konserverad
1 bit blomkål
1 stjälk blekselleri
100 g benfritt kycklingkött,
  kokt eller stekt
lite salt eller kryddsalt

Sås:
1/2 dl lättfil
1/2 rivet äpple
1/2 tsk riven pepparrot
ev 1–2 tsk majonnäs

Tid: 15 min

Sallad med kyckling och avocado

1 port

Skölj salladen och skär den i strimlor. Lägg den i en skål eller på tallrik. Halvera avocadon och tag ut snygga bitar med en tesked ur ena halvan. Lägg dem på salladen tillsammans med rensat kycklingkött, tomatskivor och paprikaringar i grupper. Dekorera med ett par svarta oliver och strö på några kapriskorn. Droppa citron och olja över och servera salladen genast. Avocadon mörknar nämligen ganska hastigt, med citron på dock lite mindre snabbt.

Servera med något gott helkornsbröd och ev lite smör.

sallad eller isbergssallad
1/4–1/2 avocado
75–100 g benfritt kyck-
  lingkött, kokt eller stekt
1 tomat
1/2 paprika, grön eller röd
några svarta oliver
1 tsk kapris
1 citronklyfta
1 tsk solrosolja

Tid: 20 min

Hare i gryta med vin, lök och svamp

1 hare, styckad i bitar,
ca 2 kg + levern
2 msk smör
1 1/2 tsk salt, vitpeppar
1/2 tsk paprika
5–6 gula lökar i klyftor
1–2 burkar blandsvamp
2–3 dl rött vin
2–3 gröna paprikor
1 dl grädde
1 dl grovhackad persilja

Tid: 2 tim

Mört, mörkt, magert och mustigt är harkött antingen det är svenskt eller kinesiskt. Mycket gott särskilt i en fyllig sås som här.

Bryn haren väl runt om i brynt smör, levern likaså. Strö kryddor över. Lägg köttbitarna i en gryta, levern på en tallrik så att den kallnar. Bryn löken och svampen i stekpannan efter köttet och låt det få lite färg. Fördela allt i grytan över köttet, tillsätt vin och sjud rätten på svag värme under lock i 1 1/4 tim. Tillsätt paprika i bitar och koka ytterligare 15 min. Hacka levern riktigt fint och tillsätt den, grädde och persilja. Smaka av såsen med salt och nymald peppar så att den blir fyllig och god.

Servera med kokt, gärna pressad potatis eller potatismos, gelé och inlagda tomater eller saltgurka eller med makaroner i någon "rolig" form, från Italien.

Höns i tomatsås med svamp och oliver

1 höna, ca 1,2 kg, färsk eller
djupfryst
2 dl vatten + buljong-
extrakt
1 burk konserverade
tomater
2–3 gula lökar
1 burk svamp i vatten eller
smör
1 tsk stött timjan eller
2 tsk körvel
12–15 hela svarta oliver
eller skivade gröna oliver

Tid: 2 tim 30 min

Höns är billigare än kyckling men kräver längre koktid. Smaken är lite kraftigare och hönsköttet hårdare och mer att sätta tänderna i. Fördelarna är alltså fler än nackdelarna så pröva gärna en hönsgryta till helgen. Bra mat när man vill förbereda också.

Stycka hönset i 10–12 bitar, s 226–227. Koka upp vatten och buljongextrakt samt tomaterna med sitt spad. Lägg i hönsbitarna och låt dem sakta sjuda under lock i 2 tim. Tillsätt lök i stora klyftor, svamp och örtkrydda och koka rätten i 15–20 min till. Garnera med oliver.

Servera med kokt potatis eller råris och kokta gröna bönor.

Renskav på flera sätt

Tina renskavet helt eller delvis och bryn köttet i smör tillsammans med avrunnen svamp tills det fått lite färg. Tillsätt löken och krydda med salt och nymald vitpeppar, gärna också lite timjan.

Servera med kokt potatis, gröna bönor och iskall gräddfil smaksatt med riven pepparrot eller

- Potatismos, lingon och ärter.
- Lökstuvad potatis, se s 106, och inlagd gurka (uteslut då löken i renskavspannan).
- Stuvad blomkål och knäckebröd.
- Kokt potatis, morötter och broccoli.

1 paket renskav à 260 g
1/2 msk smör
1 burk kantareller eller
* blandsvamp i vatten*
6–8 kokta små gula lökar
1/4 tsk salt, vitpeppar
ev 2 kryddmått timjan

Tid: 15 min

Såsen är pricken över i

Många rätter står och faller med såsen. De skulle vara helt ointressanta utan sin goda sås. Men just med såserna måste man se upp riktigt ordentligt när man vill leva smalt. Här får man helt enkelt utesluta många rätter, välja något annat, mer hälsosamt i stället. För i såserna döljs ofta både fett och mjöl i stora mängder, just de ingredienser som vi måste vara försiktiga med. När man bantar förekommer nästan inga såser alls, men det går bra ett tag i alla fall.

Salladsdressing på många sätt är dock en oumbärlig sås. Den behövs varje dag till den rejäla råkosttallrik man bör unna sig. Svampsås och ostsås är också bra såser till många varmrätter och gratänger. Dem vill vi inte vara utan. Det är de onödiga såserna vi får dra in på, de med mycket grädde, smör och äggulor i. Dem får vi bara äta någon gång när det är riktigt stor fest. Och då njuta desto mer!

Sojasås på salladen, gott!

Droppa äkta soja, japansk eller kinesisk, över din salladsportion – det är en helt mager och mycket bra sås till de flesta av vardagens lite rustika grönsaker såsom tomater, lök, morötter, sallad, vitkål m m. Droppa också 1 tsk av någon god kallpressad olja, t ex solrosfröolja, över. Med sin höga halt av fleromättat fett är det en nyttig olja i "lagom" mängder.

Cranks dressing

 4–5 port

Ja, en av dem är det väl bäst att tillägga. För där finns ett underbart stort sortiment av vad allt en vegetarian kan önska sig. Och lite till. Cranks är en spännande restaurang i hjärtat av London. Rekommenderas!

Blanda citronsaft, salt och nymald vitpeppar och låt det stå några minuter så att saltet löser sig. Tillsätt en skalad och ev skivad vitlöksklyfta, senap och olja. Förvara dressingen i väl tillsluten glasflaska eller -burk. Tillsätt yoghurt strax före serveringen. God och fyllig sås till alla slags sallader och råkosttallrikar.

2 msk citronsaft eller
* äppelcidervinäger*
1/2 tsk salt eller kryddsalt,
* vitpeppar*
1 vitlöksklyfta
1 tsk osötad senap
2 msk olja, t ex oliv- eller
* solrosfröolja*
1/2–1 dl yoghurt eller
* gräddfil*

Tid: 15 min

Honungsdressing

 4–5 port

Blanda först citronsaft och salt och låt det stå någon minut tills saltet löst sig. Tillsätt honung, paprikapulver och olja och vispa eller skaka dressingen väl. Tillsätt ev rostade sesamfrön strax innan dressingen ska användas.

  Servera på sallader med frukt och keso eller bara isbergssallad och ananas.

2 msk citronsaft
1/4 tsk salt
2 msk flytande honung
1/2 tsk paprikapulver
2 msk olja, t ex solrosfrö-
* eller olivolja*
ev 1 msk rostade sesam-
* frön*

Tid: 15 min

Hemlagad ketchup

Den köpta ketchupen är vanligen för söt. Den här är friskare i smak.

Skär tomaterna i bitar, skala och riv lökarna. Blanda allt i en gryta och tillsätt vinäger, honung och vitlökssalt. Koka såsen i 15–20 min, först med lock, sedan utan, så att den får lagom tjockflytande konsistens. Sila såsen om tomatskalen "stör" dig. Förvaras i kylskåp ca 10 dagar.

1 kg lösa, väl mogna toma-
* ter eller 2 burkar kros-*
* sade tomater*
2 gula lökar
1/2 dl vinäger t ex äppel-
* cidervinäger*
1 msk honung
1 1/2 tsk vitlökssalt eller
* kryddsalt*

Tid: 30 min

Tid: 15 min

Chilidressing

- 2–3 msk filmjölk + 1 msk chilisås + finhackad lök eller gräslök

Varje-dag dressing

- 1 tsk äppelcidervingäger + 2 kryddmått Vitam Körnig + 1 tsk vatten + 1–2 tsk olja t ex majsolja. Ev lite krossad vitlök eller chilipulver

Fruktdressing

- droppa pressad citron eller apelsin över råkosten och salta med en aning herbamare, salt eller kryddsalt. Droppa 1–2 tsk olja t ex majsolja över

Senapsdressing

- 2–3 msk filmjölk (3 % fetthalt) eller gräddfil (12 % fetthalt) +1 tsk senap + finhackad dill + ev gräslök

Ravigotedressing

- 2–3 msk filmjölk eller gräddfil + 2 tsk lättmajonnäs + krossad dragonört + 1 tsk hackad kapris + 1 tsk senap + finklippt gräslök. 1 msk keso kan tillsättas för kraftigare konsistens

Ädeldressing

- 1 msk ädelost (knappt) + 1–2 tsk lättmajonnäs + 2–3 msk filmjölk + en aning vitlök

Pepparrotsdressing

- 2–3 msk filmjölk eller gräddfil + 1/2 tsk riven pepparrot + 1 tsk olja + en aning salt eller herbamare

Currydressing

- 2–3 msk filmjölk + 1–2 kryddmått curry + 2 tsk lättmajonnäs

Blanda alla ingredienser till respektive sås, låt stå några minuter och smaka sedan av.

Kinakyckling med råris är en annorlunda, men mycket god rätt. Den är så mager att man kan äta den med gott samvete också vid bantning. Se upp så att du köper ananas i ananasjuice och inte i sockerlag, annars blir såsen för söt och antalet kalorier onödigt högt. Se recept på s 229.

Antilopstek är nytt, gott, mycket magert kött
från Kina som säljs djupfryst till överkomligt
pris sedan några år tillbaka, se s 233. Potatis-
gratäng, se s 100, sallad, syltlök och gelé är
bra tillbehör när man vill äta smalt.

Klassisk salladsdressing

Blanda samman citronsaft eller vinäger, vatten, salt och ev paprika och låt det stå någon minut tills saltet löser sig. Tillsätt oljan och skaka kraftigt. Smaksätt ev ytterligare med pepparrot eller annat.

*2 msk citronsaft, äppel-
    cidervinäger eller
    annan vinäger
1–2 msk vatten
1/2–3/4 tsk salt, herbamare
    eller kryddsalt
ev 1/2 tsk paprika
2 msk olja, t ex olivolja
    eller solrosfröolja*

Kryddor att variera med:

- *riven pepparrot*
- *senap, torr eller utrörd, vanlig, osötad*
- *krossad vitlök+hackad persilja*
- *mosad ädelost eller gorgonzola*
- *Vitam Körnig i stället för salt*
- *2 msk ketchup eller chilisås*

- *hackad dill+finskuren gräslök*
- *hackade färska örtkryddor t ex dragonört, basilika*
- *kapris+gräslök*
- *hackad grönpeppar*
- *mosade sardeller eller ansjovisfiléer*

Tid: 15 min

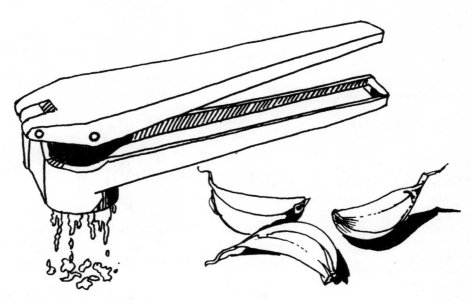

Vitlöksklyftor behöver *inte skalas* innan man krossar dem om man har en stadig och rejäl vitlökspress som den här. Skönt, för då slipper man lukta vitlök om händerna.

Lättfilsdressing

1/2 dl lättmajonnäs
1 1/2 dl filmjölk eller lättfil
2–3 tsk riven pepparrot
eller 1–2 msk kapris
eller 1–2 msk senap+
hackad dill
1/2 tsk salt eller herbamare

Tid: 10 min

En enkel och lättgjord salladssås som passar i de flesta sammanhang när man vill leva smalt men ändå gott.

Vispa samman lättmajonnäs och filmjölk till en slät sås. Smaksätt med riven pepparrot och salt.

Kesodressing med gurka och kapris $\boxed{V}$ 4–5 port

150 keso
1 1/2 dl filmjölk eller
yoghurt
1–2 tsk senap
3/4 dl finhackad ättiks-
gurka
2 msk kapris
2 msk finhackad persilja

Tid: 15 min

Lägg keson i en skål och mosa den lite med baksidan av en sked. Tillsätt filmjölk och senap och rör om väl. Tillsätt också ättiksgurka, kapris och persilja. Smaksätt ev med salt och nymald vitpeppar.
   Servera till kall, inkokt fisk eller varm grillad eller ugnsstekt fisk, sallader, kasseler, rostbiff m m.

Dressing med gorgonzola och vitlök   4 port

1 1/2 dl filmjölk eller
gräddfil
2 msk majonnäs
3 msk gorgonzola eller
ädelost, ca 50 g
1 liten vitlöksklyfta
1/2 dl finhackad persilja

Tid: 15 min

Rör samman filmjölk och majonnäs. Mosa osten med en gaffel på tallrik och rör ner osten i majonnässåsen. Smaka av med krossad vitlök och rör ner persilja. Smaka av med salt.
   Serveras till alla sorters sallader och riven råkost.

Äppelfil

Blanda lättfil och rivna äpplen och krydda såsen med pepparrot, gärna den grovt rivna som finns på glasburk. Tillsätt ev majonnäs för en "mjukare" sås och ev curry som ger en lustig brytning.

Härlig sås till en kycklingsallad, på riven råkost eller till kalla kokta rödbetor.

2 dl lättfil
2 syrliga äpplen eller
* 1 dl äppelmos*
1–2 tsk riven pepparrot
ev 1–2 msk majonnäs
ev 1/2–1 tsk curry

Tid: 15 min

Nästan majonnäs

4–6 port

En mycket bra ersättning för majonnäs när man vill leva smalt och skönt. Dock ej hållbar som majonnäs, men några dagar i kylskåp håller den sig.

Vispa upp ägget i en insats till en vattenbadskastrull eller i en skål som kan placeras över en kastrull med vatten. Tillsätt filmjölk, senapspulver, majsmjöl, salt, socker och paprika. Vispa såsen över sjudande vatten, hela tiden, tills den tjocknar, blir blank och smidig. Tillsätt matfett och vinäger och låt såsen kallna.

1 ägg
1 1/2 dl lättfil
1 1/2 tsk senapspulver
* (Colmans)*
2 tsk majsmjöl (Maizena)
1/2 tsk salt
1/2 tsk socker eller honung
1 krm paprika
1 msk smör eller solrosolja
1 tsk vinäger

Tid: 15 min

Senapssås för smalkostare

4–6 port

Blanda majonnäsen med senap och dill. Låt såsen stå kallt minst 1 tim. Smaka av före serveringen om du vill ha såsen saltare, vinägerstarkare eller med mer senap i.

1 sats Nästan majonnäs,
* se ovan*
3–4 tsk senap, ej för söt
1 dl finskuren dill

Tid: 20 min + 1 tim

Gratängsås med ost

2 dl mjölk
2–3 dl vatten + buljong-
  extrakt
1 msk smör
3 msk vetemjöl
1/2–3/4 tsk herbamare eller
  kryddsalt
1/2 tsk paprika
1 dl riven ost, t ex grevé
1–2 msk parmesanost

Tid: 15 min

Med mjölk och buljong blir gratängsåsen betydligt magrare än man "brukar" laga den. Observera att ingredienserna blandas kallt i kastrullen och får koka upp under ständig omrörning. Ett lika enkelt som säkert sätt att undvika klimpig sås.

Blanda mjölk, vatten, buljongextrakt, smör och vetemjöl i en kastrull. Sätt kastrullen på en platta och värm upp allt under ständig omrörning till en slät och klimpfri sås. Smaksätt med herbamare och paprika och sjud såsen under lock, på svag värme i 3–5 min. Rör ner grevé och parmesanost och smaka av om du vill ha mer kryddor.
  Servera till kokta palsternackor, råris eller broccoli m m eller häll såsen över kokta grönsaker och gratinera i ugn, se Grönsaksgratäng s 91.

Svampsås med tartex

1 burk skivade champinjo-
  ner, ca 200 g
1 burk tartex naturell, à
  115 g
2 dl tunn grädde eller
1 dl grädde + 1 dl vatten
2 msk vetemjöl
2 kryddmått paprika
1–2 kryddmått salt, vit-
  peppar

Tid: 10 min

Blanda alla ingredienser, champinjonerna med sitt spad, tartex, grädde, mjöl, paprika och salt i en liten gryta. Värm allt medan du rör om väl hela tiden tills såsen sjuder och ser jämn och klimpfri ut. Låt den koka under lock på svag värme i minst 3 min. Smaka av och krydda även med nymald vitpeppar. Koka såsen utan lock om den är för tunn.
  Servera på kokt blomkål eller morötter till råris, spaghetti eller kokt skalpotatis, magra färsbiffar eller kokt fisk.

Mager men god svampsås

V 4 port

Blanda svampen med sitt spad, hackad lök och smör i en gryta och koka utan lock i 6–8 min så att löken blir mjuk och mesta vätskan kokar in. Strö mjöl över, späd med vatten och grädde och rör om tills såsen kokar upp. Smaksätt med buljongextrakt, salt, nymald vitpeppar, paprika och krossad timjan. Låt såsen koka minst 5 min under lock på svag värme. Smaka av väl. Såsen ska ha frisk och kraftig smak av "skog och våta svampmarker".

Servera till råris eller spaghetti, kikärter, sojabönor, broccoli, grillad fläskkotlett och annat.

1 burk blandsvamp
1–2 gula lökar
1 msk smör
2 msk vetemjöl
3 dl vatten + buljong-
  extrakt
1/2 dl tunn grädde
1/2 tsk salt, vitpeppar
1/2 tsk paprika
1–2 kryddmått timjan

Tid: 20 min

Tomatsås till pizza, fisk, spaghetti m m

V 4 port

Mosa tomaterna direkt i kastrullen om de är hela och tillsätt lagerblad, persilja, salt, nymald svartpeppar samt olivolja och honung och koka såsen tjock och simmig i 15–20 min utan lock. Smaksätt med krossad vitlök, ev lite vin och ev någon stött örtkrydda. En mustig sås från det italienska köket som passar till det mesta, pizza, råris, spaghetti, fisk, korv och kyckling m m.

1 burk skalade tomater,
  helst krossade
1 lagerblad
1/2 dl finhackad persilja
1/2 tsk salt eller herbamare
svartpeppar
1 msk olivolja
1 tsk honung
1 vitlöksklyfta
ev 1–2 msk vin, vitt eller
  rött
ev 1–2 tsk timjan eller
  basilika

Tid: 30 min

"10 g dill sänker kolesterolhalten i blodet. Och vitlök har en bakteriedödande effekt. Ja, steget från medicinalväxter till kryddor och från kryddor till medicin är inte långt, kryddor kan i många fall användas som förebyggande medicin!"

Professor Finn Sandberg, Uppsala

Stark, fyllig lökdressing $\boxed{\text{V}}$ 6 port

1 gul lök
2 tsk salt
1 bunt persilja
1 vitlöksklyfta
1 msk ättiksprit
3 msk olja, t ex oliv- eller
  solrosfröolja
5–6 msk vatten
1/2–1 tsk chilipulver

Tid: 30 min

Skala och hacka löken riktigt fint. Lägg den i en skål och strö över saltet. Rör om kraftigt så att löken blir gnuggad med salt och låt det stå 4–5 min. Häll löken i en sil och skölj den hastigt med kallt vatten. Låt löken rinna av väl och lägg den sedan i en skål. Hacka persiljan fint och blanda med löken. Pressa ner vitlök, direkt i "hacket" och tillsätt ättiksprit, olja, vatten och chilipulver. Smaka av och justera smaken med salt, ättiksprit eller vad du nu själv tycker. Såsen ska vara stark och fyllig.

Servera på t ex potatissallad, makaronisallad eller skivade tomater.

Timjan och andra "mjuka" örtkryddor finfördelas snabbast i handen. Vill du ta fram en mortel går det naturligtvis också bra. Huvudsaken är att kryddan trasas sönder lite så att de fina aromämnena lösgörs. I mortel kan det vara lättare att även tillsätta några korn salt som "gnider" sönder kryddan.

Frukt och bär på många sätt

Inte en enda dessert utan frukt eller bär vill vi bjuda en smalkostare, bantare eller hälsokostare. Chokladpudding, glass au four, glass med chokladsås och liknande får man avstå ifrån. Men saknaden behöver inte bli stor om ens någon – med frukt och bär som utgångspunkt finns det mängder av underbara efterrätter att variera med.

Frukt och bär är enklast och bäst att servera naturella vid de flesta tillfällen året runt. Men då och då är det gott och festligt att göra något av dem och då kommer recepten väl till pass. Fruktsallad, frukt med fil och kräm och mjölk är både gott, enkelt och klassiskt. Medan grahamspaj med äpplen och rabarber och kornmjölsvåfflor med äppelrasp och maple syrup är nya och lite mer arbetskrävande. Men i gengäld extra goda och roliga att variera med.

Tänk på att skölja frukten väl. Många anser att man också ska skala frukten så ofta det går. Bär behöver bara sköljas när de är smutsiga.

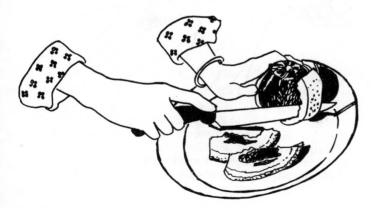

Apelsiner till all slags matlagning måste skalas så att allt det vita, beska i skalet kommer bort. Gör det på en stor tallrik med en vass vågtandad kniv. Skär först av en platta upptill och nertill, sedan längs med apelsinen runt om.

De allra enklaste efterrätterna $\boxed{V}$

Tid: 10 min

Frukt eller bär och mjölk är så enkelt att något recept inte behövs. Men kanske du inte tänkt på några av nedanstående kombinationer? Personligen tycker jag att frukt och filmjölk är godare än frukt och mjölk och att t ex ananas och gräddfil är riktig kalasmat. Pröva det på söndag t ex!

- Lingon och mjölk, filmjölk eller långmjölk.
- Äppelmos eller kokta äppelhalvor, mjölk, filmjölk eller långmjölk.
- Ananas i skivor med lättfil, filmjölk eller en klick gräddfil.
- Krossad ananas blandad med filmjölk eller gräddfil. Garnera med vindruvor och krossade sesamkakor eller 1 hel sesamkaka (hälsobod).
- Blåbär, jordgubbar, hallon eller svarta + röda vinbär lätt sötade med flytande honung, till mjölk, filmjölk eller långfil.
- Skivad banan i lättfil eller filmjölk + ev russin.
- Kokta katrinplommon, mjölk, filmjölk eller en klick gräddfil och ev rivet citronskal.
- Blåbärssoppa med lika delar lättfil eller filmjölk.
- Skivad apelsin med lättfil eller filmjölk.
- Grovt rivet äpple + hackade nötter, i lättfil eller filmjölk.
- Färsk eller konserverad persika med lättfil, filmjölk eller gräddfil.
- Lingon och mjölk på gammalt västgötavis: När potatisen var extra fin och riktigt mjölig lät man potatiskarotten stå kvar på bordet efter huvudrätten och så mosade man en potatis i efterrättstallriken innan man tog för sig ur lingonkrukan och mjölktillbringaren. Ett utmärkt sätt att ge potatisen lite smak och att dryga ut de såväl starka som dyra lingonen.

Så gott, så friskt och svenskt! Lingonisglass är något för alla finsmakare som vill leva smalt. Gräddklicken behöver inte vara stor för att göra stor "nytta", men kan förstås uteslutas helt, se s 258.

Om man fryser 2 dl lättmjölk – men *inte* stan-
dardmjölk – till en halvfast massa kan mjölken
vispas till ett gräddliknande skum av 6–8 dl
volym! Elektrisk visp måste man dock ha och
snabb i vändningarna måste man va'! Inte alls

dumt i olika sammanhang – se Mjölkskum i
stället för vispad grädde s 256. Tänk på att
lättmjölk innehåller 0,5 % fett, gräddfil 12 %
och vispgrädde 40 %.

Också finaste fruktkakan får lite bättre näringsvärde med grahamsmjöl i smeten och såsen är inte så kaloririk som brukligt är. Den består av gräddfil + honung vilket är mycket gott i all sin enkelhet. I måttliga mängder blir alltså t o m en desserttårta acceptabel ur näringssynpunkt. Fruktglaserad grahamskaka, se s 260.

Grahamspaj med äpple och rabarber samt russin blir en god höstdessert. Äpplena skivar man hela, *med* skal och kärnor. Det är både bekvämt och bra. Skal och kärnor ger en viss fyllig arom och lite fibrer som är bra för magen, se till höger.

Grahamspaj med äpple och rabarber 8 port

Rabarber kräver mycket socker för att bli njutbar. För att kunna minska på sockermängden har vi drygat ut rabarbern med söta äpplen och russin. Samtidigt får man en paj som är mer att tugga på. Också pajdegen är lite annorlunda, en del av mjölet är utbytt mot grahamsmjöl. Degen blir därmed mycket godare och även nyttigare.

Lägg smör, grahamsmjöl, vetemjöl och bakpulver i en skål. Finfördela smöret med en gaffel tills allt blir en grynig massa. Tillsätt vattnet och arbeta ihop allt till en deg. Ställ den kallt en stund. Kavla ut 2/3 av degen till en stor kaka, flytta över den i en pajform och jämna till kanten så gott det går. Fyll formen med rabarber i bitar, äppelklyftor, russin och socker. Allt utom stjälken kan gärna vara med från äpplena. Kavla ut resten av degen och skär ut långa bitar, ca 2 cm breda. Lägg dem i ett prydligt rutmönster över frukten. Grädda pajen i 200°C ugnsvärme ca 30 min.
Servera pajen avsvalnad med lättglass, tunn grädde eller gräddfil smaksatt med en aning honung.
Se bild på s 254.

Pajdeg:
125 g smör
1 dl grahamsmjöl
1 1/2 dl vetemjöl
1/2 tsk bakpulver
2 msk vatten

Fyllning:
200 g rabarber
3–4 äpplen
1 dl russin
1/2–1 dl socker

Tid: 1 tim 15 min

Bärkräm och mjölk 4 port

Svenskt, gott och billigare än att äta bären naturella. Passar fint både som mellanmål och efterrätt.

Rensa bären och skölj dem om de är sandiga. Lägg dem med vatten, socker och potatismjöl i en kastrull och koka upp krämen under omrörning. Tag av kastrullen från värmen när första bubblan syns. Servera krämen avsvalnad eller kall med lättmjölk eller mjölk.

1/2–3/4 liter färska rensade bär, t ex omogna krusbär, jordgubbar, röda vinbär + lite svarta vinbär, hallon, blåbär, rabarber i bitar
4 dl vatten
1–2 msk socker
3 msk potatismjöl

Tid: 20 min

Mjölkskum istället för vispad grädde

2 dl lätt- eller skummjölk
  (med standardmjölk går
  det inte)
1 msk socker
1/2 tsk vaniljsocker

Tid: 1 tim + 10 min

Om man fryser 2 dl lättmjölk eller skummjölk till en halvfast massa kan mjölken vispas till ett gräddliknande skum av 6–8 dl volym! Elektrisk visp måste man dock ha och snabb i vändningarna måste man vara. Skummet har ingen längre tids hållbarhet så man får äta upp det omedelbart. Resultatet blir i alla fall en mycket mager produkt att servera istället för vispad grädde eller att använda som stomme till lättglass. Lättmjölk innehåller bara 0,5 % fetthalt medan vispgrädde innehåller 40 % och gräddfil 12 %.

Häll mjölken i en hög skål eller ett litermått. Ställ den i frysen så länge att mjölken blir ordentligt isig men inte helt stel. Vispa mjölken med elvisp på högsta hastighet, för vispen uppåt–nedåt och i sidled så att mesta möjliga mängd luft kan komma in. Tillsätt socker och vaniljsocker och servera skummet omedelbart till t ex konserverad frukt istället för vispad grädde eller frys skummet i små bägare till en enkel glass. Det är viktigt att skummet delas upp i åtminstone ett par mindre skålar, gärna iskylda, så att det fryser snabbt och inte hinner smälta ner till mjölk igen.

Variation: Man kan också blanda skummet med 1/2–1 dl vispad grädde till en "mager vispgrädde", fortfarande mycket magrare än vanlig grädde men givetvis något kaloririkare än bara skum. Detta skum blir i gengäld betydligt hållbarare, smälter inte ned lika fort som skum utan grädde. Och blir onekligen godare, ja, utmärkt gott.

Se bild på s 252.

"Svarta vinbär innehåller 4 ggr så mycket C-vitamin som apelsiner. Svarta vinbärsblad ännu mer!"

Boken "Örtagubbens 25 underbara läkeörter"

Ananaslättglass

 4 port

Blanda skum och väl avrunnen ananas med snabba tag. Tillsätt ev hårt vispad grädde. Häll smeten i en låg vid form och sätt genast in blandningen i frysutrymme så att den fryser snabbt.

Servera med en sesamkaka till. Sesamkakor – av sesamfrön och honung – finns i hälsokostbodarnas "godishylla". Härliga att tugga på, lite nya och spännande att överraska med.

1 sats mjölkskum
1 burk väl avrunnen
 krossad ananas
ev 1/2 dl vispgrädde

Tid: 2 tim

Apelsinlättglass

 4 port

Blanda skum och något upptinad juice direkt ur burken. Häll smeten i en låg, vid skål, helst iskyld och sätt omedelbart in blandningen i frysutrymme så att smeten snabbt fryser till.

Servera apelsinlättglass med en liten topp av vispad grädde och urkärnade gröna druvhalvor som garnering. Har du bråttom så servera en druvklase på tallriken till var och en istället.

1 sats mjölkskum
2 1/2–3 msk koncentrerad
 djupfryst apelsinjuice

Tid: 2 tim

Jordgubbslättglass

 4–5 port

Vispa drygt hälften av jordgubbarna till en tjockflytande sås med en elektrisk visp och tillsätt sockret. Blanda jordgubbssåsen med alldeles nygjort skum och ev uppvispad grädde. Häll smeten i en låg vid form och sätt genast in blandningen i frysutrymme så att den fryser till snabbt.

Servera glassen med hela jordgubbar som garnering.

1 liter jordgubbar
1/2 msk socker
1 sats mjölkskum
ev 1/2–1 dl vispgrädde

Tid: 2 tim

Lingonisglass

3 1/2 dl rårörda lingon,
  helst hemlagade
2 dl vatten
3 äggvitor
2 msk socker
1 dl vispgrädde

Tid: 2 + 2 tim

Lingon på detta vis är en mycket god och frisk dessert. Gräddklicken kan uteslutas men gör både smak och konsistens rundare och tar fram de fina smakämnena på sitt speciella vis.

Mosa lingonen med en träsked i en bunke så att de flesta är sönderdelade. Tillsätt vatten och frys lingonen till en halvfast massa 2–3 tim.

Vispa vitorna till riktigt fast skum – så länge att skålen kan vändas upp och ner utan att äggvispet rinner ur. Tillsätt sockret lite i taget under fortsatt vispning. Blanda sedan den frysta lingonmassan med äggvitevispet och frys massan igen, ca 2 tim. Rör om då och då så att isglassen blir jämnt fryst.

Skedas upp i portionsglas och garneras med vispgräddsklick och ev några hela lingon.

Servera lingonisglassen omedelbart.

Se bild på s 251.

Jordgubbskräm med sötningsmedel 4 port

1 kartong jordgubbar
4 dl vatten
2 1/2–3 msk potatismjöl
1–1 1/4 tsk strösötmedel
  (eller 1/2–3/4 dl socker)

Tid: 20 min

Om man helt vill utesluta socker, i t ex en bärkräm, kan man byta ut det mot strösötmedel. Jordgubbskrämen blir dock blekare i färg och får en viss onaturlig eftersmak. När krämen äts med mjölk blir eftersmaken inte så utpräglad, men lika gott som när man sötar med socker blir det inte. Strösötmedel är helt fritt från kolhydrater och ger praktiskt taget inga kalorier. Det är ca 10 ggr sötare än socker så dosera alltid ytterst varsamt.

Skölj ev jordgubbarna mycket hastigt och skär dem i 3–4 skivor eller halvor. Blanda jordgubbar, kallt vatten och potatismjöl och koka upp krämen under ständig omrörning. Låt den svalna och smaksätt sedan med sötningsmedel. Servera krämen kall med mjölk.

Yoghurtglass

 2–3 port

Billig, mager, frisk, fräsch och lite ny. Verkligt god! För barn i alla åldrar.

Blanda yoghurt och sylt. Häll blandningen i en skål och frys den i ca 2 tim. Rör ev om då och då.

Serveras något tinad precis som den är med en liten vispgräddsklick och/eller konserverad frukt eller djupfrysta bär.

3 dl naturell yoghurt
3/4–1 dl sylt t ex hallon,
blandsylt, jordgubbar

Tid: 2 tim

Fruktsallad med honungsfil

 4 port

Skala bananerna och skär dem i skivor. Skala ev äpplena och riv dem grovt. Blanda gräddfil, honung och ev vaniljsocker i en skål, tillsätt den skurna frukten och rör om väl. Servera salladen i portionsskålar, ev garnerad med några rostade mandelspån.

2 bananer
4 äpplen, helst fasta,
syrliga
2 dl gräddfil eller 1 dl
filmjölk + 1 dl gräddfil
1 msk flytande honung
ev 1/2 tsk vaniljsocker
ev 2 msk mandelspån

Tid: 15 min

Fruktsallad med svart vinbärsjuice

 2 port

Skala bananerna och skär dem i skivor. Skölj äpplena och skär dem i tärningar, kärnhuset behöver inte nödvändigtvis tas bort. Häll juicen över frukten och strö ev på russin eller nötter.

Servera fruktsalladen lagom sval, ej gärna iskyld, då aromen inte kommer fram så väl. Om du vill så toppa med lite filmjölk eller gräddfil. Det passar utmärkt och mildrar smaken på ett behagligt sätt.

2 bananer
2–3 äpplen eller päron
1–1 1/2 dl svart
vinbärsjuice
ev russin eller
hackade nötter
ev filmjölk eller gräddfil

Tid: 15 min

Fruktglaserad grahamskaka

Tårtbotten:

2 ägg
1 1/2 dl socker
rivet skal av 1 citron
1 tsk bakpulver
1 dl mjölk
100 g smält smör
1 1/2 dl grahamsmjöl
1 1/2 dl vetemjöl

Garnering:

1 burk mandarinklyftor
1 klase gröna vindruvor
3–4 msk röd vinbärsgelé

Sås:

2–3 dl gräddfil
2–3 msk honung

Tid: 1 tim 30 min

Vispa ägg och socker vitt och pösigt. Tillsätt citronskal, bakpulver, mjölk och smör och rör om väl. Tillsätt grahams- och vetemjöl och vispa smeten slät och klimpfri. Häll smeten i en rund form, klädd med smörgås- eller bakpapper, kakans kant blir då trivsamt ojämn. Eller häll smeten i en smord och bröad rund form. Grädda kakan i 175°C ugnsvärme ca 35 min. Låt kakan kallna eller garnera den redan efter 10–15 min och låt den sedan stå minst 5–6 tim innan den serveras.

Garnera tårtan så här: Lägg kakan på ett vackert fat och gör små hål med t ex provsticka. Droppa lite av mandarinspadet över hela kakan så att den blir saftig och god. Täck kanten med väl avrunna mandarinklyftor och urkärnade druvhalvor i ett prydligt mönster. Rör vinbärsgeléet så slätt som möjligt och täck fruktkakan med geléet.

Låt kakan stå minst i 5–6 tim på kall plats.

Rör samman gräddfil och honung.

Servera med gräddfilssåsen och ev ett glas portvin som dessert eller till kaffe eller te efter maten eller vid en mottagning.

Se bild på s 253.

Fruktsallad Ambrosia

Ⅴ 4 port

4 skivor ananas i ananas-
  juice
1 banan
2 apelsiner
1 äpple eller päron
ev några jordgubbar eller
  hallon
2 msk riven kokosnöt

Tid: 20 min

Skär ananasen i bitar och bananen i skivor. Skala apelsinen så att allt det vita går bort, se teckning s 249. Skär sedan apelsinen i skivor och därefter i bitar på en tallrik och blanda apelsinerna med ananas och banan. Skär bort kärnhuset på äpplet och skär frukten i tärningar. Blanda all frukt, häll på ananasspadet och strö riven kokosnöt över. Låt salladen stå kallt en god stund.

Apelsinsoppa

☑ 4 port

Blanda vatten och potatismjöl och låt det koka upp under omrörning. Tag av redningen från värmen så snart den kokat upp och tillsätt juice samt apelsinbitar. Låt soppan svalna och smaka av den med honung om den är för sur, annars med citron.

8 dl vatten
2 msk potatismjöl
3 dl apelsinjuice
2–3 apelsiner
ev lite honung eller
* socker eller citronsaft*

Tid: 20 min

Kornmjölsvåfflor med äppelrasp och maple syrup

☑ 9 st =9 port

Kornmjöl i våfflor ger en viss fin eftersmak, lite bitter, som är mycket tilltalande. Istället för söt sylt serveras ett friskare tilltugg av rårivet äpple och den i USA så populära lönnsirapen, maple syrup. Mycket gott!

2 1/2 dl iskallt vatten
2 dl kornmjöl
1 1/4 dl vetemjöl
2 krm salt
4 dl vispgrädde

Vispa samman vatten, kornmjöl, vetemjöl och salt till en slät smet. Blanda i hårt vispad grädde och rör om med lätt hand. Hetta upp våffeljärnet och pensla med lite smält matfett innan första våfflan gräddas. Häll på smet, ca 1 dl, och grädda våfflorna. Servera dem omedelbart eller lägg dem på bakgaller tills de ska serveras.

Äppelrasp och maple syrup

Skala morötterna och skölj äpplena. Riv både morötter och äpplen grovt, droppa över citronsaft och rör ner hackade nötter. Servera äppelraspet blandat med maple syrup eller servera var sak för sig.

4–5 morötter
3–4 äpplen
1 msk citronsaft
1 dl grovhackade hassel-
* nötter, ev rostade*
1 1/2–2 dl maple syrup

Variation: Istället för kornmjöl kan man ta grahamsmjöl. Ger också mycket goda våfflor.
  Se bild på s 264.

Tid: 45 min

Vinkokt persika med lättglass

5–6 persikor
2 dl billigt vitt vin
1/2 dl socker
1 citronskiva
1/2 pkt lättglass (2 1/2 dl)
1 msk flagad rostad mandel

Tid: 30 min

Skölj persikorna och halvera dem. Tag bort kärnorna men låt skalet vara kvar. Koka upp vin, socker och citronskiva och låt lagen sjuda utan lock i 10 min. Lägg i persikohalvorna och koka dem på svag värme ca 10 min eller tills de är mjuka men absolut inte sönderkokta. Tag upp persikorna och koka ihop lagen tills ungefär hälften återstår.

Lägg upp persikorna, ev i portionsglas och fördela lagen över dem. Toppa med lättglass som tinat något och lägg på rostad mandel.

Servera efterrätten omedelbart.

Variation: Istället för lättglass kan man lägga några skedblad fryst vitt vin på persikorna. Frys t ex 1/2–1/3 dl sött vitt vin (jag har provat att frysa Fragal med bra resultat). Vin-sorbeten skivar sig direkt och smakar friskt på persikorna.

Se bild till höger.

Frukt och keso är mycket gott

1 burk keso à 200 g
2 msk filmjölk
1/2 msk flytande honung
ev rivet skal av
  1/2 citron

**Välj något av frukt-
förslagen:**
• 8 persikohalvor
• 1/2 liter skivade jord-
  gubbar, hallon eller
  blåbär
• 8 skivor ananas i ananas-
  juice + ev 10–12 ros-
  tade hasselnötter

Tid: 15 min

Mycket mindre fett och mycket mer mättande är det att servera frukt + keso i stället för frukt + vispgrädde. Om du väljer att garnera med ananas, se till att du får den sort som ligger i ananasjuice och inte i söt sockerlag (heavy syrup).

Rör ut keson med filmjölk så att den blir smidig och inte så torr. Smaksätt den med honung och ev rivet citronskal. Lägg keson i mitten med frukt runt om. Strö på lite nötter om du har.

Färska persikor är ofta billiga på hösten. Prö-
va att koka in oskalade halvor i vitt vin och
servera som fin dessert med lite lättglass.
Vinkokt persika med lättglass, se s 262.

Kornmjölsvåfflor med äppelrasp och maple syrup låter väl gott? Och *är* gott. Kornmjölet ger en fin, aningen besk arom åt våfflorna och maple syrup är en ljuvlig tunn sirap som tap- pas från lönnträd i USA. En minimal klick vis- pad grädde gör inte våfflorna sämre — vågen får väl avgöra! Se recept s 261.

Ris à la Malta

Klassisk, god och mättande efterrätt efter t ex soppa eller fisk eller någon lätt grönrätt.

Välj något av fruktförslagen:

- 2 dl rårörda lingon eller blåbär, hallon eller vinbär
- 4–5 skivade apelsiner
- 8–10 persikohalvor, väl avrunna
- 2 dl avrunnen fruktcocktail blandad med 2 grovhackade äpplen eller päron och 1 banan
- hallon och blåbär blandat

Koka riset i vatten och salt på svag värme i 30 min. Häll av ev överflödigt vatten och häll upp riset i en skål. Vispa grädden tjock och rör ner den i riset när det är kallt. Smaksätt med honung och dekorera skålen med frukt eller bär i grupper eller ränder.

1 1/2 dl avorioris
5 dl vatten
1 kryddmått salt
1 dl vispgrädde
1 msk flytande honung

Tid: 1 tim

Luftlätta bakelser

Ⅴ   1 port

Lägg riskakan på assiett och lägg väl avrunnen ananas ovanpå. Fyll hålet med gräddfil, smaksatt med lite honung och garnera ev bakelsen så att den ser ännu godare ut.

1 riskaka (hälsobod)
1 skiva osötad ananas
1 msk gräddfil + en aning
* honung*

Till garnering:
några vindruvor eller
ett par cocktailbär eller
1 tsk sojamaltpulver

Tid: 5 min

"Användningen av honung garanterar ett långt och lyckligt liv."

Hippokrates, läkekonstens fader
omkr 400 f Kr

Smörgåsar

Smörgåsar – såväl varma som kalla – är alltid mycket omtyckta att bjuda på men kan vara förrädiska att äta när man vill leva smalt. Mycket smör under ett fett pålägg kan bli rena "kaloribomben" utan att det egentligen märks (inte förrän på vågen någon tid efter). Smörgåsar är nästan alltid farligt goda och mättar inte så mycket, och innan man vet ordet av har man ätit både två och tre och kanske ännu fler! Av gammal vana och för att det är så gott, utan att man egentligen är så rysligt hungrig. Ja, inte sant?

Men visst kan man göra smörgåsar som inte är så kaloririka och se till att de alltid serveras med rikligt med grönsaker m m till. På det viset blir de istället *utmärkt mat* som går fort att laga och som i många fall är en fullvärdig måltid till lunch eller på kvällen med en kopp te eller buljong eller en tunn soppa.

Brödet väljer vi helst av något helkornsbröd, gärna knäckebröd eller hembakat och endast i största undantagsfall sötat. "Ju mer du själv väger desto mindre bör brödskivorna väga", men uteslut inte brödet helt. Det ger rikligt med protein, mineraler och vitaminer och är så gott att tugga på. Viktigt för både kropp och själ! Bröd ingår i basmaten som ger den stabila grund vi bygger den dagliga maten på. Antingen vi måste leva smalt eller banta.

Smöret kan vara smör, lättmargarin (40 % fetthalt), bregott (smör blandat med sojaolja) eller annat margarin. Viktigt är att man *tar lite,* 5 g = 1 tsk är den rekommenderade mängden per brödbit, (eller 30 g vanligt matfett, ej lättmargarin, sammanlagt per dag vid vanlig kost, 20 g vid bantning). Man kan också med fördel ibland byta ut smöret mot ett tunt lager mager smältost eller lättmajonnäs. Till vissa pålägg, t ex keso, kaviar och tartex, som är bredbara, utesluter man matfettet helt.

Pålägget väljer man så magert som möjligt. Se upp med

ost som ofta är lika fet som korv och medvurst. (Helfet ost, s k 45+ innehåller 27 % fett per 100 g – vanlig falukorv ca 24 %!) Exempel på bra magra pålägg är keso, räkor, musslor, kokt fisk, böckling och sill, torskrom, ägg, hamburgerkött, rökt renkött, grillad kyckling, mesost, mager smältost m m.

Garneringen får utgöras främst av grönsaker. Och gärna i så rikliga mängder att de inte får plats på smörgåsen utan serveras bredvid. Sallad, tomater, gurka, rädisor, champinjoner, fänkål, en liten klyfta vitkål, paprika, lök i ringar eller hackad, rivna rotfrukter såsom morötter och färskt kryddgrönt räcker länge att variera med. Viktigt är alltså att de serveras i *riklig* mängd.

Smörgåslunch   V

Guldgul majskolv med en liten smörklick och aningen salt, ev vitlökssalt, grov knäckebrödssmörgås med smältost (matfett utesluts), paprika och persilja samt ett glas lättmjölk. Se där en snabblagad, mättande och utmärkt god lunch när man vill leva extra smalt och/eller vegetariskt. Komplettera med ännu en smörgås om du "har plats" för det eller lite råa grönsaker som är mättande och gott att tugga på.

Se bild på s 274.

Smörgås med mesost   V

Mesost och rå lök är väldigt gott ihop! Lär ha ätits av Ove Waerland varje dag till lunchens dignande råkosttallrik.

Bred smöret på brödet, täck med mesost och garnera med lök och persilja.

Se bild på s 273.

grovt helkornsbröd, mjukt eller hårt
5 g smör eller t ex lätt-margarin
2–3 skivor getmesost
hackad gul lök
hackad persilja

Smörgås utan bröd

vitkålsblad
några skivor getmesost
finriven morot
ev hackad gul lök eller
 gräslök

Ja, riktig smörgås blir det naturligtvis inte utan bröd, om man är riktigt noggrann. Men en bra och betydligt magrare variant på smörgås när bröd blir för mäktigt.

Lägg vitkålsbladet platt och täck det med mesost, riven morot och gärna någon sorts lök. Rulla ihop och ät omedelbart eller stick i en provsticka så att bladet inte rullar upp sig.

Se bild på s 273.

Variation: Vitkålsblad + skivad getmesost + hackad gul eller röd lök.

Vitkålsblad + bredbar smältost + klippt gräslök + dill + persilja.

Smörgås med keso på flera sätt

knäckebröd eller mjukt
 helkornsbröd
lite smör eller lätt-
 margarin, 1 tsk = 5 g
gurka eller tomatskivor
ca 1/2 dl keso
salt eller kryddsalt t ex
 Herbamare
2–3 ansjovisfiléer eller
 spritsad kaviar
purjoringar eller klippt
 gräslök

Keso är ett mycket magert (ca 3 % fetthalt) och bra pålägg, en s k färskostmassa. Keson är dock mycket neutral i smaken (för att inte säga smaklös) och kräver en krydda eller ett tillbehör som har lite kraftigare smak för att uppskattas av de allra flesta. Keso är härligt mättande (ca 12 % proteinhalt) och kan ätas i ganska så rejäla mängder. Skönt när man är hungrig och behöver gå ner i vikt.

Bred matfett på brödet och täck med gurkskivor. Lägg på keso och strö en aning salt över. Garnera med ansjovis och purjo. Se bild på s 273.

Variation: Mosa 2–3 msk keso med en liten bit ädelost, ca 1 msk. Bred på gott bröd och garnera med skivade rädisor eller strimlad blekselleri. Lägg keso på mjukt tunnbröd, täck med tunna gurkskivor och strö lite salt och paprika samt gärna kummin över. Rulla ihop.

Smörgås med tartex och paprika

Tartex är en härlig pastej gjord av sojabönor. Smakar som den finaste leverpastej men är alltså helt vegetarisk. Finns med flera smaksättningar och i flera förpackningsstorlekar. Nackdel: pastejen är ganska fet och det vegetabiliska fettet som ingår är av typ mättat fett (palmkärneolja). Intensiva experiment pågår dock för att komma fram till en annan fettsammansättning.

Bred ev lite matfett på brödet och sedan tartexpastej. Lägg på grönsaker och persilja, en fin kvist eller grovhackad. Den hackade äts vanligen upp lättare även av dem som är motståndare till "kaninmat".
Se bild på s 273.

helkornsbröd
ev lite smör eller lätt-
  margarin, 1 tsk = 5 g
tartexpastej, ca 2 msk
några skivor paprika eller
  gurka, tomat, mung-
  bönor, rädisor osv
persilja eller grönkål

Helkornssmörgås med skaldjurssallad

Skär upp brödet som gärna kan vara av en porös typ. Täck med tomatskivor och pressa ner dem i brödet med en gaffel. Blanda i en skål hackat ägg, avrunna musslor eller räkor och ev lök om du gör smörgåsar med musslor. Tillsätt majonnäs, filmjölk och skuren dill. Rör om kraftigt så att salladen blir smidig och håller ihop väl. Lägg salladen på smörgåsen och stick ner citronklyftan.

mjukt helkornsbröd
1 tomat
1 kokt ägg
1/2 dl musslor i vatten
  eller räkor
ev 1 msk hackad gul lök
1/2 msk lättmajonnäs
1 msk filmjölk
dill
citronklyfta

Riskakor med ost

Luftiga, frasiga och mycket goda osötade kakor av rostat ris finns i hälsobodarna. Passar med både salt och sött pålägg som t ex ost och paprika, marmelad och som "bakelse" med t ex ananasring och liten klick gräddfil eller vispgrädde. Roliga och fräscha som omväxling.

Smörgås med frukt $\boxed{V}$

mjukt helkornsbröd
lite smör eller lätt-
  margarin, 1 tsk = 5 g
äpple, banan, apelsin
ev druvor eller russin
ev hackade nötter eller
  mandel
liten klick gräddfil,
  1/2–1 msk

I våra grannländer Danmark och Norge använder man ofta frukt som enda pålägg på smörgåsar och det är ju egentligen en utmärkt idé. Här lägger vi väl ofta kött under – t ex kokt skinka + fruktmajonnäs och får en liknande effekt. Men bara frukt är både magrare, billigare och friskare.

Bred lite matfett på brödet och lägg på skivad frukt. Garnera ev med halverade, urkärnade druvor och/eller hackade nötter. Toppa med gräddfil.

Smörgås med kaviar och potatis

knäckebröd eller mjukt
  helkornsbröd
lite smör eller lätt-
  margarin, 1 tsk = 5 g
1 tomat i skivor
1 kokt potatis i skivor
kaviar eller 1 böckling i
  filéer
dill
citronklyfta

Bred matfett på brödet och täck smörgåsen med tomat och potatis i skivor. Spritsa kaviar över och garnera med dill och citron.
Se bild på s 273.

Gratinerad ostsmörgås

1 skiva grahamsbröd
1 tsk lättmajonnäs
lite riven pepparrot
ev 1 tomat
2–3 skivor ost, t ex
  herrgårdsost, cheddar
  eller emmentaler

Täck brödskivan med majonnäs och pepparrot. Lägg ev på en skiva tomat och osten. Gratinera i 275°C ugnsvärme eller under grill tills osten är het, har smält och fått lite färg.

Gratinerad smörgås med skinka och tomat

Bred lite god, ej för söt, senap på brödet och lägg på tomatskivor. Lägg på purjolöksskivor och kokt skinka i skivor eller strimlor. Täck med osten och gratinera i 275°C ugnsvärme ca 8 min.

1 skiva grahamsbröd
1 tsk senap
1 tomat
1 bit skivad purjolök
50–75 g kokt skinka
  (fettkant bortskuren)
2 msk riven ost, t ex
  herrgårds- eller
  cheddarost

Vitlöksbröd

 4 port

Halvera brödet på längden och skär det i bitar, men så att det ändå hänger ihop. Rör smöret mjukt med krossad vitlök och rätt mycket persilja. Bred vitlökssmöret på brödet och lägg det på folie eller plåt. Gratinera i 250°C ugnsvärme ca 8 min.

Serveras varmt till soppor eller sallader.

1/2 bröd bakat av
1/4 sats krossvetebröd,
  se recept s 287, eller
  1/2 köpt franska med
  vallmofrön
50 g smör
1 klyfta vitlök
hackad persilja

"Matbrödet spelar en viktig roll i kampen mot tandsjukdomarna. Särskilt bra är bröd som är hårdtuggat, antingen det är mjukt eller hårt. Speciellt viktigt är det att äta bröd till maten när denna är mycket lättuggad. Brytbrödet till soppan ger inte bara näringsmässigt bra komplement – det är också ett sätt att ge tänderna arbete som befordrar deras hälsa."

Livsmedelskonsult Anne-Marie Ekman

Baka något gott och nyttigt

Bakar gör vi gärna, både stora och små, och gärna tillsammans. Via t ex matbrödsbak kan alla få det rätta intresset för gott och nyttigt helkornsbröd, bröd utan socker och med tuggriktig konsistens. Har man väl vant sig vid "riktigt bröd" är det svårt att acceptera söta limpor, degigt vetebröd med pärlsocker eller söt fyllning eller "forna tiders" småkakor av nästan enbart fett och socker. Det tar inte särskilt lång tid förrän man föredrar bröd och kakor av den typ som du får recept på i det här kapitlet.

I matbröden finns inget sötningsmedel, i vetebröd och kakor kan man inte helt utesluta sådant för då är det ju inte vetebröd eller kakor längre. Men mängderna är avsevärt lägre och ibland är sockret utbytt mot torkad frukt och mjölet är inte längre rent vetemjöl utan delvis ersatt med grahamsmjöl. Detta ger mycket godare och även nyttigare vetebröd och kakor med mer fibrer, mineraler och vitaminer. Om man inte räknar med arbetstiden är det också mycket lönsamt att baka hemma. Grovt räknat får du 2 hembakade limpor för samma pris som 1 köpt.

Helkornsbröd

Helkornsbröd ska det heta i fortsättningen där vi förut sagt fullkornsbröd (av tyskans "Vollkornbrot"). Det bröd man köper ska vara bakat på minst hälften sammalet mjöl för att få kallas helkornsbröd. Hela korn behöver däremot inte ingå. Grahamsmjöl och rågmjöl är helkornsmjöl dvs mjöl där både kärna, grodd och skal finns med. Helkornsmjöl kan vara mer eller mindre finmalt. Det är lika nyttigt för det. Olika malningsgrader är intressanta ur receptsynpunkt och för att ge omväxling åt brödbaket. Prova t ex mjöl från Saltå kvarn (i hälsokostaffären). Det är grövre och biodynamiskt odlat. Kliet i mjölet är osmältbart men är ändå mycket betydelsefullt. Det ger nämligen fin motion åt tarmen, underlättar peristaltiken (tarmens rörelser) så

Smörgåsar är omtyckt mat och det med all rätt också ur näringssynpunkt, bara det är brödet som dominerar och pålägget är magert. Brödet till vardags väljer vi väl helst grovt. Det smakar bättre och gör mer nytta med sin höga fiberhalt. Något grönt hör också till. Observera "smörgås utan bröd" där vi har tagit ett saftigt vitkålsblad i stället för en mjuk tunnbrödskaka, se s 268.

"Smörgåslunch" är gott, kalorisnålt och lätt-
lagat – knäckebröd med mager smältost,
varm majskolv med en aning smör och mjölk.
Med bredbart smörgåspålägg är det lätt att
utesluta matfettet. Till de andra pålägggen får
man ta så lite som möjligt, bara så att pålägg-
get inte glider av.

Något nytt i bakväg är alltid stimulerande för
alla som gillar att baka. Tunnbröd på dalavis,
se s 281, extra tungt fruktbröd, se s 279, hirs-
bullar, se s 280, kikärtsbröd, se s 284, och
sesammuffins, se s 289, är några av bokens
goda förslag.

Äppelbullar med sesamfrön, se s 292, ameri-
kansk citronfläta, se s 283, fikontoppar, se s
291, och australiska delikatessaprikoser är
nya goda saker att servera till eftermiddagens
örtte eller kaffe. Men bara en sort i taget – de

sju kakornas tid är för längesedan förbi! Kaka
med god smak av muskotblomma är under-
bar, se s 291, liksom grahamsskorpor med *lite*
smör och skivad banan. Nötkakorna är grövre
än du är van vid, se s 292.

att man slipper gå med "hård mage", en lika vanlig som obehaglig åkomma som man bör göra någonting åt och inte vänja sig vid.

Och här är alltså klidelarna en utmärkt hjälp tillsammans med råkost, filmjölk och daglig motion.

Fibrerna hämmar järnet

Det finns en sak som är negativ beträffande helkornsbröd och det är att fibrerna i skaldelarna hämmar järnupptagningen. (Här är forskarna dock inte helt eniga ännu.) Vi får alltså inte i oss fullt så mycket järn som vi tror när vi äter helkornsbröd! Därför kan man då och då äta vitt bröd, där vetemjölet är järnberikat och detta bröd kan tom räknas som en god järnkälla. I många brödsorter ingår en blandning av både vetemjöl och helkornsmjöl, detta för att brödet ska bli poröst och gott. Och bakar man bröd med lång jästid bildas en surare miljö i degen vilket gör att järnet hämmas något mindre av fibrerna som ingår. Bäst är därför att växla om med olika brödsorter och det gör man väl gärna också av smakskäl.

Kumminbröd

$\boxed{V}$ 2–3 st

Smula ner jästen i en bunke. Häll på fingervarmt vatten, ca 37°C, och rör ut jästen till en jämn smet. Tillsätt salt, grovstött kummin, honung, mosade potatisar och det mesta av vetemjölet. Arbeta samman degen med kraftiga tag så att den blir blank och seg. Låt degen jäsa ca 2 tim eller till ungefär dubbel storlek.

Tag upp degen på bakbordet, knåda den väl och dela den i 2–3 bitar. Forma dessa till avlånga släta limpor och lägg dem i bakpappersklädda bakformar. Låt bröden jäsa på varm plats ca 30 min. Grädda dem i 225°C ugnsvärme ca 30 min.

Låt bröden svalna under bakduk.

25 g jäst
5 dl vatten
1 tsk salt
1 msk kummin
1 msk honung eller mörk
  sirap
2 kokta potatisar
14–16 dl vetemjöl

Tid: 3 tim

Surdegsbröd

3 stora bröd

Inget snabbröd precis men ändå inte så tidskrävande. Härligt gott bröd med lätt syrlig smak. I surdegen finns mikroorganismer som växer och får brödet att höja sig samtidigt som de ger karaktäristisk smak.

25 g jäst
6 dl vatten
2 tsk honung eller sirap
6 dl mjöl

Gör först en surdegskultur:

Smula ner jästen i en bunke, tillsätt varmt vatten och rör om väl. Tillsätt honung och någon mjölsort. Rör om väl och ställ smeten övertäckt i kylskåpet i 5–6 dagar. Rör om varje dag. Kan förvaras flera veckor.

3 dl surdeg
1 liter grahamsmjöl eller
t ex lantvetemjöl
8 dl vatten

På kvällen:

Blanda surdeg, grahamsmjöl och vatten till en tjock smet. Slå den kraftigt så att den blir smidig. Låt smeten stå övertäckt på sval plats till nästa dag.

1 dl solrosfröolja
3 tsk salt
ca 14–15 dl mjöl, t ex vete-
mjöl eller grahamsmjöl
eller hälften vetemjöl +
hälften rågmjöl
1 msk grovt krossade kryd-
dor kummin, anis eller
fänkål
ev 1 dl hela linfrön

Tid: 6 dygn + 4 tim

På morgonen:

Tag undan 2–2 1/2 dl av surdegen och spara den på svalt ställe till nästa gång du bakar. Även om surdegen torkar går den bra att använda. Man hackar bara sönder den, häller på vatten och låter den stå minst 1 dag.

Blanda resten av surdegen med olja, salt och någon mjölsort. Tillsätt också kryddor och gärna linfrön, som är goda att tugga på. Arbeta degen riktigt väl, tag sedan upp den på mjölat bakbord. Knåda degen 4–5 min, tillsätt mer mjöl om det behövs för att få form på den. Denna deg brukar vara lite lösare och klibbigare än andra matbrödsdegar. Dela degen i tre lika stora bitar och forma dessa till limpor. Lägg dem i bakpappersklädda formar (1 1/2 l).

Skär ev långa snitt med en riktigt vass kniv eller rakblad. Låt bröden jäsa långsamt 1–2 timmar på ej för varm plats. Grädda dem sedan i 200°C ugnsvärme ca 1 tim och 15 min.

Låt bröden vila i plastpåse eller folie minst 1 dag innan du skär upp dem.

278 Baka något gott och nyttigt

Extra tungt fruktbröd

Ett mellanting mellan matbröd och tekaka. Hållbart, inte så sött och bra för magen med den torkade frukten. Lite smör på skivorna lockar fram den fylliga smaken på sitt speciella sätt.

Blanda samman rågmjöl, vetemjöl, bikarbonat och bakpulver. Tillsätt russin, fikon, dadlar och hasselnötskärnor. Hur man rostar hasselnötskärnor står på s 314. Rör om väl så att all frukt blir mjölig och tillsätt så filmjölk, honung och soja. Rör om så att allt blir väl blandat. Lägg smeten i en smord och bröad form eller en smord teflonklädd form. Grädda i 150°C ugnsvärme ca 1 tim eller tills kakan lossnar från formen och har fått fin färg. Låt kakan kallna och förvara den gärna några dagar innan du skär upp den.
Se bild på s 275.

5 dl rågmjöl
2 dl vetemjöl
1 1/2 tsk bikarbonat
2 tsk bakpulver
2 dl russin
2 dl grovt skurna fikon
1 dl grovt skurna dadlar
1 1/2 dl rostade hasselnöts-
 kärnor
5 dl filmjölk
1 dl flytande honung
2 msk äkta soja, t ex
 tamari

Tid: 1 tim 30 min

Brytbröd

 20 st

Smula ner jästen i en bunke, häll på fingervarmt vatten, ca 37°C, och rör ut jästen. Tillsätt salt och ev anis eller fänkål och största delen av mjölet. Arbeta degen blank och slät, tag upp den på bakbordet och arbeta den ytterligare en stund. Ha hela tiden rejält med mjöl på ytan men arbeta inte in mer vetemjöl än precis nödvändigt. Dela degen i 20 lika stora bitar. Forma dem till jämna och släta bullar, lägg dem på en väl mjölad hörna av bakbänken. Låt dem jäsa 15–20 min. Platta sedan till bullarna och rulla ihop dem, lägg dem på väl smord eller bakpappersklädd plåt och forma dem till lätt böjda gifflar. Grädda brytbröden genast (utan ännu en jäsning) i 250°C ugnsvärme 10–12 min. Låt bröden svalna utan bakduk så att ytan håller sig knaprig.
Servera ev utan smör till sallad eller soppa men med en god ost till.

50 g jäst
4 dl vatten
1 tsk salt
ev 1 tsk anis och/eller
 fänkål
10–11 dl vetemjöl

Tid: 1 tim 30 min

Hirsbullar

25 g jäst
2 1/2 dl mjölk
1/2 tsk salt
2 msk olja, t ex solrosolja
1 1/2 dl mald eller stött hirs
4 1/2–5 dl vetemjöl

Till pensling:

mjölk eller uppvispat ägg
hirs

Tid: 2 tim

Hirs är ett urgammalt asiatiskt sädesslag med små korn och mild fin smak. Dess järnhalt ligger på 6,8 mg/100 g och är därmed vårt mest järnrika sädesslag. Dessa bullar är alltså inte bara goda och lite speciella att tugga på, de ger också extra mycket järn. Bra i detta land där var femte kvinna har en klart uttalad järnbrist och där många säkert skulle må mycket bättre om de åt en järnrikare kost.

Ett roligt bröd att växla om med.

Smula ner jästen i en bunke. Häll på mjölken, uppvärmd till ca 37°C (fingervarmt) och rör ut jästen. Tillsätt salt, olja, finstött hirs och största delen av vetemjölet. Arbeta degen blank och smidig och låt den jäsa 15–30 min under bakduk.

Tag upp degen på bakbord och tillsätt mer mjöl. Arbeta degen kraftigt så att den blir seg och släpper bakbordet. Dela degen i 16 bitar och forma dem till runda eller avlånga bullar, små flätor eller tumbullar eller vad du känner mest för. Huvudsaken är att du har lite roligt medan du jobbar!

Lägg bröden på smord eller bakpappersklädd plåt och jäs dem väl på varm plats ca 30 min. Pensla med mjölk eller ägg och strö på lite hirs.

Grädda bröden i 250°C ugnsvärme ca 8 min.

Se bild på s 275.

"Vissa fiberämnen tycks bilda speciella komplex tillsammans med fettkomponenter i födan. Därigenom minskar kroppens totala upptag av fett. I sin tur motverkar detta den tendens till kärlsjukdomar, inklusive dylika i hjärtats kranskärl, som kan skyllas, åtminstone delvis, på visst fett i kosten."

Docent Wilhelm Graf

Tunnbröd på dalavis

Med potatis och kornmjöl kan man baka härligt tunn-
bröd. Från trakterna kring Siljan kommer idén till det
här underbara brödet. Där bakades brödet med vinter-
potatis men när jag skulle prova att baka själv gick
sådan inte att få tag i varför jag provade att utgå från
potatismos istället. Med utmärkt resultat. I Dalarna
hade man förstås också stenugn – jag fick nöja mig med
pannkakslaggen.

Tillaga potatismos enligt förpackningens text med vat-
ten, salt, mjölk och matfett. Arbeta moset riktigt slätt
och fint. Tillsätt kornmjöl och arbeta in det väl. Dela
upp degen i lagom stora bitar och kavla ut dem till
runda kakor med lätt hand på väl mjölat underlag.
Degen är kort och spröd så tag det lugnt vid kavlingen.
Det gör dock ingenting alls om degkakorna blir lite
trasiga i kanten.

Grädda kakorna i väl upphettad pannkakslagg ca 2
min på var sida på varm spisplatta (ej i ugn). Får kallna
på galler. Förvaras torrt.

Se bild på s 275.

Variation: Byt ut potatismoset mot 4 dl kokt, saltad
potatis blandad med 1/2 dl mjölk och 1 1/2 msk smör
eller margarin.

1 påse potatismos för 3
 port
3 1/4 dl vatten
1/2 tsk salt
2 dl mjölk
1 1/2 msk smör eller
 margarin
9–10 dl kornmjöl, gärna
 från Saltå kvarn
lite vetemjöl till utbakning

Tid: 2 tim

"I kli finns vissa ämnen – fytater – som kan ha en
negativ inverkan på organismens förmåga att ta upp en
del salter (=mineralämnen) bl a järn från födan. Och
eftersom bröd är en av våra viktigaste järnkällor skulle
det kunna få allvarliga konsekvenser för vissa konsu-
mentgrupper om järntillförseln från bröd reducerades i
påtaglig grad. Därför rekommenderar man idag bröd av
alla sorter, både fint och grovt, både mjukt och hårt och
av både vete och råg. Då får du garanti för att få ut det
mesta och bästa möjliga av brödets värdefulla egenska-
per."

Livsmedelskonsult Anne-Marie Ekman

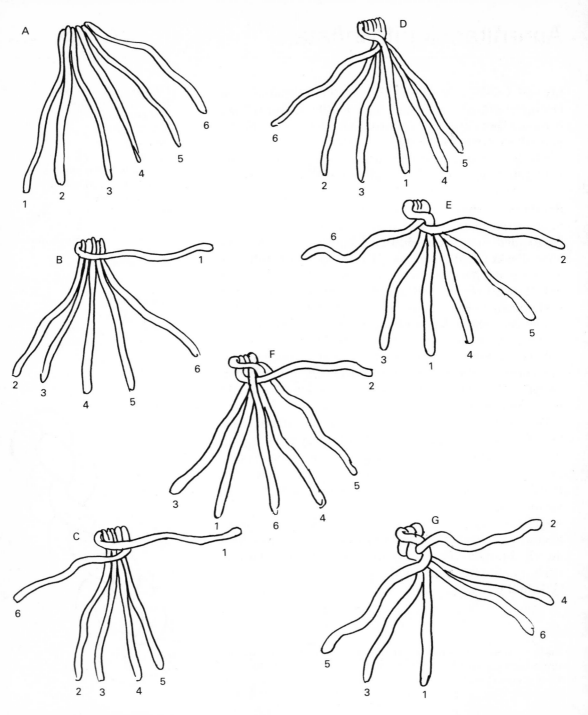

Amerikansk citronfläta

Mycket vacker och mycket god vetelängd, flätad av 6 strängar! Utan citronglasyr kan brödet serveras med lite smör som extra gott frukostbröd, med glasyr blir det gott till te, örtte eller kaffe.

Hur man flätar med 6 strängar syns på motstående sida. Lite knepigt i början – men roligt när man lyckas.

Smula ner jästen i en bunke. Smält smöret och tillsätt mjölken, värm degspadet till 37°C (fingervarmt). Om du bakar med olja räcker det att värma mjölken och hälla oljan direkt i degbunken när jästen är upplöst. Häll lite av degspadet över jästen och rör om så att den löser sig helt. Tillsätt resten av degspadet, ägg, salt, honung och grahamsmjöl och rör om väl. Tillsätt största delen vetemjöl och arbeta degen riktigt smidig och glansig. Låt degen jäsa minst 15 min, men gärna 45 min eller till dubbel storlek. Tillsätt russin, hackat citronskal och muskotnöt och arbeta in detta i degen. Tag upp degen på mjölat bakbord och knåda den en god stund. Använd inte mer vetemjöl än nödvändigt.

Dela upp degen i sex lika stora bitar och rulla ut varje bit till ca 80 cm längd. Fläta enligt teckningen och lägg den stora flätan snett över en smord eller bakpappersklädd plåt. Låt brödet jäsa på varm plats i 25–30 min. Pensla med uppvispat ägg och grädda i 200°C ugnsvärme ca 25 min. Låt brödet svalna under bakduk.

Glasera ev med en glasyr av florsocker, rivet citronskal och så mycket pressad citronsaft eller vatten som du vill ha. Glasyren kan vara tunnflytande eller lite tjockare allt efter egen smak.

Se bild på s 276.

25 g jäst
75–100 g smör eller
 solrosfröolja
2 1/2 dl mjölk
1 ägg
1 tsk salt
2–3 msk honung eller sirap
3 dl grahamsmjöl
4–5 dl vetemjöl
1 dl russin
1 msk hackat citronskal
1–1 1/2 tsk riven muskotnöt

Till pensling:

1 ägg

Till ev glasyr:

1 dl florsocker
rivet skal av 1/2 citron
citronsaft eller vatten

Tid: 2 tim

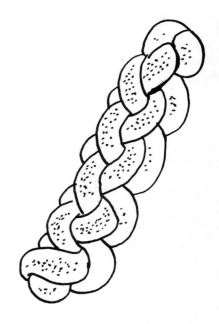

Fläta med sex degsträngar är inte så enkelt men det ger ett underbart vackert bröd. Och omväxling förnöjer ju som bekant. Degen kan förstås bakas ut i annan form om du inte vill fläta med sex!

Kikärtsbröd

50 g jäst
50 g smör eller margarin
5 dl mjölk
2 tsk salt
3 dl kikärtsmjöl
1 ägg
ca 12 dl vetemjöl

Ev till garnering:
1 uppvispat ägg eller 1 dl
mjölk
1 dl kokta kikärter

Tid: 2 tim

Kikärtsmjöl ger ett sammetslent ljuvligt gult bröd med fin ärtsmak. Låter väl gott? Och det är gott! Kikärtsbröd syns på bilden på s 275 där jag bakat ut degen både som runda kakor och som bullar, några dekorerade med hela, kokta kikärter.

Smula ner jästen i en bunke. Smält matfettet, tillsätt mjölken och låt degspadet bli 37°C (fingervarmt). Häll lite av degspadet över jästen och rör ut den väl. Tillsätt resten av degspadet, salt, kikärtsmjöl och ägg samt största delen av vetemjölet. Arbeta degen slät och klimpfri och slå den kraftigt en stund. Låt degen jäsa under bakduk ca 30 min. Tag sedan upp den på mjölat bakbord och tillsätt så mycket vetemjöl som behövs för att degen ska bli lätt att hantera. Dela degen till fyra kakor eller fyrtio bullar och forma dem. Om du vill garnera bullarna med kokta kikärter så stick ner dem nu. Lägg bröden på smord eller bakpappersklädd plåt och låt dem jäsa ca 30 min på varm plats. Pensla ev med uppvispat ägg eller mjölk och grädda brödet.
    Grädda runda kakor i 200°C ugnsvärme i 15–20 min.
    Grädda bullar i 250°C ugnsvärme i ca 8 min.
    Låt brödet svalna under bakduk.

"Halmbröd – kan det vara något att berika vårt brödsortiment med? Husdjur får mag- och tarmrubbningar på grund av för liten eller ingen halminblandning i fodret. Varför skulle inte detta gälla också för människan? Godare än vanligt blev det i alla fall tyckte hela familjen i alla åldrar från 2 år och uppåt, när det traditionella hembaksreceptet utdrygades med en näve 5–10 mm skuren vetehalm!"

Leg läk Ingemar Fogdestam
Risshov, Danmark

Surskorpor

Påminner om de finska tunna knäckebrödsorter som vi importerar. Mycket goda med smör som tar fram smaken på sitt speciella sätt.

På kvällen:

Skålla den första degen och låt den vila 10–12 tim. Häll bara mjölet i en skål och slå på det kokande vattnet, rör ihop till en deg och låt den stå övertäckt med t ex gladpack så att den inte torkar.

Nästa dag:

Smula sönder jästen och blanda med vattnet som ska vara 37°C (fingervarmt). Tillsätt smält, avsvalnat matfett, salt, ev stött kummin och hälften av mjölet. Rör om och tillsätt den skållade degen samt resten av grahamsmjölet. Arbeta degen kraftigt så att den blir jämn och slät och låt den jäsa på varm plats i ca 45 min.

Tag upp degen på bakbord och knåda den riktigt väl. Dela degen mitt itu och forma den till två släta längder. Rulla dem i lite grahamsmjöl och lägg längderna på osmord plåt. Låt dem jäsa ca 30 min på varm plats eller tills bröden börjar få sprickor i degen.

Grädda bröden i 200°C ugnsvärme ca 40 min. Låt dem kallna.

Skär bröden i så tunna skivor som möjligt och lägg dem på osmorda plåtar. Rosta-torka dem i 125°C ugnsvärme i 45 min.

Som sagt – mycket goda skorpor.

3 dl grovt rågmjöl (gärna från hälsobod)
3 dl kokande vatten

50 g jäst
4 dl vatten
100 g margarin eller smör eller 1 dl matolja
1 msk salt
ev 1 1/2 tsk stött kummin
ca 1,3 liter grahamsmjöl (gärna från hälsobod)

Tid: 12 + 3 tim

"Många som har problem med vikten minskar alltför mycket på matbrödet. De borde äta mera bröd och i stället mindre av annat. En bantare får ofta bekymmer med att hålla magen igång. Helkornsbrödet har där en väsentlig funktion att fylla."

Professor Ivar Werner, Uppsala

Hirskakor

2 dl hirs
5 1/2 dl vatten
50 g jäst
50 g margarin, smör eller
 olja
4 dl lättmjölk
2 tsk salt
6 dl grahamsmjöl
1 dl vetekli
4–5 dl vetemjöl
ev 2 tsk stött anis + fänkål

Tid: 2 tim

Den järnrika hirsen kan också användas i bakning, om man först kokar hirsgrynen en stund. Ger inte bara ett näringsmässigt rikt bröd utan också ett utmärkt gott bröd, extra trevligt att tugga på tack vare de små hirskornen.

Koka hirsgrynen i vatten i 12–15 min och låt sedan blandningen svalna. Smula ner jästen i en bunke. Smält matfettet och tillsätt mjölk och låt blandningen bli fingervarm, ca 37°C. Häll lite av degspadet i bunken och rör ut jästen till en jämn smet. Tillsätt hirsgröten, resten av degspadet, salt, grahamsmjöl och vetekli och arbeta degen jämn och slät. Tillsätt också vetemjölet och arbeta degen kraftigt i 4–5 min. Smaksätt ev med anis och fänkål. Låt degen jäsa väl, minst 15 min, men gärna 30–60 min. Tag upp degen på bakbord och arbeta den väl. Dela degen i 3 lika stora bitar och forma dem till runda bullar eller avlånga limpor. Lägg bullarna på 2 bakpappersklädda plåtar och platta till dem med hand eller kavel. Nagga gärna med en gaffel och ställ sedan bröden att jäsa på varm plats ca 35 min. Grädda i 225°C ugnsvärme ca 25 min.
  Låt bröden svalna övertäckta av bakduk.

"Bröd som framställes efter avskiljande av kli är mer närande men laxerar sämre."

Hippokrates, omkr 400 f Kr

När man ska dela något, t ex en deg, i jämna bitar är det enklast att göra så här: forma degen till en jämn rulle och dela den på mitten. Dela därefter varje deghalva på mitten och slutligen varje degbit i två eller tre bitar. Enklare att göra än att skriva om!

Krossvetebröd

Smula ner jästen i en bunke. Smält matfettet, tillsätt vatten och värm degspadet till fingervarmt, ca 37°C. Häll lite spad över jästen och rör om så att jästen löser sig. Tillsätt resten av degspadet, salt och vetekorn. Tillsätt det mesta av vetemjölet, slå degen kraftigt och arbeta den riktigt blank och seg. Låt degen jäsa under bakduk minst 15 min eller till dubbel storlek på varm plats. Tag upp degen på bakbord och tillsätt så mycket mjöl som behövs för att få en lagom fast deg som inte klibbar. Dela degen i 2–3 bitar och forma den till avlånga eller runda bröd. Gör några snitt på snedden till ett enkelt mönster. Lägg de avlånga bröden i smord bakform så att de blir höga och fina, de runda på bakpappersklädda plåtar. Jäs bröden väl på varm plats ca 30 min och grädda dem i 225°C ugnsvärme ca 30 min. Låt bröden svalna under bakduk om du vill ha mjuk skorpa, annars utan.

Underbart gott att rosta.

50 g jäst
50 g smör eller margarin
5 dl vatten
1 1/2 tsk salt

1 1/2 dl krossade vetekorn
13–14 dl vetemjöl

Tid: 2 tim

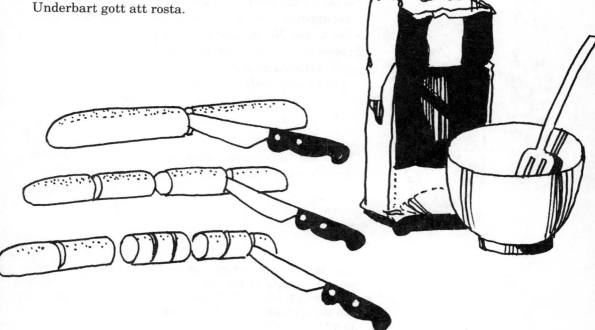

Banankaka

2 ägg
1 dl solrosfröolja
1 dl honung
rivet skal av 1 citron
4–5 bananer, väl mogna
1 tsk bakpulver
1 1/2 dl russin
1 dl grovhackade hassel-
  nötter
5 dl grahamsmjöl eller
  3 dl grahamsmjöl +
  2 dl vetemjöl

Tid: 1 tim 30 min

Det här är en mycket god och hållbar kaka av ameri-
kanskt ursprung. Den är kraftig och tung och ska skä-
ras i tunna skivor.

Vispa upp äggen till skum och tillsätt olja, honung och
rivet citronskal. Mosa bananerna med en gaffel på en
tallrik och blanda ner bananmoset i äggsmeten. Tillsätt
sedan bakpulver, russin, nötter och grahamsmjöl. Rör
om väl och häll smeten i smord och bröad bakform.
  Grädda kakan i 175°C ugnsvärme ca 50 min.
  Stjälp upp kakan efter 5 min och förvara den sedan
svalt.

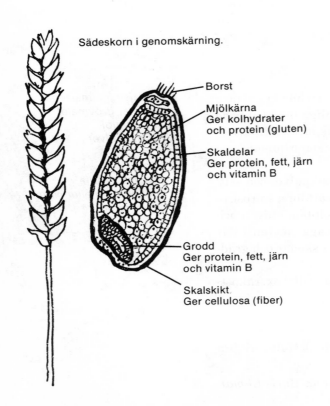

Sädeskorn i genomskärning.

Borst

Mjölkärna
Ger kolhydrater
och protein (gluten)

Skaldelar
Ger protein, fett, järn
och vitamin B

Grodd
Ger protein, fett, järn
och vitamin B

Skalskikt.
Ger cellulosa (fiber)

Sesammuffins

20 st

Mycket goda muffins med sesampasta som ny och viktig ingrediens. Serveras varma med lite smör till örtte. Gärna med skivat äpple att äta till. Det passar så fint till de lite kompakta bullarna.

Blanda grahamsmjöl, bakpulver, salt och majsmjöl i en skål. Vispa äggen porösa och tillsätt honung. Vispa blandningen en stund, tillsätt därefter sesampasta och mjölk och rör om väl. Tillsätt mjölblandningen och rör allt till en jämn smet. Fördela smeten i muffinsformar, placerade på en plåt, och grädda dem i 200°C ugnsvärme 12–15 min.
Se bild på s 275.

2 1/2 dl grahamsmjöl
3 tsk bakpulver
1/2 tsk salt
1 dl majsmjöl (t ex maizena)
2 ägg
1/2 dl honung
1 dl sesampasta (Tahin,
 gjord av rostade
 malda sesamfrön)
2 dl mjölk

Tid: 45 min

Majsmuffins

24 st

Kort, grynig konsistens, god smak och en härlig gul färg är utmärkande för dessa muffins, vanliga bröd till både lunch och middag i USA. Kan kryddas med chilipulver, oregano eller mejram om man är på sådant humör.

Blanda i en skål majsmjöl, vetemjöl, bakpulver och salt. Vispa upp ägget i en annan skål. Tillsätt först solrosfröolja, honung och mjölk och sedan mjölblandningen och rör samman allt till en jämn smet. Lägg smeten i lätt oljade muffinsformar med hjälp av två skedar och grädda i 225°C ugnsvärme ca 15 min.
Serveras avsvalnade med lite smör till t ex råkostsallad eller en mustig soppa.

3 dl majsmjöl, maizena
 eller mer grovmalet
2 dl vetemjöl
2 tsk bakpulver
1/2 tsk salt
1 ägg
1 dl solrosfröolja
1/2 dl honung eller sirap
3 1/2 dl mjölk

Tid: 45 min

"Brödets kalorier är inte tomma – de är fulla av bra näring."
Livsmedelskonsult Anne-Marie Ekman

Kaka till kaffet på nyttigare sätt

En slät kopp kaffe med rätt mycket mjölk i eller en kopp örtte med en tesked honung är ofta tillräckligt för att sätta fart på livsandarna igen. Men inte alltid. Ibland är det gott med något att tugga på också. Då tycker jag att följande tilltugg är härligt goda och betydligt nyttigare än traditionella kakor och chokladbitar.

- 1 delikatessaprikos dvs en särskild sorts aprikos från Australien. Fantastisk god. Finns i hälsobodar. Syns på kakfatet på bild på s 276.
- 1 delikatesspäron. Nyhet.
- 1 fikon, gärna osvavlat, också från hälsobod.
- några russin.
- 1 äpple, ev skuret i skivor med ett stänk av kanel över. Eller $^1/_2$ banan.
- grahamsskorpa med lite smör och skivat äpple eller några urkärnade druvor. Prova gärna Saltå grahamsskorpor. De är behagligt grova att tugga på.
- grahamsskorpa med lite smör och god honung.
- grahamsskorpa med lite smör och skivad banan – mycket gott.

Se bild på s 276.

Sesamkex

$\boxed{\text{V}}$ 40 st

3 dl grahamsmjöl
2 dl vatten
100 g smör eller margarin
1 dl sesamfrö
1 dl vetegroddar
1 dl sojamjöl

Tid: 1 tim 30 min

Sesamfrön ger härlig arom och trevligt utseende åt dessa goda kex som man kan servera i stället för söta kakor.

Blanda grahamsmjöl och vatten och låt det stå i 10–15 min. Smält matfettet och låt det svalna något innan det hälls i mjölblandningen och tillsätt också sesamfrö, vetegroddar och sojamjöl. Rör samman alla ingredienser till en fast deg. Ställ degen på kall plats några timmar.

Kavla ut degen tunt på mjölat bakbord och tag ut runda kex med mått. Lägg dem på smord eller bakpappersklädd plåt och pricka dem med t ex en gaffel.

Grädda kexen i 225°C ugnsvärme ca 10 min eller tills de fått vacker färg.

Fikontoppar

Hacka fikonen och blanda dem med riven mandelmassa och mjukt smör. Tillsätt skorpmjöl och äggvita och arbeta smeten så jämn och slät som möjligt. Forma smeten till toppar och ställ dem på t ex en plåt. Smält blockchokladen på svag värme eller i vattenbad och pensla den på fikontopparna.

Förvara kakorna i kylskåpet.

Dessa kakor ska alltså inte gräddas i ugn.

Se bild på s 276.

250 g fikon
200 g mandelmassa
50 g smör
2 dl skorpmjöl, helst
  okryddat och osötat
2 msk äggvita
50 g blockchoklad

Tid: 45 min

Kaka med smak av muskotblomma

En mjuk kaka med annorlunda smak tack vare riven muskotblomma. Rekommenderas! Muskotblomman är ingen blomma utan ett mjukt hölje som sitter runt muskotnöten. Båda dessa kryddor får vi alltså från samma träd, muskotträdet. De ser helt olika ut men smaken är ganska snarlik. Muskot var en av Cajsa Wargs favoritkryddor. En av mina också. Skaffa gärna ett litet rivjärn för muskot – det finns ett par olika sorter i handeln.

Rör smöret vitt och pösigt med vaniljsocker, muskotblomma och socker. Blanda samman vetemjöl, maizenamjöl, salt och bakpulver och sikta ev mjölblandningen. Vispa upp äggen väl och tillsätt mjölblandningen till det rörda smöret växelvis med äggsmeten. Rör allt till en jämn och klimpfri smet. Häll smeten i en smord och bröad form eller i en osmord teflonform. Grädda kakan i 175°C ugnsvärme ca 40 min. Låt kakan svalna i formen, stjälp sedan upp den på galler att kallna.

Se bild på s 276.

100 g smör
1 tsk vaniljsocker
1/2 tsk finriven eller mald
  muskotblomma
2 1/2 dl socker
3 dl vetemjöl
1 dl maizenamjöl
1/2 tsk salt
2 tsk bakpulver
2 ägg
1/2 dl mjölk

Tid: 1 tim 15 min

Äppelbullar med sesamfrön

50 g jäst
4 dl vatten
1 dl filmjölk
1/2 dl solrosolja eller
 smält smör
1/2 dl flytande honung
 eller 3/4 dl socker
1 tsk mald kardemumma
1 ägg
3 dl grahamsmjöl
ca 1 l vetemjöl
15 små eller 8 större
 äpplen
1/2 tsk kanel
2 msk socker

Till pensling:

1 uppvispat ägg
1–2 msk sesamfrö

Tid: 2 tim

Mycket goda bullar med 1/4–1/2 äpple som fyllning. Perfekt mellanmålsbulle för barn och vuxna (som inte bantar) med mjölk respektive kaffe eller örtte.

Smula ner jästen i en bunke och häll på fingervarmt vatten (37°C). Rör jästen klimpfri och tillsätt filmjölk, matfett, honung, kardemumma och ägg. Rör väl, tillsätt grahamsmjöl och största delen vetemjöl och arbeta degen riktigt kraftigt så att den blir blank, seg och smidig. Låt degen jäsa 15–30 min.
 Tag upp degen på mjölat bakbord, arbeta den väl och tillsätt mer mjöl. Dela degen i två bitar och kavla ut den till en tunn kaka. Sporra ut fyrkantiga bitar och lägg 1/2 eller 1/4 äpple på varje. Äpplena kan vara sköljda, men ingenting utom stjälken ska tas bort. Skal och kärnhus kan med fördel vara kvar. Blanda ihop kanel och socker och strö lite på varje äppelbit. Vik upp degen över äpplet så att det täcks väl.
 Lägg bullarna på smord plåt och låt dem jäsa i ca 30 min på varm plats. Pensla med uppvispat ägg, strö på sesamfrö och grädda bullarna i 225°C ugnsvärme ca 12 min.
 Se bild på s 276.

Nötkakor

100 g smör
1 dl socker eller brun farin
2 ägg
125 g malda nötkärnor
 (2 dl)
3/4 dl rågmjöl
1 dl vetemjöl

Till garnering:

40 nötkärnor

Tid: 45 min

Rör smör och socker vitt och pösigt och tillsätt äggen under fortsatt omrörning. Blanda ner de malda nötkärnorna, råg- och vetemjöl. Klicka ut kakor på bakpapperslädd plåt och garnera med en nöt på varje kaka.
 Grädda kakorna i 200°C ugnsvärme ca 10 min.
 Se bild på s 276.

Lägg in av överflödet

Den trygga bondmoran inom en väcks alltid till liv framåt sensommar och höst. Obevekligt och pockande känner man tvånget att ta tillvara och spara av naturens sköna bär, frukter och grönsaker m m för kommande behov. För att det är gott och nyttigt, ibland billigt eller t o m gratis.

Allt efter tid, smak, råd och möjligheter väljer vi att konservera vad som passar vårt eget hushåll. Tänk på att inte lägga in större mängder än som är lagom för 8–10 månader. Näringsvärdet sjunker alltid så sakteliga under lagring och smaken försämras också. Dessutom är det ju skönt med ett andrum ur smakhänseende – det är behagligt att gå och längta efter allt det färska som komma skall. Allt smakar ju så mycket bättre när det var längesedan det serverades.

Ju mindre socker desto bättre

Vi mår inte bra av att äta sötade livsmedel, ju mindre sådana man äter desto bättre. Socker kallas ibland för "kalk- och B-vitamintjuv", d v s det "rövar bort" dessa näringsämnen från kroppen. Dessutom stör det insulinbildningen, förstör tänder och medverkar vid hjärt- och kärlsjukdomar. Men socker har en fin egenskap förutom att det i måttliga mängder ger omtyckt smak och det är dess konserverande verkan. Det är den vi utnyttjar vid konservering av frukt och bär. Socker försvårar för bakterier, mögel och jästsvampar att leva. Ju sötare desto bättre hållbarhet. I största möjliga utsträckning ska vi äta frukt och bär *naturella* utan tillsats av socker, honung m m. Men *överflödet* vill vi ju ta vara på och då måste vi ibland tillsätta socker. I gengäld får vi tänka på att inte äta så mycket eller så ofta av de sötade inläggningarna, vara lite restriktiva, inte minst mot de ömtåliga barnen. Vid viktminskning bör sötade produkter endast förekomma i undantagsfall.

Vanligt socker är billigast att söta med. Fruktsocker är inte bättre, det är dyrare och förstör tänderna precis som vanligt socker enligt undersökningar från Åbo. Farinsocker likaså. Det är snarare sämre än vitt socker eftersom det är mindre rent. Sorbitol – syntetiskt socker – har ingen konserverande verkan och kan därför inte användas i detta sammanhang. Honung kan användas när man rårör bär, tex lingon. Det är dyrt så man tar inte gärna så mycket, trots att det inte sötar så påtagligt som socker. Men det är ju samtidigt en fördel.

Ju snarare och radikalare vi vänjer oss av med att äta sötade livsmedel desto bättre kommer vi att må, framför allt på lång sikt.

Konserveringsmedel

Konserveringsmedel vill vi gärna utesluta om det går. Ju mindre tillsatser desto bättre men det finns gränser för hur lite man kan tillsätta eller var det kan uteslutas helt. Följ gärna recepten först och pröva hur konserverna håller sig i just dina förvaringsutrymmen. Och minska sedan allteftersom det går, från år till år.

Lingon och hjortron innehåller naturligt konserveringsmedel och håller sig alltså även helt utan socker på sval plats. Om du *fryser in* sylt och bär behövs heller inte socker eller konserveringsmedel. Bären håller sig bra ändå, men det blir trots allt lite godare om de sockras helt lätt. Aromen accentueras bättre. Lämpligt och praktiskt är att frysa in bär eller sylt m m i ganska små förpackningar så att de går åt inom 2–3 veckor.

Mängden konserveringsmedel som behövs beror på förvaringsutrymmet och mängden socker. En riktigt söt sylt är hållbar länge i skafferi också utan konserveringsmedel – men är knappast god och absolut inte nyttig. Så det gäller att hitta ett bra recept med lite socker + lite konserveringsmedel om du inte djupfryser sylten. Man kan också öka hållbarheten genom att skumma väl vid kokningen. Då tar man bort smuts och skräp och den grogrund som jästsvamparna trivs så bra i och som gör att de får konserverna att jäsa och mögla. Väl rengjorda och varma förvaringskärl är också av stor betydelse. Man kan med fördel skölja ur dem med lite natriumbensoat upplöst i vatten. Viktigt är också att fylla förpackningarna ända upp. Paraffinera behöver man också göra om förvaringsutrymmet inte är tillräckligt svalt. Gärna först i ett tunt lager och när det har kallnat i ytterligare ett lager så att det blir riktigt tätt. Bästa förvaringsutrymmet, näst efter frysutrymme, är en sval källare. En gammaldags matkällare med en temperatur av + 2°C till + 10°C är idealet. Dagens små svalskåp inspirerar inte precis till att samla i ladorna. De är löjligt små och borde inte få vara ett acceptabelt alternativ i nybyggda hus i bostäder för mer än en person. Överlägset bäst är alltså frys, ju större desto bättre. Har man en stor frys kan man verkligen ladda upp under sommar och höst – och sedan må bra hela året!

Kokt lingonsylt

[V]

I Finland smaksätter man ibland lingonsylt med vaniljstång. Mycket gott blir det men den sylten är endast lämplig som tillbehör till söta maträtter så gör inte bara sådan sylt!

1 kg lingon
2 dl vatten
1–5 dl socker
ev 1 vaniljstång

Skölj lingonen i kallt vatten. Ta upp de bär som flyter och låt dem rinna av väl i ett durkslag. Har du mycket bär och/eller inte bryr dig om ifall ett eller annat blad eller fult bär kommer med så uteslut rensningen. (Det gör jag numera!) Om du vill rensa så gör så här: Lägg en fuktad väl urvriden handduk kant i kant med en bänkyta eller ett bord. Lägg lingon, lite i taget på handduken. Håll en bunke nedanför kanten och för ner de fina bären där. Plocka bort de fula och skölj handduken allteftersom den blir smutsig.

De bär som sjunkit till botten vid sköljningen kan kokas till en enkel vardagssylt som bör ätas upp omgående.

Koka lingonen i vatten under lock i 15 min, tillsätt socker och rör om väl. Skumma sylten och smaksätt ev med vaniljstång. Häll upp sylten i väl rengjord kruka och förvara den kallt.

Rårörda lingon

1 kg lingon
1–5 dl socker – eller inget
alls eller tag honung istäl-
let för socker

Väldigt friskt och gott är det med rårörda lingon. Speciellt till mjölk och flingor, risgrynsgröt, m fl grötsorter, mjölkdrinkar, lingonsorbet, till grova plättar och pannkakor osv. Så planera för en stor sats! Jag brukar frysa in ca 1 kg råa lingon, orensade och osköljda, direkt i plastpåsar och så ta fram alleftersom tiden går. På så sätt har vi alltid nylagade lingon i kylskåpet. Det känns så fint! En hel låda lingon kan vara ett lagom köp i en 4–6 personsfamilj. Allra roligast och billigast är förstås att plocka bären själv – då får man frisk luft och fin motion på köpet. Kan det vara bättre?

Förbered lingonen – se kokt lingonsylt. Blanda bär och socker och rör-stöt tills bären mosat sig någorlunda och sockret är helt upplöst. Många säger att man ska röra lingonen flera timmar med det gör jag aldrig. 10–15 min tycker jag brukar vara lagom. (Sen vill man göra något annat, inte sant?) Så om lingon rårörda i flera timmar blir godare vet jag inte, men jag kan aldrig tänka mig att det är så.

Tips: Blanda ut lingonen med äppelmos – både gott och billigare i många fall.

Örtkryddor

Om du odlar örtkryddor så är de enklast att förvara torkade, i buketter och alleftersom de torkar söndersmulade i burkar. Hänger de framme i köket blir de snabbt alltför dammiga. Har du plats i frysen så låt gärna en del kryddörter hålla sig fräscha där. Det är alltid det allra bästa.

Brännässla

Den fantastiska brännässlan är en växt som man absolut vill ta vara på när man väl fått smak för den. I en liten bok som heter "Örtagubbens 25 underbara läkeörter" tillskrivs den många goda egenskaper såsom blodrenande, bra mot eksem, värdefull mot njur- och blåslidande och blodstillande. Mängden mineralämnen är mycket stor. Nässlan innehåller såväl kalium som kalk, fosfor, svavel, magnesium och rikligt med järn. Av vitaminer har den framför allt vitamin A och C. Nog är det roligt att något så nyttigt dessutom är så underbart gott! Så plocka.

Torka nässlor så här: Klipp av nässlorna, ca 10 cm brukar vara lagom och lägg dem i ett lager på rent papper på t ex en luftig vind. Efter några dagar är de torra och kan läggas i en papperspåse, ev med några lufthål i. De torkade bladen finfördelas och strös över filmjölk och flingor som extra energitillskott eller läggs i vatten några timmar och anrättas till nässelsoppa.

Varm dryck av nässelblad blir en mineralrik dryck att växla om med i stället för te och kaffe.

Frys in nässlor så här: Klipp av nässlorna 8–10 cm från toppen och skölj dem i kallt vatten ett par gånger. Lägg dem i en gryta, salta helt lätt och koka nässlorna 6–8 min under lock. Hacka dem i grytan med en slev med rak kant om du har bråttom eller tag upp nässlorna och hacka dem lite finare på skärbräda.

Fördela nässlorna med sitt spad i lagom stora burkar för stuvning, soppa eller gratänger. Frys in nässlorna.

"Visa män har även från uråldriga tider förstått vilken betydelse en del örter har för människans hälsa, och de har sökt lära andra vad de själva har funnit. Redan för över 2000 år sedan namngav läkekonstens fader Hippokrates mer än 2000 helbrägdagörande örter i sina böcker."

Boken "Örtagubbens 25 underbara läkeörter"

Svarta vinbär och röda

Rårörda svarta och röda vinbär hör till något av det absolut fräschaste man kan äta till filmjölk och müsli. Fina att tugga på, underbara i färg och de svarta sjusärdeles C-vitaminrika (180 mg/100 g svarta vinbär, 30 mg/100 g röda vinbär). Frys gärna in vinbärsklasarna utan att repa dem om du har bråttom i sensommarvärmen. Blanda ungefär 3 delar röda vinbär med 1 del svarta, det är en god blandning antingen du sedan äter dem rårörda eller gör kräm av dem. Pressa ut så mycket luft som möjligt ur förpackningen och frys vinbären.

När du ska använda dem: Tina vinbären någon timme eller tills de är ungefär halvtinade och skölj dem eventuellt. Repa bären från skaften direkt ner i en skål. Tillsätt lite socker eller honung och stöt eller mosa bären till ett grovt mos, precis som rårörda lingon. Smaka av med mer socker om du tycker att det behövs. Eftersom vinbär har tjockare skal än lingon blir detta mos kraftigare att tugga på men det är ju bara bra och behagligt, eller hur?

Rårörda vinbär är också friskt och gott på glass och keso eller i mjölkdrink som man kör i mixer.

Nyponmos

Att plocka och rensa nypon är lite tidsödande men trivsamt när man behöver avkoppling. Undvik dock nypon som växer nära trafikerade vägar.

Plocka väl mogna nypon och rensa bort fnas och alla kärnor inuti. Använd t ex en liten kaffesked att ta bort kärnorna med. Skölj de rensade nyponhalvorna i kallt vatten. Koka dem sedan mjuka i vatten 5–10 min, mal dem och koka dem med lite socker eller honung till mos. Frys in om du gör stora mängder.

Moset används som marmelad på helkornsbröd eller goda grova skorpor, till pannkakor, nyponsoppa eller kräm.

Äppelmos à la Waerland

Ett härligt, mos, som ger bra tuggmotstånd och med fin smak tack vare både kärnor och skal. Mitt favoritmos sedan jag provat det. Ekonomiskt dessutom, dels därför att hela äpplet kan användas, dels därför att det går mycket fortare att laga. Inga maskiner eller redskap behövs utom gryta och slev till kokningen förstås.

2 kg obesprutade äpplen
1/2–1 dl vatten
1/2–1 dl socker eller
* honung*

Skölj äpplena och skär dem i rätt stora bitar. Tag bort skaft och ev fula delar. Lägg äpplena i en gryta och häll på vatten. Koka äpplena under lock i 10–15 min så att de blir mjuka och rör om då och då. Tillsätt socker, ju mindre desto bättre och koka moset med sockret i 3–4 min.

Frys in i förpackningar lagom stora så att moset går åt inom 12–14 dagar. Förvaras under tiden i kylskåp, annars möglar det eftersom det är så lite sött och är helt utan konserveringsmedel.

Tips: Har du mycket äpplen att ta hand om kanske den här idén blir användbar: Skär skalade eller oskalade äpplen i klyftor och frys in dem utlagda på t ex en plåt. Lägg dem så snart de är genomfrysta i plastpåsar så blir de lätta att ta ut i lämpliga mängder. Dessa äpplen tar visserligen mer plats än äppelmos men blir "som färska" i t ex kräm, paj osv.

"Att vara frisk är något mycket subjektivt. Det är svårt att bevisa i vetenskaplig mening. Människor kan känna sig friska men ha sjukdomsanlag som inte hunnit utvecklas. En människa kan också vara utomordentligt åderförkalkad eller ha nedsatt funktion i lever och njurar men ändå känna sig fullt frisk. Att regelbundet fastande personer skulle vara friskare än andra finns det inga belägg för. Däremot kan det vara ett rimligt antagande."

Professor Olof Lindahl, Linköping

Chutney

1kg plommon, fasta
  äpplen, gröna tomater
  eller krusbär
2 dl russin
3 gula lökar
2 gröna paprikor
3 dl äppelcidervinäger
1 dl brun farin
2 tsk salt
1 tsk mald ingefära
1 tsk cayennepeppar
3 klyftor vitlök

Chutney är en stark, fyllig inläggning som kan bestå av plommon, äpplen, tomater eller krusbär som grundprodukt. Gott som tillbehör till grillat, kokt och stekt kött, höns, grönsaker m m. Finns på glasflaskor om du inte vill laga själv, då ofta med mangofrukt som huvudingrediens. Chutney är ett indieninspirerat tillbehör.

Halvera plommonen och tag ur kärnorna, hacka russin, lök och paprika grovt. Koka upp vinäger, socker, salt, ingefära, cayennepeppar och krossad vitlök och lägg i plommon, russin, lökhack och paprika.
   Koka chutneyn ca 30 min med lock och därefter utan lock till lagom tjockflytande konsistens. Smaka av om du vill ha starkare smak, sötare eller kanske syrligare.

Surgurkor

75 stora västeråsgurkor
rikligt med blad av körs-
  bär och svarta vinbär
5–6 dillkronor
1/2 dl dragonört
10 lagerblad
1 dl pepparrot i tärningar
2 msk kryddpeppar
2 msk nejlikor
30 g havssalt

Av mjölksyrejästa grönsaker finns det många sorter att välja på i hälsokostboden. De har mycket god och mild smak och påverkar matsmältningen på ett fördelaktigt sätt. Lägg gärna en sådan här surgurka eller en liten hög surkål på dagens råkosttallrik.

Skölj gurkorna och borsta dem helt lätt om de är sandiga. Lägg dem i kallt vatten ett dygn. Tag upp dem och låt dem rinna av. Varva gurkorna i en stenkruka med körsbärsblad och svarta vinbärsblad, dillkronor och en blandning av dragonört, krossade lagerblad, skalad pepparrot i små tärningar, grovstött kryddpeppar och grovstötta nejlikor. Packa gurkorna tätt och fast.
   Koka en lag av havssalt och 1 liter vatten och häll den het över gurkorna. Lägg på en linneduk och sedan ett fat med sten e d som tyngd. Ställ krukan i en källare till jäsning. Tvätta duk, fat och sten i enbart vatten var fjortonde dag. Gurkorna är färdiga efter ca 4 veckor.

Rabarberkompott med variation

Rabarber är en vanlig och trivsam trädgårdsväxt men i mångas tycke väl syrlig som enda ingrediens. Om den blandas med t ex äpple, morötter eller jordgubbar så blir den betydligt mer njutbar och man behöver heller inte ta så mycket socker.

Skölj frukten och skär rabarbern i bitar, jordgubbarna i skivor och lägg allt i en gryta. Om du blandar rabarbern med äpplen och morötter så råriv dessa, äpplena helst med skal. Koka rabarbern i vattnet under lock i 5 min på svag värme. Tillsätt sedan jordgubbar eller äpplen och morötter och koka kompotten i 15–20 min. Tillsätt socker och koka utan lock i 15 min eller längre till lagom konsistens. Skumma då och då. Häll upp i små burkar och frys in kompotten. Eller väg fruktmassan och rör ut bensoat i lite av kompotten. Tillsätt sedan bensoatblandningen till hela kompotten och häll upp på burkar. Låt kompotten kallna och täck med ett tunt lager paraffin. Häll sedan på ännu ett lager så att det blir helt lufttätt i kanten. Bind över burkarna.

500 g rabarber
500 g jordgubbar eller
250 g äpplen + 250 g
morötter
3 dl vatten
3 dl socker eller mer efter smak
ev 1 1/2 kryddmått bensoat per kg färdig kompott

Drinkar med tilltugg

Att ordna med mat för gäster hör väl till det roligaste som finns! Att i tankarna planera vad som ska förtäras är enormt stimulerande, inte sant? Det är så många faktorer som ska stämma att det alltid är spännande att se vad man kan åstadkomma för att göra bjudningen så trivsam som möjligt. I alla fall vad maten beträffar!

Alltid lika bra att börja en bjudning med är en fräsch drink och något gott att äta till. Det passar lika bra om man bara är 2 personer eller 20, om man vill dricka något med alkohol eller utan och om man vill kosta på 10:– kronor eller 100:–. Dessutom är det så roligt att göra iordning! Kan klaras av utan större besvär om man har bråttom eller arrangeras ytterst elegant och tidsmässigt påkostat, om man är på sådant humör.

Gör man en stor cocktailbricka med många sorters tilltugg, se t ex bagna cauda, behöver man inte någon entrérätt till middagen. Gör man ett ännu större bord med många slags tilltugg kan man helt utesluta middagen och bara servera någon rolig soppa eller en fylld omelett lite senare på kvällen. Allt beroende på tillfället, årstiden, tiden man har till förfogande för att arrangera festen m m. Hur som helst, fräscha drinkar med härligt tilltugg är alltid en stimulerande upptakt till en bjudning.

Förrädiska kalorier

För alla som måste vakta på kilona är det viktigt att också tänka på vad man dricker. Många drycker är nog så kaloririka och därmed förrädiska. Vatten, te och kaffe utan socker eller grädde ger inga kalorier alls, ramlösa och liknande inte heller. Men ett glas på bara 2 dl öl klass IIA ger 62 kalorier och 2 dl mjölkchoklad ger hela 195 kalorier! När man bara behöver 1500–2000 kalorier per dag drar alltså dessa drycker mer än man kanske tror!

Drycker, 1 dl=10 cl	kcal	kJ
apelsinjuice	35	147
brännvin, renat	224	941
gin	239	1004
konjak	226	946
likör	370	1554
läskedrycker	42	176
rödvin	67	281
sherry	127	532
vin, alkoholfritt	23	97
vitt vin	79	331
whisky	239	1004
äppeljuice	47	197
öl, lättöl	26	109
öl, pilsner, klass II A	31	130
öl, starköl	48	202

Nytt och spännande

Drink à la Silvia, se s 307, eller annan vindrink, se nedan.

Juice, en eller två sorter, t ex tomatjuice och ananasjuice eller svart vinbärsjuice och äppelmust.

- Rostade sojabönor, se s 315, eller kikärter, se s 315, eller kryddsnacks, se s 319.

- Rostade, osaltade cashewnötter, se s 314.

- Helkornsbröd eller knäckebröd med tartex och paprika.

- Blekselleri med jordnötssmör, se s 320, eller mumsbitar à la Smögen, se s 317.

- Skål med diverse råa grönsaker t ex blomkål, gurka, morotsstavar, paprikabitar, fänkål eller rädisor.

Magert och mättande

Aprikosnektar eller grapefruktjuice med isbitar och ev några droppar gin/vodka.

- Stort fat med sköna grönsaker i mängd: blomkålsbuketter, tomathalvor eller små hela tomater, rädisor eller skivad rättika, hela champinjoner, blekselleribitar, tjocka gurkskivor.
- Skål i mitten på fatet med antingen skalade räkor eller musslor på pinne tillsammans med en bit mager ost. Ev mager dipsås därtill, se s 318.

Drink med ramlösa och lime, se s 308, eller vitt vin och ramlösa, se s 308.

Gurkskivor, tjocka (istället för bröd) med goda saker på, t ex:

- räkor + dill + pinne
- spritsad kaviartopp
- liten ostbit eller en klick keso + kryddsalt + pinne
- liten sked tartex eller leverpastej + pinne
- liten bit rullad rökt skinka + pinne
- skål med rädisor, morotsbitar och ev kålrabbi eller blomkål.

Välj gärna annorlunda juicer

Apelsinjuice är alltid gott men har ju blivit så vanlig som dryck numera. Till ett cocktailparty kan det därför vara roligt att bjuda på någonting annat. Välj då t ex

- aprikosnektar
- grapefruktjuice
- tomatjuice
- äppelmust
- ananasjuice
- svart vinbärsjuice
- V-8 juice
- limejuice

Med spansk touche

Sangria, se s 313, eller mousserande vitt vin.

- Oliver, gärna både gröna och svarta.
- Rullade sardeller på små tomathalvor + pinne.
- Rostade mandlar, se s 314.
- Salta kex med tonfiskmajonnäs, se s 320.
- Pizza Mallorquin, se s 319.
- Fruktskål med årstidens frukt och druvor.

Elegant, bara för två

Drink à la Silvia, se s 307.

- Minikrustader med gräddfil + löjrom eller röd stenbitskaviar (på burk).
- Oliver, svarta, helst grekiska (i plåtburk) eller marinerade amerikanska, se s 317.
- Ostbitar + gurkbitar på pinne, t ex bulgarisk fårost eller lagrad vit svensk getost.

Mousserande vitt vin eller någon alkoholfri drink, se nedan.

Helkornsbröd skurna till sandwiches med t ex:
- räkor + majonnäs + dill
- lax + pepparrot i smöret
- tartexpastej + grön oliv.
- Rostade, osaltade cashewnötter, se s 314.
- Blandade grönsaker, t ex blomkålsbuketter, gurkskivor, cocktailtomater och hela råa champinjoner.

Champagne.

- Gåslever på pumpernickel, salladsblad.
- Macadamianötter (världens godaste nöt?).

Litet cocktailparty

Juice, ev alkoholfritt vin.

Vindrinkar eller bål i vacker skål eller rött och vitt vin, ramlösa och läskedrycker så att var och en kan blanda själv.

Ev sprit t ex gin och whisky.

- Gröna och/eller svarta oliver, jordnötsbågar (utan färg- och konserveringsmedel).
- Stort fat med råa grönsaker (se recept Bagna cauda s 316 och välj 3–5 sorters grönsaker där).
- Dipsås till grönsakerna, se s 318.
- Ägghalvor med kaviartopp + dill
- Mumsbit à la Smögen, se s 317 eller Minikrustader med smältost, gärna varma, se s 313 eller Salta, spröda, läckra kex se s 315.

Stort cocktailparty

Välj samma drycker och tilltugg som till "litet cocktailparty", se ovan, men öka något på mängden av tilltugget och ha ev fler sorter. Räkna med att alla ska kunna äta sig ganska så mätta. En god skaldjurssallad, en varm pizza eller svamppaj kan komplettera de många "småsakerna".

Kaffe och en liten kaka för dem som dröjer sig kvar lite över "the long cocktailhour".

Drink à la Silvia

1 glas

Komponerad på vårt kungapars bröllopsdag!
Är verkligen festlig och god utan att vara så stark!

Häll vin och pommac i ett vackert vinglas. Lägg i jord-
gubbar och isbitar. Se bild på s 310.

1 dl vitt vin, torrt eller halv-
torrt
1 dl pommac, kall
2–3 jordgubbar, gärna
frysta
isbitar

Tomatjuice, men stark

1 glas

Häll ca 1 1/2 dl tomatjuice i ett glas, salta med några
korn och droppa 2–5 droppar tabasco i. Rör om och
servera med citronskiva och isbitar i glaset

Frysta bär som isbitar

Rolig idé: Frys jordgubbar, stora vindruvor, ananasbi-
tar eller persikoklyftor m m. Lägg i drinkarna i stället
för isbitar, om du inte vill späda ut drinken med is eller
tillsammans med isbitar.
Eller: Lägg bären/frukten i islådans små fack. Fyll med
vatten och frys.

Drink med vitt vin och ramlösa

1 glas

1 dl vitt vin, gärna sött
1/2–1 dl ramlösa
1 citronskiva
ev några frysta vindruvor
  eller ananasbitar
isbitar

En utmärkt god och enkel dryck för alla tillfällen. Detta att späda ut det starka vinet har många fördelar, blir billigare, ger mindre kalorier (joule), och man blir inte så påverkad, eftersom alkoholmängden är mycket mindre!

Häll vinet i ett glas och fyll på med ramlösa i större eller mindre mängd. Lägg i citron, kanske lite frukt och så ett par isbitar som avslutning.

Drink med ramlösa och lime

1 glas

1–2 msk limejuice
ramlösa, kyld
ev citronskiva
isbitar
ev en kvist mynta eller
  blekselleri med blad

Lätt, friskt, gott och betydligt mer raffinerat än saft och vatten, trots likheten.

Häll limejuice i ett vackert glas och fyll på med ramlösa. Lägg i citron och några isbitar. Dekorera ev med en kvist mynta om du har tillgång till det, annars kanske blekselleri med sitt flikiga blad kvar. Se ett av glasen på bilden på s 309.
Variation: Byt ut ramlösa mot tonic water.

Rödvin special

1 glas

1 1/2 dl rött vin, gärna sött
1 msk lime juice
1/2–1 dl vatten eller
  ramlösa
citron- eller apelsinskivor
isbitar

Häll vin och juice i ett glas och fyll på med vatten. Lägg i citronskivor och ett par isbitar.

Drinkar behöver inte vara så "farliga". Se de utspädda, men mycket goda varianterna i kapitlet på s 302. Som drink före maten passar juice fint. Prova de många goda lite annorlunda sorter som finns. Fyllda minikrustader, se s 313, osaltade cashewnötter och grekiska oliver är annat cocktail-gott.

Frisk, fräsch och elegant är Drink à la Silvia, komponerad till vårt kungapars bröllop, när jag ville ha något gott, uppfriskande och fest-ligt att bjuda alla TV-gäster. Uppskattades! Se s 307.

Fastedagar är sköna vilodagar med de rätta dryckerna. Ca 2 1/2–3 liter vätska behöver du varje dag – både under fasta och alla andra dagar. Läs om fasta på s 352. I glasen ses goda juicer av hälften juice, hälften vatten, alla serverade vid ca 37° C temperatur. Rödbeta + morot, morot, apelsin + grapefrukt och svarta vinbär. I koppen en mild, saltfattig grönsaksbuljong.

De många olika örtteer som finns i hälsokost-
affärerna är värda att pröva på. En del är un-
derbart goda, milda och uppiggande som t ex
malvate och nyponte. Andra är lugnande som
kamomill medan en del är laxerande och
lämpliga att dricka vid sängdags!

Örtteer innehåller inte några gifter och är
därför skonsamma för kroppen. Pröva att
minska kaffekopparna till 1 à 2 per dag och
välj olika örtteer till de andra tillfällena. Det
kommer du att må bättre av.

Sangria

Blanda vin, socker och apelsinjuice och rör om väl så att sockret löser sig. Tillsätt skivad frukt och låt sangrian stå övertäckt och dra några timmar på kall plats. Smaka av om du vill ha sangrian sötare eller syrligare – ta i så fall lite citronsaft.

1 hel flaska torrt eller sött
* rött vin, gärna spanskt*
1–2 msk florsocker
2 dl apelsinjuice
6 apelsinskivor eller
* 2 persikor i klyftor*
6 citronskivor
isbitar

Minikrustader på olika sätt

- Fyll minikrustader med en klick smältost t ex naturell direkt ur tub. Eller välj smältost med smak av räkor, champinjoner osv. Garnera ev med en liten bit av någon grönsak – tomat, gurka, paprika eller en skiva grön oliv.

- Förbered minikrustaden som ovan. Sätt dem på ett ugnssäkert fat och värm dem i 225°C ugnsvärme i 3–4 minuter så att osten mjuknar. Serveras omedelbart.

- Blanda lika delar keso och boursinost med vitlökssmak och fyll i krustaderna. Strö på ett litet täcke av hackad persilja.

- Fyll krustaderna med mjukrört böcklingsmör och stick ner en dillvippa.

- Fyll krustaderna med en liten lättmajonnäsklick (spritsa från tub) och lägg i 1–2 väl avrunna musslor. Dillkvist.

- Fyll krustaderna med champinjoncreme och lägg i 1–2 små syltlökar. Värm i 200°C ugnsvärme 4–5 min.

- Fyll krustaderna med gräddfil, löjrom och dillkvist eller hackad gräslök.

Att rosta nötter och mandel m m

Hasselnötter: Lägg hasselnötter i en långpanna eller på dubbelvikt aluminiumfolie och rosta dem i 150°C ugnsvärme 6–8 minuter. Låt nötterna kallna, gnid dem sedan mellan händerna, så att det mesta av det bruna skalet går bort. Äts omedelbart medan de är torra och aromatiska. Salta ev mycket försiktigt.

Cashewnötter: Köp osaltade cashew-nuts (uttalas "käschjonats") i hälsokostaffär. Lägg dem i en långpanna eller på dubbelvikt aluminiumfolie och rosta dem i 150°C ugnsvärme i 10–12 min till lätt guldbrun färg. Salta ev mycket försiktigt. Se bild på s 309.

Sötmandel: Koka mandeln i 1–2 minuter i vatten som täcker mandeln. Låt den svalna och gnid sedan av skalen. Lägg mandeln på en plåt och rosta på samma sätt som cashewnötter. Salta ev mycket försiktigt.

Valnötter med curry: Smält 1 msk smör i en stekpanna. Tillsätt 1/2 tsk curry och 2 dl valnötskärnor. Rosta nötterna under omrörning på svag värme i 6–8 minuter. Lägg upp på hushållspapper att rinna av. Salta ev mycket försiktigt. Gott till en drink eller på t ex mild kycklingstuvning.

Obs! Det är viktigt att inte salta för mycket, dels är salt inte ett dugg nyttigt, tvärtom, dels gör det att man känner sig hungrig och törstig – risk alltså att man både äter och dricker för mycket efter saltade tilltugg.

Saft och vin gör drinken fin
1 glas

Häll upp ca 2 msk svart vinbärssaft i ett glas. Fyll på med vitt vin, gärna alkoholfritt och servera med ett par isbitar och en skiva citron i glaset.

Salta, spröda, läckra kex

Bred mager smältost i ett tunt lager på kexen i stället för matfett.

Lägg ovanpå
- ett par skivor salami
- hackad grön eller röd paprika
- musslor + hackad dill
- strimlat, magert rökt kött eller renkött
- grovhackade rädisor
- en bit tonfisk + olivskiva
- ett par tre skalade räkor
- några vindruvor

Rostade sojabönor

Goda, knapriga. Billigt tilltugg.
Skölj torkade sojabönor i ljummet vatten så att de blir dammfria. Lägg sojabönorna i kallt vatten minst 12 tim. Häll sedan av vattnet och torka bönorna på hushållspapper. Lägg dem i långpanna eller på dubbelvikt aluminiumfolie, droppa lite olja över och rosta dem till fin gyllenbrun färg i 225°C ugnsvärme i 20–25 min. Låt bönorna droppa av på nytt på flerdubbelt hushållspapper. Salta dem med helt lite salt eller kryddsalt, vitlöks- eller sellerisalt.

Rostade kikärter
Behandlas på samma sätt som sojabönor.

"Hur skall ett skadligt träd, en giftig preparation och en obehaglig smak kunna ge en hälsosam dryck?"
Carl von Linné om kaffe

Bagna Cauda

1/2 gurka
3–4 morötter
1/2–1 stånd blekselleri
250 g färska champinjoner
12 cocktailtomater
 eller 6–8 vanliga i halvor
2 paprikor, gröna eller röda
1/2–1 blomkålshuvud
1 fänkålsstånd
1–2 knippor rädisor
1 litet salladshuvud t ex is-
 bergs- eller endivesallad
1 pkt grissini (italienska,
 torra brödpinnar)

Sås:
4 dl vispgrädde
50 g smör
10 raka sardeller
2 vitlöksklyftor

Detta är en italiensk rätt från norra Piemonte som jag blivit mer än betagen av! Ja, jag tror att det är det mest raffinerade jag någonsin ätit. Rätten heter "Bagna Cauda" och kan inte med rättvisa beskrivas i ord. Den måste lagas och njutas. Bagna Cauda betyder "varm sås" och i den heta vitlökssåsen doppar man olika råa grönsaker. Med Bagna Cauda och ett rött, gärna italienskt, vin som förrätt kan man avsluta måltiden med bara en lätt fisk- eller kötträtt.

Bagna cauda är också lämplig som enda rätt till supé.

Variera gärna bagna cauda-såsen om du lagar rätten ofta: tillsätt t ex hackad vit tryffel eller rostade grovhackade valnötter. Ett litet glas rött eller vitt vin kan också tillsättas för att ge såsen lite annan smak och konsistens.

Skär gurka, morötter och blekselleri i 5–6 cm långa stavar. Champinjoner och cocktailtomater serveras sköljda och hela, medan paprikan kan skäras i ringar eller bitar. Dela blomkålen i små fina buketter och skär fänkålen i rätt tjocka skivor. Putsa rädisorna och låt så mycket som möjligt av blasten vara kvar. Lägg upp alla grönsaker i grupper på ett vackert fat klätt med salladsblad. Täck över fatet med folie och låt det stå kallt minst 1 tim. Ställ gärna grissini i ett glas eller en tillbringare.

Koka upp grädden – obs passa den väl, annars pöser den över – och låt den koka i 20 min. Rör om nästan hela tiden. Låt grädden koka tills bara ca 2 dl återstår. Tillsätt smör, hackade sardeller och krossad vitlök. Låt såsen stå över någon form av värmekälla vid serveringen annars tjocknar den för mycket.

Servera såsen med grönsaker och grissini som var och en med hjälp av gaffel doppar i den underbart doftande såsen.

Marinerade, amerikanska svarta oliver

I små plåtdunkar i tunn oljedressing finns grekiska svarta oliver, ej urkärnade. Köp dem om du hittar dem. De är sagolikt goda. De syns på cocktailbrickan på s 309.

De amerikanska urkärnade oliverna är också goda, men har inte alls samma ursprunglighet i aromen, samma raffinerade friskhet. Pröva att servera dem efter några timmars marinering. Det ger dem ett visst sting.

Lägg oliverna med ett par matskedar av sitt spad i en skål. Tillsätt vinäger och honung och rör om så att honungen löser sig.

Tillsätt olja, vitlök, salt och nymald vitpeppar. Låt oliverna stå minst 2 tim under tättslutande lock.

Goda till drinkar och i sallader, på t ex smörgås med tonfisk eller på pizza.

1 burk svarta, urkärnade oliver
2 msk äppelcidervinäger
1 tsk honung
1/2 dl olja, t ex solrosolja
1 skivad eller krossad vitlöksklyfta
1 kryddmått salt, vitpeppar

Mumsbit à la Smögen

30–35 st

Snabba, jättegoda och söta att se på. Till den mer eleganta cocktailbrickan.

Blanda champinjonsoppan direkt ur burken med majonnäs och hackad dill. Fördela såsen i krustaderna och lägg i en hel räka samt dillkvist. Eftersom krustaderna ska serveras spröda, bör du fylla dem så sent som möjligt före serveringen.

Om du inte har så många räkor, hacka dem och blanda dem i såsen innan krustaderna fylls. Alla sätt är bra ...

Se bild på s 307.

1 burk redd champinjonsoppa
3/4 dl majonnäs
1/2 dl hackad dill, några dillkvistar
30–35 skalade räkor
30–35 minikrustader
(1 pkt = 24 st)

Goda dipsåser med gräddfil

3 dl gräddfil
2 msk finhackad persilja
ev några strån finklippt
gräslök

Smaksätt med
- 1 påse färdiglagat dipsåspulver, många sorter finns
- 1 msk riven pepparrot + lite kryddsalt
- 2–3 msk jordnötssmör + lite salt
- 2–3 msk tahin (en pasta av malda sesamfrön – god!) + ev lite salt
- 1/2 riven gul lök + 5 cm grovt riven gurka + 1 krossad vitlök
- 2 mosade avocadofrukter + 1/2 tsk salt, lite peppar + 1 msk pressad citronsaft

Blanda gräddfilen med persilja och gärna gräslök. Smaksätt med något av de många förslagen. Låt såsen stå kallt minst 15 min så att kryddorna hinner blomma ut. Smaka gärna av och gör ev såsen starkare om så önskas med t ex lite tabasco.

Mager dipsås på flera sätt

1 1/2 dl filmjölk eller lättfil
1/2 dl keso
1 dl grovhackad persilja

Häll filmjölken i en skål. Mosa keson på en tallrik med gaffel till jämn, finkornig konsistens. Blanda keson och persiljan med filmjölken. Tillsätt utvald krydda. Låt såsen stå en stund och smaka sedan av och tillsätt salt och nymald vitpeppar om det behövs.

Smaksätt med
- 1–2 tsk pepparrot
- 3–4 hackade anjovisfiléer + 1/2 dl dill i stället för persilja
- 3 msk chilisås + lite tabasco + 1 msk finhackad gul lök, ev salt, vitpeppar

Pizza Mallorquin

En tunn, tunn pizza med bara lök och tomat passar fint till sangria eller andra vindrinkar. Den här variationen åt jag på norra Mallorca en ljum, fin kväll accompanjerad av glada folkdanser.

Gör degen med bara vetemjöl eller med hälften graham- och hälften vetemjöl. Kavla ut den riktigt tunt till en stor rund kaka, lagom på en plåt. Lägg degkakan på en osmord plåt. Skala och hacka löken grovt och koka den 3–4 min i 1 dl vatten väl smaksatt med buljongextrakt. Häll av spadet riktigt väl – bäst är att hälla löken i en sil. Skär tomaterna i skivor och lägg dem på pizzadegen. Eller bred ett tunt lager tomatpuré på degen. Täck med den avrunna löken och strö på persiljan som ska vara så rikligt tilltagen att den ger en viss smak åt pizzan.

Droppa olja över och grädda pizzan i 300°C ugnsvärme i 5–6 min.

1/2 sats pizzadeg, se s 142
4–5 gula lökar
vatten + buljongextrakt
3–4 tomater eller 2 msk tomatpuré
2 dl grovhackad, helst plattbladig persilja
2 msk olivolja

Krydd-snacks

Billiga och väldigt goda snacks. Roligt att göra egna snacks ibland.

Fräs väl avrunna kikärter, smör och krossad vitlök i en liten stekpanna tills kikärterna blivit svagt guldbruna. De ska vara knapriga utanpå men mjuka inuti. Tillsätt sesamfrö och låt dem bli lite lätt stekta. Krydda sedan med salt, senapspulver och chilipulver. Rör om och tillsätt mer kryddor om du så önskar.

Serveras gärna varma.

Variation: Byt ut salt, senapspulver och chilipulver mot 1–2 kryddmått mald ingefära och 2 tsk sojasås.

2 dl kokta kikärter
1 1/2 msk smör
1 vitlöksklyfta
2–4 msk sesamfrö
2 kryddmått salt
1–2 kryddmått senapspulver, Colmans
2–3 kryddmått chilipulver

Blekselleri med jordnötssmör

En lustig men inte desto mindre mycket tilltalande blandning. Härligt knaprig blekselleri till det lite torra jordnötssmöret. Uppskattas ibland även av barn. Jag har det ofta som omväxling på dagens obligatoriska råkosttallrik, långt ifrån drinkar och cocktailparties alltså.

Välj gärna det grovmalda jordnötssmöret – helt utan tillsatser – som finns i hälsokostaffärer.

Gör så här: Skölj 1/2–1 stjälk blekselleri per person och skala de grövsta med potatisskalare på baksidan, så att det träiga går bort. Fyll stjälkarna helt eller delvis med måttliga mängder jordnötssmör.

Variation: Blanda ut en bit ädelost med ungefär lika mycket lättmargarin eller smör. Smaksätt ev med några hackade, rostade hassel- eller valnötter. Fylls i väl rengjorda blekselleristjälkar. Serveras välkylda. Eller fyll selleristjälken med bredbar smältost, t ex räkost, som kan spritsas direkt i skåran.

Kex med tonfiskmajonnäs

12 st

1 burk tonfisk i olja
  (à 200 g)
1–3 msk majonnäs
finklippt gräslök
ev några droppar tabasco
12 salta spröda kex

Pressa ut så mycket olja som möjligt från tonfisken med hjälp av locket på burken. Mosa tonfisken ganska fint med en gaffel på en tallrik. Blanda den sedan med majonnäs, som binder ihop fisken. Smaksätt med gräslök och ev tabasco, som ger fin stark smak. Gott just före en middag. Fördela tonfiskmajonnäsen på kexen strax före serveringen.

Ner i vikt – för gott!

När du väl har bestämt dig för att bli av med din övervikt – räkna då med helt *nya matvanor!* Först under viktminskningen och sedan *i fortsättningen också!* Annars är risken enormt stor att du, så snart du gått ner de många kilona, rasar upp igen.

Det är inte lätt att lägga om sina matvanor – maten har en stor portion trygghet i sig och det krävs både stor viljestyrka, tålamod och uthållighet att ändra på många års mer eller mindre felaktiga matvanor. Men det går – inte tu tal om den saken. När man verkligen vill. Har bestämt sig. SKA!

Man kan banta på många sätt – ja, nästan alla gör det faktiskt på olika sätt – allt efter egen matsmak, fort eller långsamt, i grupp eller ensam, med eller utan fastedagar osv. När det gäller motionen visar vi kanske ännu större individualitet. Likaså blir tempot och uppläggningen olika om man är äldre eller yngre, om det är många, många kilon som ska bort eller bara några få.

Så ett program, som alla tycker är "bäst", kan man inte skriva. Här följer dock många goda råd och tips samt bantningsmatsedlar som jag vet ger bra resultat. Hur fort du går ner är helt individuellt. Jag har testat dessa matsedlar på flera bantningsgrupper (övervägande kvinnliga) och trots att mängden mat är densamma går man ner väldigt olika – mellan 0,6–2,8 kg på en vecka! Man räknar med att 1 kg fettvävnad motsvarar 7 000–7 500 kcal. Så om du minskar maten med 1 000 kcal tar det 1 vecka att bli av med 1 kg. Men kroppens vattenmängd påverkar också, speciellt kvinnor i fertil ålder, så resultatet är alltid individuellt. Man räknar med att vikten varierar mellan 1/2–1 kg av tillfälliga orsaker. Har du gått upp mer än 1 kg är det bäst att genast minska ner matportionerna och/eller öka motionen under några veckor för att "mota Olle i grind". Har man väl börjat synda så smått är det risk för att man vill fortsätta och det är alltid svårare att börja gå ner igen då.

18 *Sandquist-Bolin Den nya maten*

Varför gå ner i vikt – för gott?

För hälsans skull i första hand, för att orka mera, må bättre och bli gladare. Bli snyggare och se yngre ut i andra hand! Köpa roligare kläder kanske? Med för många kilon blir det en ständig påfrestning på kroppen, framför allt på hjärta, rygg, fötter, knän, leder och ben. Tänk på hur tung en 10-kg matkasse är – nog är redan 10–12 kg en övervikt som man gärna kan ta itu med! – för att inte tala om flera matkassar à 10 kg! Som du ständigt bär med dig. Visserligen jämnt fördelade men de finns där ju ändå. Dygnet runt! Det är jobbigt att vara överviktig men inte bara det, det är ofta början till en lång rad sjukdomar såsom gallsten, hjärt- och kärlsjukdomar, diabetes, åderförfettning, högt blodtryck, ryggbesvär m fl. Också humöret påverkas i hög grad – att överviktiga personer är gladare än smala är bara en myt – de är snarare glada trots sin övervikt! Hur pass allvarligt det är med övervikt ur hälsosynpunkt märker man, om inte förr, så när man ska skaffa sig en livförsäkring. Vid upp till 20–25 kg övervikt (se vikttabell nedan) får läkarutlåtanden avgöra hur livförsäkringspremien ska räknas ut men vid 26 kg och därutöver får man betala en tilläggspremie på 25–100 %! Det händer t o m att man avstår från att försäkra en person! Överdödlighetsrisken är alltså enormt stor vid rejäl övervikt, statistiskt sett.

Var kommer övervikten ifrån?

Det finns två typer av fetma. Den ena är ärftlig och beror på att man föds med fler fettceller än normalt. Får man sedan mer mat än man behöver och fel sorts mat redan under de första månaderna i livet ökar troligen fettcellernas antal dessutom. Hur många fettceller man har bestäms alltså mycket tidigt och kan sedan inte ändras. Därför är det speciellt viktigt för föräldrar, som själva väger för mycket, att inte ge sina barn mer mat än som är rimligt. Också felaktiga matvanor med för mycket fett och socker är ju något man "ärver". Har man högre antal fettceller är risken alltså mycket stor att man väger mer än normalt, rör sig mindre och så är fast i en ond cirkel. Och chansen att man ska lyckas med en bantning är inte lika stor, som om man blivit överviktig av den andra orsaken till fetma, övervikt på grund av för mycket mat + för lite motion och som drabbar många förut smala i 25–30 års åldern! Orsakerna till denna övervikt är många, kanske främst känslomässiga. Oro, spänning, hets och stress i vårt dagliga liv, allt detta gör att många börjar äta mer än de gör av med. För dåliga kunskaper i näringslära, kvälls- eller nattarbete, jobbig familjesituation och psykiska besvär är också vanliga orsaker till att man blir överviktig. Orsaker som kanske är svårare att ändra än matvanorna! I detta fall har man alltså ett normalt antal fettceller, men de har blivit större på grund av för mycket mat och för lite motion. Den som bantar ner sig i detta fall har dock mycket goda utsikter att klara av både bantningen och att behålla den lägre vikten. Här behövs inte lika mycket karaktär och återhållsamhet.

Man kan alltså inte minska antalet fettceller – bara deras storlek!

I vikttabellen på s 324 kan du kontrollera vad du bör väga. Ungefär. Väger man några kilo mindre så gör det ingenting, tvärtom. Väger man något kilo över går det också bra. Men därutöver kan man gärna ta sig i akt. Väg dig en à två gånger per vecka, inte nödvändigtvis varje dag. Viktminskning sker alltid i små hopp neråt, ibland händer inget på flera dagar och det kan vara prövande för nerverna. Komplettera gärna vågen med ett måttband om du har lust. Just medan man bantar kan det vara roligt med en sådan koll då och då. Runt midja, stuss, lår . . . Även handlederna blir smalare efter några kilon!

Vikttabell

Män				Kvinnor			
Längd	Spens-lig	Medel-grov	Kraf-tig	Längd	Spens-lig	Medel-grov	Kraf-tig
cm	kg	kg	kg	cm	kg	kg	kg
155	52,0	55,5	60,0	150	47,0	50,5	54,0
156	52,7	56,2	60,7	151	47,6	51,1	54,6
157	53,5	57,0	61,5	152	48,2	51,7	55,2
158	54,2	57,7	67,2	153	48,9	52,4	55,9
159	55,0	58,5	63,0	154	49,5	53,0	56,5
160	55,7	59,2	63,7	155	50,1	53,6	57,1
161	56,4	59,9	64,4	156	50,7	54,2	57,7
162	57,2	60,7	65,2	157	51,3	54,8	58,3
163	57,9	61,4	65,9	158	52,0	55,5	59,0
164	58,7	62,2	66,7	159	52,6	56,1	59,6
165	59,4	62,9	67,4	160	53,2	56,7	60,2
166	60,1	63,6	68,1	161	53,8	57,3	60,8
167	60,9	64,4	68,9	162	54,4	57,9	61,4
168	61,6	65,1	69,6	163	55,1	58,6	62,1
169	62,4	65,9	70,4	164	55,7	59,2	62,7
170	63,1	66,6	71,1	165	56,3	59,8	63,3
171	63,8	67,3	71,8	166	56,9	60,4	63,9
172	64,6	68,1	72,6	167	57,5	61,0	64,5
173	65,3	68,8	73,3	168	58,2	61,7	65,2
174	66,1	69,6	74,1	169	58,8	62,3	65,8
175	66,8	70,3	74,8	170	59,4	62,9	66,4
176	67,5	71,0	75,5	171	60,0	63,5	67,0
177	68,3	71,8	76,3	172	60,6	64,1	67,6
178	69,0	72,5	77,0	173	61,3	64,8	68,3
179	69,8	73,3	77,8	174	61,9	65,4	68,9
180	70,5	74,0	78,5	175	62,5	66,0	69,5
181	71,2	74,7	79,2	176	63,1	66,6	70,1
182	72,0	75,5	80,0	177	63,7	67,2	70,7
183	72,7	76,2	80,7	178	64,4	67,9	71,4
184	73,5	77,0	81,5	179	65,0	68,5	72,0
185	74,2	77,7	82,2	180	65,6	69,1	72,6
186	74,9	78,4	82,9				
187	75,7	79,2	83,7				
188	76,4	79,9	84,4				
189	77,2	80,7	85,2				
190	77,9	81,4	85,9				

(Clausen-Lundberg: Metropolitan Life Insurance Company)

Att tänka på när du vill gå ner i vikt

- Börja gärna bantningsperioden med att fasta en eller flera dagar. Då får du en "flygande start" och känner dig kanske ännu mera motiverad att fortsätta. När man fastar med juicer och örtte får man i sig ca 200 kcal och det är först när man får mer än 400 kcal/dag som man känner av hungerkänslorna enligt nya rön av professor Per-Arne Öckerman, Lund. Det kan alltså vara lättare att banta med fasta än att skära ner maten! Pröva dig gärna fram och känn efter vad som är minst besvärande för dig. Alla trivs ju inte med fasta heller. Läs om fasta på s 352.

- Skär maten i *små bitar* och *tugga den* minst 20 ggr per tugga, gärna mer. Då bildas rikligt med saliv som börjar bryta ner näringsämnena i maten och alltså påbörjar matsmältningen redan i munhålan. I och med att du äter långsamt och tuggar väl känner du dig mätt av en måttlig mängd mat. Skär t ex köttbullar i 4 bitar och ät en bit i taget.

- *Ät inte* när du känner dig *stressad* eller har bråttom, då hinner man ofta slänga i sig mycket mer mat än man egentligen behöver. Pröva tt äta t ex en stor kopp buljong eller tomatjuice med sked medan du varvar ner – det mättar fint utan att ge någon nämnvärd energi. Ät i lugn och ro, måltiden ska ge *både* vila *och* den rätta näringen.

- Öva dig att tugga också drycker, juice, buljong, mjölk. När man vant sig känns det både behagligt och riktigt och är bra, för också den flytande maten behöver blandas med saliv. Vatten behöver man dock inte tugga om nu någon trodde det. Det innehåller nästan inga näringsämnen, möjligen lite salter såsom järn och fluor.

- Lägg upp maten innan du sätter dig till bords. Då ser det härligt mycket ut på tallriken och du vet redan från början att du kommer att bli mätt, nöjd och belåten med din måltid. Det är viktigt för att den rätta "madaron" (skånska för matro) ska infinna sig.

- Servera maten vid rätt temperatur. Ca +40° C är den bästa för både mat och dryck. Alltför varm mat kan man inte tugga – den slinker då lätt ner snabbt, snabbt. Och så skulle vi ju inte äta – varken vid bantning eller annars. Detsamma gäller också alltför kall mat, den får det att isa i tänderna varpå man snabbt sväljer ner den! Dessutom kommer aromämnena inte fram när maten är kall eller tuggas hastigt. Pröva!

- Ät gärna ensam, före familjen, om det passar dig och dem eller om ni äter olika slags mat. Det är lättare att servera deras pannkakor – förbjudna för dig – när du själv är mätt och belåten av kokt fisk.

- Tag undan överbliven mat från köket omedelbart, låt ingenting stå framme som kan fresta dig senare på dagen. Då är det lätt gjort att man "tröstäter", för alltid finns det någon anledning till detta.

- Drick ett stort glas vatten – ej iskallt – med en skiva citron i 30 min innan du börjar laga middagsmaten. Det mättar fint och vätska behöver vi i riklig mängd. Dessutom är det bättre att dricka före eller mellan måltiderna, inte till maten.

- Gå aldrig bort med tom mage! Om du äter av den mat som matsedlarna föreslår, med 3 bra måltider per dag, så har du mycket lättare att motstå alla frestelser som dyker upp vid kafferep, när du handlar eller går på bjudningar av alla slag. Är du mätt redan innan är det lätt att välja ut *lite* av det som är något så när ofarligt, dvs grönsaker, mager mat och frukt, sådant som du känner igen från matsedlarna.

- Hoppa inte över måltider, då blir du bara irriterad och det är stor risk att du senare utan kontroll stoppar i dig nästan vad som helst. Man kan dock då och då byta ut en måltid mot en fastemåltid med bara drycker för att påskynda viktminskningen något. Men observera bara om du trivs med det och inte "vråläter" nästa dag. I så fall är det bättre att skynda långsamt. Är du ovan vid att äta en riktig frukost så börja med det. En bra frukost gör att du inte är så hungrig vid lunchdags eller strax före och ger en lugnande känsla som är bra för både kroppen och själen, man mår bättre och jobbar bättre.

- Variera maten med kryddor. Det är viktigare vid bantning än annars. Dra gärna ner på saltet, det "binder vatten" i kroppen och överdosera inte peppar, tabasco och annat starkt – då retas aptiten i onödan. Lagom är bäst. Persilja, dill, gräslök, timjan, oregano m m är gott till det mesta, liksom kummin och pepparrot. Fint att variera med.

- En sak i taget brukar det alltid vara vettigt att göra. Så försök inte att både börja motionera och banta på en gång om du är hemma och jobbar. Det blir för mycket nytt på en gång och risken är mycket stor att alla nya föresatser bara rinner ut i sanden ... Om du prövar att resa bort till ett håll-i-form-ställe av något slag är det dock en helt annan sak. Där har man ju inget annat att göra än att motionera. Skönt!

- Att banta i grupp eller med hjälp av samtalsterapi kan vara ytterst verkningsfullt för många. Pröva gärna det. Gruppens stöd, att få "prata av sig" med andra i samma svåra situation, kanske är det bästa för att komma igång. Och för att orka *fortsätta* de veckor och kanske månader som du behöver för att nå en bra vikt! Sådana bantningsgrupper finns numera rätt allmänt, läs dagspressannonserna.

- Var realist när du bantar, sätt inte målet *alltför högt*. Kolla med vikttabellen och vågen, och ha inte för bråttom att gå ner. Då är risken stor att du snabbt går upp igen.

- Om du är *kvinna* kan det vara bra att komplettera maten med någon *järnmedicin*.

Bra att ha på lut när karaktären tar slut ...

De flesta dagar brukar det gå bra och kännas härligt att följa ett viktminskningsprogram. Men inte alla ... Då är det bra att ha lite "gott men kalorisnålt" på lut i kyl och skafferi.

Välj då t ex

- 1 glas tomatjuice, 1 1/2–2 dl
- 1 kopp buljong med hackade råa grönsaker i
- morotsstrimlor + 1–2 msk keso
- rädisor + 1–2 msk keso
- 1 skiva ananas + 1 msk keso
- 1 glas apelsinjuice 1 1/2 dl + 1 dl vatten
- några råa champinjoner + 1 liten ostbit
- 10–15 musslor i vatten + finklippt dill
- 10–15 räkor med skal
- 1 äpple, 1 päron, 1 apelsin eller 1/2 grapefrukt
- 1 fikon eller 2 aprikoser (torkade) + 1 kopp örtte
- blomkålsklyftor + lättfil smaksatt med t ex pepparrot, att doppa blomkålen i
- sparris med lite kryddsalt på
- tunn skiva knäckebröd + 1 msk smältost + riven morot
- tunn skiva knäckebröd + 1 msk smältost + 1 skiva strimlat saltkött + paprikaringar eller tomatskivor
- örtte med en tesked honung – piggar upp fint dygnet runt!

Vad ska man äta när man nått sin lagom-vikt?

I glädjen över att ha nått sin "lagom-vikt" är det lätt att börja pröva mycket av det som varit "förbjudet" i matväg. Med resultat att de minskade fettcellerna fylls på igen och vikten börjar öka!

Det gäller då att fortsätta att äta på ungefär samma sätt som under bantningen åtminstone till frukost och lunch men med lite mer mat eller en extra smörgås därtill. Till middag kan man börja äta mer vanlig mat men gärna servera råkost eller 1 kopp buljong medan de värsta hungerkänslorna lägger sig. När du har följt matsedeln och ser hur den fungerar vid bantning kan du alltså fortsätta på samma linje vad planeringen beträffar. Ät tre ordentliga måltider varje dag, var mycket försiktig med mellanmål och se till att du följer kostcirkeln och "basmat och tillägg" så konsekvent som möjligt. Med bra motion i egen takt därtill och en koll på vågen en gång i veckan är det goda chanser att du ska klara att behålla vikten. Även om det inte är så lätt som det verkar när man läser om det!

Bra frukostar att starta med

Till frukost ska vi äta ungefär 25 % av den mat vi behöver på dagen. Efter "nattens fasta" behöver vi rejäl mat att starta med. Men allra först kanske en kopp örtte att vakna av – det är milt och gott. Äter man för lite – eller inget alls – blir man ofelbart hungrig frampå förmiddagen och då kanske man inte kan motstå sådant som *inte ingår* i kostcirkeln såsom kakor, bullar, wienerbröd, karameller m m. Frukosten ska gå snabbt att *laga* men bör *ätas* i lugn och ro. Bra bantarfrukostar finns här nedan. Efter bantningen kan du följa de frukostförslag som finns på s 51–52.

Filfrukost
2 1/2–3 dl lättfil (eller lättmjölk)
1–2 msk müsli, gärna hemlagad
1 hel frukt t ex äpple, päron, apelsin
Kaffe, te eller örtte, 1 ostskiva (ca 20 g) på 1 tunn skiva knäckebröd

Grötfrukost
ca 1 1/2 dl gröt av havregryn eller rågmjöl eller grövre gröt se s 129
2 msk äppelmos eller lingonsylt (med *litet* socker i)
2–2 1/2 dl lättmjölk
Kaffe, te eller örtte, 1 skiva knäckebröd med 1 msk smältost och skivad tomat

Äggfrukost

1/2 grapefrukt eller 1 apelsin
1 kokt ägg
1 smörgås av fullkornsbröd + 1 tsk matfett + 2–3 ansjo-visfiléer eller 1 skiva mager ost (20 g)
1 glas lättmjölk, 2–2 1/2 dl
Kaffe, te eller örtte
Tänk på att inte äta mer än ca 4–5 ägg per vecka sammanlagt till frukost och lunch.

Kesofrukost

1 dl apelsinjuice eller tomatjuice + citronklyfta
1 skiva fullkornsbröd + 1 tsk matfett + 50 g keso
(1/4 liten burk keso) + hackad dill eller gräslök, ev 1 tomat
1 glas lättmjölk, 2–2 1/2 dl
Kaffe, te eller örtte

Frukost med flingor

3 dl lättmjölk (fil eller vanlig)
1 dl havrekuddar eller corn flakes
1 hel frukt, t ex äpple, apelsin eller 2 ringar ananas i ananasspad
1 skiva knäckebröd med 1 msk smältost
Kaffe, te eller örtte

Ett litet mellanmål

Ett litet mellanmål piggar upp om det är många timmar mellan frukost och lunch eller mellan lunch och mid-dag. I bantningstider gäller det att vara mycket restrik-tiv om vågen ska peka neråt, det gäller att välja något nyttigt men ändå kalorisnålt och gott. Variera gärna från dag till dag.

Välj t ex

- 1 kopp örtte, te eller kaffe och 1 torkat fikon eller 1 delikatessaprikos (från hälsobod)
- 1 kopp örtte med 1 tsk honung
- kaffe, te eller örtte och 1 grahamsskorpa
- kaffe med 1/2 dl mjölk, 1–2 *tunna, små* pepparkakor
- se även listan på s 328.

Luncher med mycket grönt

En stor grönsakstallrik med något magert men protein-rikt och därmed mättande är bra och enkelt att planera lunchmaten kring. Grönsakerna varieras alltefter årstid, pris och smak, "det magra" likaså.

Lunchmaten ska inte kräva någon nämnvärd matlagning eller uppvärmning antingen man äter hemma eller på jobbet. I bantningstider är det oftast bäst att ta med egen mat till arbetet. Den mat som serveras i lunchrum och på restauranger är ju planerad för "vanligt folk" och därmed alltför kraftig och kaloririk. Och att bara äta *lite* av den maten är för de flesta oerhört svårt – man är ju hungrig och behöver rejält med mat. Men det måste vara mat som mättar utan att ge för mycket energi = kalorier = joule. Tänk på att inte sönderdela råa grönsaker mer än nödvändigt om du gör lunchlådan flera timmar i förväg. Låt alltså tomaten och paprikahalvan hellre vara hela än finskurna. Detta för att inte C-vitaminhalten ska sjunka i onödan.

Drick 1 glas vatten före maten i långsam takt och ev ett glas lättmjölk (1 1/2–2 dl) till maten, men observera högst 5 dl lättmjölk sammanlagt hela dagen. Kanske vill du hellre dricka lite mjölk på kvällen och därför ta vatten till lunch. Och middag. Gärna med en uppfriskande citronskiva i. 1 tunn skiva knäckebröd eller annat helkornsbröd hör också till lunchmaten – utan matfett, att äta som brytbröd.

Lägg upp grönsakerna först:

- 1 rejäl bit isbergssallad eller strimlad vitkål eller sellerikål
- 1–2 tomater, vintertid gärna konserverade
- 1 rejäl bit färsk gurka
- 1 bit blomkål eller grön paprika – så stor du vill ha
- gärna lite lök för fyllig smak – gul-, purjo-, gräs- eller rödlök, hackad eller i ringar.

Dessa grönsaker kan man äta i stort sett varje dag året runt utan att tröttna. De är en bra stomme som mättar till rimligt pris.

Variera sedan med:

- strimlad fänkål
- råriven kålrot eller kålrabbi
- råriven morot eller rödbetor
- strimlad blekselleri
- sparris eller haricots verts (burk)
- skivade färska champinjoner
- syltlök eller ättiksgurka
- kapris (extra gott!)
- surkål eller mjölksyrekonserverade grönsaker (från hälsobod)
- citronklyfta
- grovhackad persilja eller grönkål
- spirade mungbönor, sojabönor eller linser
- kryddkrasse
- rädisskivor
- oliver, gröna eller svarta

Så det proteinrika – variera varje dag

- 100 g keso + kryddsalt + paprikapulver eller kummin
- 100 g keso + 2 skivor ananas (i ananasspad)
- 1 kokt ägg + några bitar inlagd sill i tomat
- 1 kokt ägg + 1 liten böckling
- 1 kokt ägg + 1 skiva ost till brödet, alt 2 msk keso + kryddor
- 100 g skivad torskrom + hackad dill
- 100–125 g inkokt fisk på burk, t ex sill, sardiner, lax, makrill (feta fisksorter)
- 125–150 g inkokt, kall, mager fisk, t ex sej, torsk, kolja, rödspätta, forell
- 100–125 g musslor i vatten + hackad dill
- 100–125 g skalade räkor, färska eller konserverade (250 g räkor med skal)
- 75 g tartex eller leverpastej
- 100–125 g kall, kokt eller stekt kycklinglever
- 3/4–1 dl kokta, kalla sojabönor, kikärter eller linser

Salladdressing

Inte heller när man bantar ska man ta bort allt fett –
drygt 1 msk behövs varje dag (se reducerad baskost).
Till salladstallriken passar det bra att utnyttja en del
av fettet i form av 1 tsk olja eller 1 1/2–2 tsk majonnäs.
Oljan och majonnäsen bör vara av en sort med hög halt
av fleromättat fett, t ex solrosfröolja och sojaolja.

Salladssås med olja   1 port

1 tsk vinäger – gärna äppelcider – eller citronsaft
lite salladskryddor eller herbamaresalt
1 tsk olja, t ex solrosfrö- eller linfröolja
ev 2 msk lättfil eller yoghurt

Variera smaken med:

- lite curry eller paprikapulver
- krossad vitlök + hackad persilja
- riven pepparrot
- 1–2 tsk senap (ej för söt)
- 1–2 tsk chilisås
- ett par droppar tabasco
- krossad dragonört eller oregano
- finhackad kapris eller ansjovis
- finhackad kapris + ättiksgurka
- 2–3 finhackade sardeller, raka eller rullade

Salladssås med majonnäs   1 port

1 1/2–2 tsk majonnäs, gärna lättmajonnäs
2 msk lättfil, yoghurt eller vatten.
Smaksätt med något av förslagen i salladssås med olja
och rör samman allt till en god sås. Smaka av med salt.

Goda middagar för 4 bantningsveckor

Fyra–fem vardagsbetonade och två–tre lite dyrare mid-
dagar innehåller veckoförslagen nedan. Att variera
med allt efter tycke och smak, årstid och priser.

Börja gärna med en kopp buljong, ev med grönsaker i,
se s 148, det mättar fint och smakar onekligen lite mer
än ett glas vatten, som annars är enkelt och bra.

Vecka 1

- Röd fiskargryta, se s 186
  Kokt potatis, brytbönor
  Äppelmos, mjölk eller äpple

Laga röd fiskargryta av 1/3 pkt djupfryst fisk (à 400 g) och räkor, men utan grädde. Servera med 1 medelstor potatis och 1–1 1/4 dl lättkokta brytbönor.

Till efterrätt 1/2 dl äppelmos och 1 dl lättmjölk eller lättfil eller 1 äpple.

- Blodpudding med vitkålssallad
  Blåbärsfil

Beräkna 100–125 g mager blodpudding och stek den frasig i 1 tsk smör. Servera med en sallad av rejält med finstrimlad vitkål + rårivet äpple och 1 msk lingonsylt eller apelsinjuice för att göra salladen saftig.

Till efterrätt 3/4–1 dl blåbärssoppa blandad med 1– 1 1/2 dl lättfil. Gott och enkelt!

- Rökt makrill, spenatstuvning, 1 tomat
  Apelsinsallad

Beräkna 1/2 medelstor rökt makrill och 1–1 1/2 dl djupfryst spenatstuvning. Smaksätt gärna spenatstuvningen med lite finriven muskotnöt.

Till efterrätt 1 skivad apelsin med 2–3 msk lättfil på.

- Bogfläsk eller fläskfilé med kinesisk grönsakspanna, se s 92
  Nyponsoppa eller färsk frukt

Beräkna 125–150 g bogfläsk eller fläskfilé och putsa bort allt synligt fett. Stek köttet i 1 tsk smör eller olja under lock tills köttet är nätt och jämnt genomstekt. Salta helt lätt och krydda med nymald vitpeppar. Laga grönsakspannan med mer vitkål om du utesluter svamp och/eller böngroddar eller ta en kokt potatis till, om du tycker att det behövs.

Till efterrätt 1 1/2 dl nyponsoppa eller en frukt.

- Fiskbullar med dill och kapris, potatis, kokta morötter, citron
  Katrinplommon och yoghurt

Pröva gärna de djupfrysta fiskbullarna – de är milda men mycket goda och porösa, 125–150 g. Sjud dem i litet saltat vatten 5–6 min eller enligt förpackningens anvisningar. Servera dem med rikligt med dill och kapris samt 1 medelstor kokt potatis och 1–2 morötter med 1 tsk smör eller bordsmargarin. Potatis och morötter kan gärna kokas i samma gryta.

Till efterrätt 5–6 katrinplommon som fått ligga i vatten minst 1 dygn och 1–1 1/2 dl yoghurt eller lättfil.

- Liten sillsmörgås
  Kokt höns med grönsaker och curryfil
  Ananas, ev lättglass

Gör en god sillsmörgås på kavring och 3–4 bitar sill i tomat eller dill samt ev 1/2 kokt ägg. Lägg några rädisor, gurkbitar och ev 1 liten tomat bredvid sillsmörgåsen.

Koka hönset i saltat vatten 1 1/2–2 tim. Eller ta broiler om du vill ha mörare – men dyrare – kött. Beräkna 1/4 höns per portion – dela hönset och frys in om inte allt går åt. Låt spadet kallna, skumma av allt fett och använd sedan buljongen till soppor eller som buljong. Servera hönset varmt med kokta grönsaker t ex 1–2 morötter + 1/2–1 purjolök + 1 klyfta blomkål.

Som sås: 1/2 dl lättfil eller filmjölk smaksatt med curry och hackad persilja. Serveras kall.

Till efterrätt 1 stor skiva ananas, färsk eller inlagd i ananasspad och ev 1 bit lättglass (i storlek efter samvete).

- Räksallad
  Lövbiff, lök stekt på mitt vis, se s 90, ärter
  Färska bär eller melon

Gör en enkel räksallad av 10–12 skalade räkor, 1 stjälk strimlad blekselleri eller gurka och 6–8 skivade råa champinjoner. Droppa citron och 1/2 tsk god olja över. Servera på en bädd av strimlad isbergssallad eller vanlig sallad.

125–150 g lövbiff grillas gärna i grillpanna ett par minuter på var sida, penslad med sojasås. Till löken ta 1 1/2–2 lökar och beräkna 1–1 1/4 dl djupfrysta ärter. Ärterna kan ev värmas ovanpå löken, det spar disk och elektricitet.

Vecka 2

- Halstrad makrill, se s 187, hel spenat, potatis
  Lingon och mjölk

Beräkna 1 makrillfilé och 1/2 pkt hel spenat samt 1 medelstor potatis.
Till efterrätt 2–3 msk lingonsylt och 1 1/2 dl lättmjölk.

- Kokt falukorv med pepparrotsky, se s 201, kokta morötter eller rotmos
  Päron, ädelost

Koka skivad morot i korvgrytan eller servera den med rotmos, 1/2 sats av 1 portion (pulver).
Till efterrätt 1 päron och 1 liten bit ädelost.

- Min bästa middag, se s 197, färgglad grönsaksgryta, s 79
  Frukt eller färska bär

- Stekt ungnötslever, kokta jordärtskockor, se s 107
  Apelsin eller apelsinsoppa, se s 261

Beräkna 125–150 ungnötslever per portion, pensla den med en aning grillolja och stek försiktigt eller grilla några minuter på var sida.

- Kasseler, värmd i vin, potatismos och broccoli eller brysselkål
  Banansallad

Värm 125–150 g kasseler och 1/2 dl vitt vin i 4–5 min på svag värme under lock. Servera med 1/2 sats potatismos av pulver eller hemlagat, se s 96, och 1/2 pkt broccoli eller brysselkål. Skär bort synligt fett på köttet.

Skiva 1 liten banan, häll 1/2 dl apelsinjuice över och toppa med några russin.

- Laxsoppa för gäster, se s 163, 1 skiva mjukt rågbröd
  Ostkaka med skivade jordgubbar

Brödet serveras som brytbröd, utan matfett. Välj lätt-ostkaka och beräkna 100 g per portion.
Servera kakan lätt värmd med 2 msk skivade jord-gubbar eller 1 msk sylt.

- Rödbetsbuljong med gräddfil, se s 154
  Rostbiff, pickles eller surkål, potatis
  Lingonisglass, se s 258

Servera buljongen med gräddfil och ev 1 bit tunt råg-bröd, utan smör, att knapra av. Beräkna 100–150 g tunt skivad rostbiff och 1 dl pickles eller 1 1/2 dl surkål samt 1 medelstor kokt potatis. Surkålen värms med några matskedar vatten och grovhackad persilja.

Vecka 3

- Rödbetsbiffar med citron, se s 106, ärter
  Blåbärsfil, se vecka 1

Beräkna 1 dl djupfrysta ärter/portion. Om du inte har tid att laga rödbetsbiffar så pröva djupfrysta grönsaks-biffar från hälsobod. Goda, men inte så saftiga och fina som de hemlagade.

- Spansk grönsakssoppa, se s 146, ostsmörgås. Lätt-ostkaka med ananas

Gazpachosoppan äts kall, men kan förstås värmas om så önskas. Servera med en skiva helkornsbröd med mager smältost på.
Till efterrätt 3/4 dl keso eller ca 100 g lätt-ostkaka med 2 små skivor ananas i ananasspad.

- Grillad kycklinglever eller lammnjure på spett, se s 218, stuvad spenat, citron, inlagda rödbetor
  Färsk frukt eller 1 glas apelsinjuice

Beräkna lite mer lever eller bitar av lammnjure än som står i receptet, 100–125 g är lagom för bantare. Den djupfrysta stuvade spenaten är fin, beräkna 1–1 1/2 dl och smaksätt ev med lite muskotnöt eller krossad timjan. Skivade rödbetor är vackert och gott till.

- Burkskinka med kumminkål, se s 79, och kokta rödbetor eller morötter
  Färsk frukt eller en liten skål fruktsallad

Beräkna 100–125 g skinka och gärna lite gelé som bildas när burken står kallt. Skrapa bort allt fett. Sommartid är det gott med kokta, färska rödbetor till. När de är slut passar morötter eller purjolök.

- Inkokt laxöring eller lax, med mager kryddsås, se s 188, sparris, ärter
  Nyponsoppa, glass

Beräkna 1 1/2 dl ärter och 3/4–1 dl sparris i bitar.
Till efterrätt 1 1/2 dl nyponsoppa och en liten bit lättglass, ca 1/5 paket.

- Kronärtskocka eller majskolv, smör
  Ugnsstekt kyckling, blandad grönsallad
  Färsk frukt

Beräkna 1 tsk smör eller bordsmargarin till kronärtskockan. Gnid in kycklingen med paprika och salt eller "en nypa örter" (god krydda med bl a sesamfrön i). Stek i ugn i 175° C ugnsvärme ca 1 tim.

- Grillade lammkotletter, se s 218, broccoli eller kokt blomkål, tomater provençale, se s 80
  Melon

Vecka 4

- Gunnars goda gryta, se s 188, kokt ris, t ex avorioris
  Banan eller annan färsk frukt

Beräkna 2–3 msk ris + 4–6 msk vatten och salt eller koka lite mer ris och ta ca 3/4 dl kokt ris. Pröva gärna blåkveite till fiskreceptet. Det är en liten hälleflundra – mycket saftig och god. Minska gärna mängden tabasco.

- Kokt kalvhjärta i tomatsås, se s 212, kokt potatis eller råris, ättiksgurka eller surgurka
  Äppelmos och mjölk

Beräkna 1 medelstor potatis eller 3/4 dl kokt råris.
Till efterrätt 3 msk äppelmos och 1 1/2 dl lättmjölk.

- Blodpudding med vitkålssallad
  Apelsin eller 1/2 grapefrukt

Se vecka 1 för proportioner

- Gädda från Djurö, se s 186, hel spenat eller broccoli
  Ananas med filmjölk

Beräkna 1/2 pkt hel spenat eller broccoli.
Till efterrätt 1 stor eller 2 små skivor ananas och
1–1 1/2 dl lättfil.

- Biff i sojasås med tomat, se s 198, ärter eller bryt-
  bönor
  Katrinplommon, lättfil

Gör biffarna av den större mängden kött eller ev något
mer. Servera med 1–1 1/4 dl kokta ärter eller bönor.
Till efterrätt katrinplommon, se vecka 1.

- Lövbiff eller rostbiff, kokt purjolök och varma cham-
  pinjoner
  Frukt eller kaffe och liten skiva rulltårta

Beräkna 125–150 g kött per portion. 1 purjolök och 1/2
dl små hela champinjoner kokas tillsammans i svamp-
spadet i 4–5 min så att purjon är lagom mjuk.

- Liten smörgås med rökt lax eller böckling
  Min goda lammgryta med citron, se s 210, kokt pota-
  tis, kokt morot
  Nypondrink

Gör en god entrésmörgås med knäckebröd, lite smör +
pepparrot och en skiva lax. Dillkvist. Beräkna 1 me-
delstor potatis och 1 stor morot.
Till efterrätt: häll 1 dl nyponsoppa i ett glas och till-
sätt 1 dl lättmjölk. Toppa med 1–2 msk lättglass och
servera med lång sked eller sugrör i glaset.

Omvandlingsdiagram

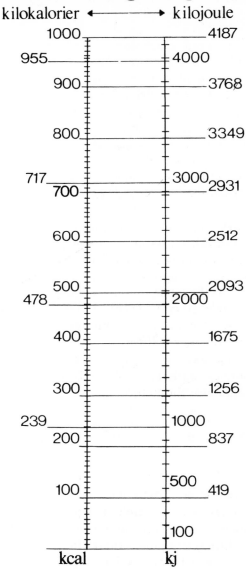

Källa: E.Wikberg, Näringslära

Öka motionen och ha roligt!

Eftersom så många av oss numera har arbeten som inte kräver någon större mängd rörelse, får vi kompensera detta med olika former av motion. Motion är nyttigt, för kroppen vill arbeta (även om det inte alltid känns så!) och vi är byggda för kroppsansträngningar. Muskler som inte används tynar bort på mycket kort tid och när vi inte rör oss blir vårt "hungercentrum" stört. Vi känner oss hungriga nästan jämt i stället för – som man skulle kunna tro – tvärtom, alltså mätta. Förr var det vanligt med tungt kroppsarbete. Nu är det bara ca 20 % män och 2 % kvinnor som har sådant arbete, främst inom lantbruks-, skogs-, verkstads- och anläggningsarbete. Många av oss motionerar alltför dåligt med resultat att vikten går upp. Man är hungrig eller "sugen" alltför ofta och gör inte av med det man äter i form av arbete eller motion. Med övervikt följer som bekant en lång rad problem såsom vantrivsel, gallbesvär, åderförkalkning och hjärtbesvär. Av den vuxna befolkningen låter flertalet bli att motionera, eller i siffror:

- ingen eller lätt, tillfällig motion   38 %
- endast lätt, men regelbunden motion   27 %
- regelbunden och ansträngande motion (bra!)   28 %
- klubb- och tävlingsträning   7 %

Vilken är din rätta motionsform?

Precis som när det gäller maten kan vi planera motionen så att den passar oss själva och blir något glädjebetonat, något man längtar efter. Allt ifrån promenader till gymnastik, simning, cykling, folkdans, skidåkning, bollspel och löpning i skön skogsterräng eller trappspring och trädgårdsjobb.

Viktigt är att det sker regelbundet minst 2–3 ggr/vecka och i så snabb takt att hjärtat får klappa lite mer än vanligt. Och gärna under 20–30 min per gång. Hjärtat är en muskel som behöver träning. Ta det lugnt i

Cykla gärna, det är en fin form av rörelse som ger fina benmuskler och frisk luft på enkelt sätt. Bättre att lite av din energi går åt än att jordens energi (t ex bensin) ska slösas bort, många gånger i onödan.

början om du är ovan och öka allteftersom du känner att livsandarna börjar leva upp igen. Träningsvärk är inget bra tecken, då har du tagit i för mycket. Måttlighet är bäst.

Försök gärna få din kondition testad på ergometercykel då och då – det är ett bra sätt att ta reda på var man står på konditionsskalan. Kanske är du bättre än du själv tror? Även det händer!

Träna effektivt

Träningseffekten på muskelstyrka och syreupptagningsförmåga beror framför allt på intensiteten i träningen. Om man vill träna effektivt ska man köra så hårt att man svettas ordentligt. Alla muskler och rörligheten i kroppen måste tränas, ända från nacken till armar, skuldror, rygg, mage, höfter, ben och fötter. Det är bara att kämpa på – ju mer desto bättre för *både* kropp och själ! Ja, du har väl märkt hur mycket bättre du mår *även psykiskt* av motion? Muskelträning resulterar ju i muskelstyrka. Du orkar mycket mer i ditt dagliga arbete, allting känns lättare och enklare att utföra. Du blir mycket mindre trött om du är vältränad och får ett angenämare liv med minskad trötthet. Rörelseorganen anpassar sig till träningen, skelettets hållfasthet förbättras, senor, ledbrosk och muskler klarar bättre av plötsliga slitningar som kan inträffa. Och sist, men inte minst, den ömtåliga ryggen – som 80 % av oss har ont i – blir starkare och klarar bättre av även långvarigt stående och sittande. Tänk på att

- ha omväxlande tempo med hårdkörning och avslappning
- alla rörelser är mjuka och avspända, utan onödiga slängar eller tänjningar
- alla tränar efter sin egen förmåga. Det får inte göra ont
- då och då lägga in perioder med extra kraftig hårdkörning, t ex svikthopp eller snabb löpning (intervallträning)

Det bästa av allt? Att springa ute i fin terräng i egen takt. Måste prövas några gånger så att man får in rytmen och känslan. Sedan kan man bara inte sluta! Det är så otroligt välgörande för kropp *och* själ. Våga pröva även du!

Öka motionen och ha roligt! 343

Magrare av motion?

Blir man smalare och lättare av motion? Ja, det blir man – men inte så mycket som man kanske tror och hoppas. Maten – eller bristen på mat – har betydligt större betydelse vid viktminskning. Men motionen har ändå så stor betydelse att man bör satsa också på den, så fort man bara kan. För motion = liv och därmed något lustbetonat. Motion har också stor betydelse för att huden inte blir slapp och hängig.

För varje liter syre som används i ämnesomsättningen frigörs 5 kcal (20 kJ). Vid förbränningen av 1 g fett frigörs 9 kcal (38 kJ) dvs det går åt knappt 2 liter syre. Om man t ex går 3 km i rask takt går det åt ca 100 kcal (420 kJ).

Två promenader/vecka under ett år medför en extra kaloriförbrukning, som motsvarar energimängden vid förbränning av 1 kg fett, dvs den fettmängd som ryms i nära 1 1/2 kg fettvävnad.

Det tar alltså mycket lång tid att gå ner i vikt enbart med hjälp av ökad motion. Dessutom tar det tid att utföra motionen, tid som vi inte alltid har möjlighet att avsätta.

Kaloriförbrukning vid olika aktiviteter

Behovet av kalorier (joule) är individuellt. Vikt, kön, ålder, arbete, sättet att röra sig m m inverkar och exakt hur mycket var och en behöver är inte så lätt att ta reda på. Vågen är kanske bästa hjälpmedlet. Man ska helst väga så som tabellen på s 325 anger. Kläderna brukar också avslöja hur det är ställt med figuren. Vi gör av med kalorier hela dygnet runt. När vi är stilla går det åt lite, när vi jobbar hårt, tar i ordentligt, går det åt mycket. Hur det fördelar sig ser du i följande tabeller.

Bra att komma ihåg: Ökad motion och oförändrad näringstillförsel innebär inte alltid att man minskar i vikt. I stället är det så att *fettet minskar* medan *muskelvävnaden ökar.*

Energiförbrukning under 24 timmar

Aktivitet	Kvinna		Man	
	Kalorier	Joule	Kalorier	Joule
Vila	1 400	6 000	1 800	7 560
Lätt arbete	2 000	8 400	2 500	10 500
Medeltungt arbete	3 000	12 600	4 000	16 800
Skogsarbete, 8 tim	–	–	5 000	21 000
Cykling, "Vättern runt"	10 000	42 000	13 000	54 600

Även om man är i stort sett helt stilla åtgår alltså energi för den s k grundomsättningen, dvs för att andas, tänka, smälta maten m fl aktiviteter som sker inuti kroppen. Observera den stora skillnaden mellan kvinnor (1 400 kcal) och män (1 800 kcal). På grund av mer underhudsfett och mindre utbildad muskulatur har kvinnor lägre grundomsättning än män. Utöver grundomsättningen tillkommer så energi för alla slags rörelser, antingen de ingår i arbetet eller utförs som mer eller mindre nöjesbetonad motion.

Energiförbrukning under 30 min

Aktivitet (utan pauser)	Kalorier	Joule
Motionsgymnastik	60–300	250–1 260
Promenad	90–160	380– 670
Dans (hambo ger högsta siffran)	120–270	500–1 130
Cykling	120–360	500–1 510
Skidåkning	150–360	630–1 510
Skridskoåkning	150–300	630–1 260
Badminton	160–200	670– 840
Löpning	300–600	1 260–2 520

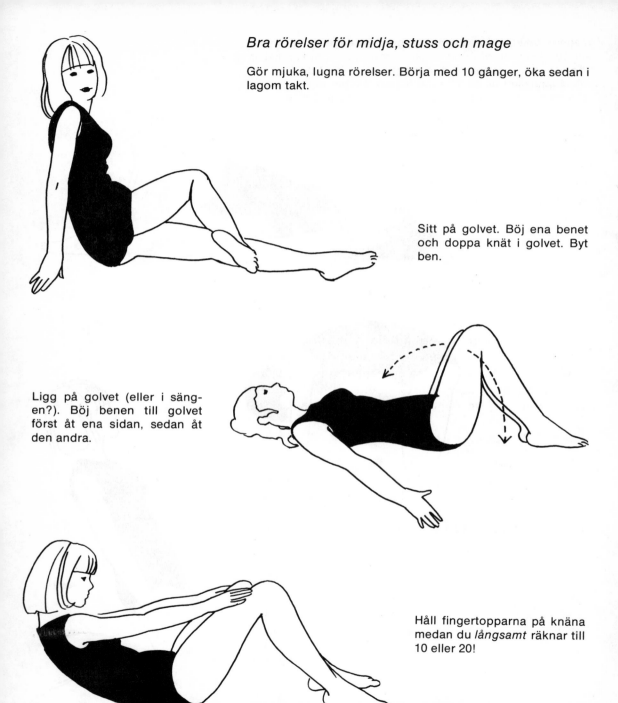

Bra rörelser för midja, stuss och mage

Gör mjuka, lugna rörelser. Börja med 10 gånger, öka sedan i lagom takt.

Sitt på golvet. Böj ena benet och doppa knät i golvet. Byt ben.

Ligg på golvet (eller i sängen?). Böj benen till golvet först åt ena sidan, sedan åt den andra.

Håll fingertopparna på knäna medan du *långsamt* räknar till 10 eller 20!

Magen i taket! Utföres varje morgon! På dagen — när ingen ser det — kan du göra en annan magrörelse som kan kallas ''Samla ihop magen''. Dra in magen så mycket du kan och räkna långsamt till 20. Gör det många gånger per dag — när du kammar dig, väntar på någon, lagar mat osv. Effektivt.

Rund rygg först — sedan svankrygg. Armar och ben stilla, bara ryggen rör sig.

Fäll bakåt med rak kropp sedan rakt upp.

Plocka "äpplen" högt på tå. Sedan "blåbär" med böjda knän.
Skönt att bryta av med i arbetet många gånger om dagen.

Hänga i stång

En stång i en dörr du ofta passerar kan göra underverk för en
värkande rygg. För ca 50-lappen får man en "ryggförsäkring"
som inte kräver mer än någon minuts uppmärksamhet var
dag. Men vilken minut. Jätteskön!
- Häng en kort stund
- Ha alltid fötterna i golvet
- Ha "långa axlar" och "tappa huvudet"
- Stussen mitt under stången
- Variera med att långsamt pendla knäna från sida till sida
- Variera också med att pendla stussen bakåt – framåt

Vattengymnastik

Alla slag av motion och rörelser ska vi passa på att utnyttja – ju mer desto bättre.

Att simma är en härligt skön form av motion men man behöver inte sträcksimma hela tiden man badar. Att plaska på ett medvetet sätt är också skönt antingen man badar ute eller inne.

Vattengymnastik är många gånger bättre än gymnastik på land. Vattnet bär upp kroppen – skönt om man väger väldigt mycket – samtidigt som det ger lagom motstånd. Simning stimulerar både andning och blodcirkulation och genom den ständiga samverkan mellan kropp och själ påverkas man också psykiskt av att simma och gymnastisera. Börja med att utföra alla rörelser 10 gånger och öka allteftersom du blir starkare.

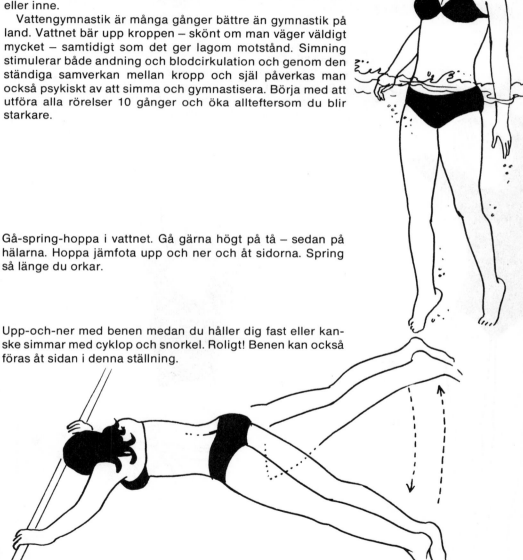

Gå-spring-hoppa i vattnet. Gå gärna högt på tå – sedan på hälarna. Hoppa jämfota upp och ner och åt sidorna. Spring så länge du orkar.

Upp-och-ner med benen medan du håller dig fast eller kanske simmar med cyklop och snorkel. Roligt! Benen kan också föras åt sidan i denna ställning.

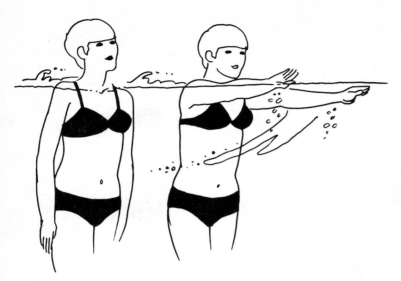

Att föra-armarna-åt-sidan el-
ler simma-med-bara-armarna
är extra skönt för överkropp
och armmuskler. Man kan väx-
la om med att föra armarna
upp till vattenytan — ner till ut-
gångsläget också.

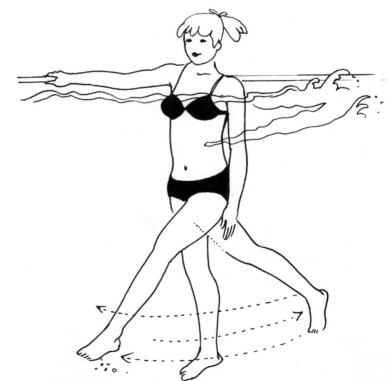

Sväng-benet-bakåt-framåt
medan du håller i någon kant.
Vänd och kör hårt med det
andra benet också.

Vrida-kroppen-för-midjans-skull.
Från vänster till höger. Stå
stadigt och ta i så mycket du
kan. Håll ihop fingrarna och
sträck handlederna så gör rö-
relsen extra nytta.

"Sitt aldrig still mer än 20 min i sträck. Gör dig ett
ärende upp, även om du inget har, och sträck dig högt
upp för att "plocka äpplen", böj dig för att "plocka blå-
bär". Det tar bara 25–30 sek. Och betyder sååå mycket!"
Stig Sjöde, gymnastikdirektör och friskvårdsexpert

Fasta

Fasta är det nu så populära nygamla sättet att snabbt komma i toppform. Ett mycket rationellt sätt att på bara 10–15 dagar bli piggare, gladare, lättare och snyggare! Kort sagt må mycket bättre än du gjort på många, många år. Det låter otroligt det medger jag gärna. Men vi som prövat vet att det stämmer. För att inte tala om hur många verkligt svåra sjukdomar som blir avsevärt mycket bättre! Och en del försvinner helt för att aldrig mer komma tillbaka. Att fasta har sådana här effekter är inga nyheter, tvärtom. Trots detta upplever nog de flesta av oss fasta och därefter gärna en vegetarisk period som något mycket annorlunda och främmande. Men spännande! Väl värt att pröva. Jag rekommenderar dock absolut att alla, som inte vet med sig att de är helt friska, prövar att fasta på något lämpligt ställe första gången, under sakkunnig ledning. Det är en stor förändring i livsföringen att bara tillföra vätska och alla reagerar olika de 2–3 första dagarna. Då är det skönt att ha någon erfaren fastare att prata med, som vet att det man känner är helt normalt, inte är farligt och snart går över.

Fasta är naturligt

I naturen har människan alltid kunnat hämta värdefulla råd och anvisningar om hur man bör leva på ett sunt och klokt sätt. Genom att lyssna lyhört och rätt tolka vad som händer har man kunnat dra många slutsatser beträffande vårt behov av aktivitet, vila, sömn och hur vi bör livnära oss. Om man tänker på hur tillgången på föda är i naturen och jämför med nuvarande mänskliga förhållanden, så finner man att tillgången i naturen alltid är mycket varierande och att nästan alla vilda djur under någon del av året lider stor brist på föda. Hos oss infaller den perioden under vinter och tidig vår, i t ex tropikerna under torrperioden. Till dessa ofrånkomliga förhållanden har naturen anpassat både djur och människor på ett synnerligen ändamålsenligt sätt genom att de reservdepåer i form av fett som alla har då tas i anspråk. Djuren klarar inte bara av svältperioderna med lätthet – de tycks t o m må bra av dem. Och den kritiska perioden är inte svältperioden utan tiden därefter med en alltför riklig tillgång på föda!

Eftersom människor gjort sig oberoende av detta genom att lagra livsmedel för året-runt-konsumtion går vi miste om fasteperiodernas välgörande inverkan. Och eftersom vi gjort ätandet till vår kanske främsta njutningskälla utsätter vi oss för stora hälsorisker med fetma, hjärt-kärlsjukdomar m m som följd. "Vi gräver vår grav med tänderna" är ett tänkvärt uttryck i detta sammanhang.

Fasta omnämns i Bibeln

Fasta omnämns i både Bibeln och Koranen som ett renings- och botemedel. Fastan är ett av Bibelns mest omtalade begrepp men har liksom mycket annat blivit nästan bortglömd ända tills man nu på många håll i världen börjat räkna med fasta på allvar. Experiment pågår vid många sjukhus och än är inte sista ordet sagt i denna kontroversiella fråga.

Varför behöver vi fasta?

Varför bör då nutidsmänniskan fasta? En del gör det av religiösa skäl men det stora flertalet av olika medicinska skäl. Om man ser fastan som en avgiftnings- och reningsprocess är det inte svårt att finna många motiv för att fasta. I ett samhälle där förgiftningsriskerna blir allt fler, bristen på rörelse och motion ökar och övergödning med både fett och protein tilltar, där har fastan en stor funktion att fylla. Fastans viktigaste uppgift är att genom en inre renings- och självläkningsprocess befria kroppen från en del, oundvikligt upplagrade, huvudsakligen sura ämnesomsättningsprodukter (s k slagg). Dessa produkter bildas vid all ämnesomsättning men i synnerhet om förbränningen är otillräcklig på grund av för lite – eller ingen! – motion, för riklig mängd föda, gifter i maten, jäkt, dålig matsmältning m m. Dessa slaggprodukter kan kroppen, då utsöndringsmöjligheterna är begränsade, tillfälligt lasta av i bindväven, det s k mesenkymet. Endast under fastan kan kroppen helt eller delvis ta igen det uppskjutna utsöndringsarbetet. Det gör den genom att förbränna halvsmälta upplagringar, fettdepåer och döda celler i brist på annan föda.

Som en inre vårstädning

Fasta påverkar både kropp och själ på ett förunderligt och mycket påtagligt vis. Man känner sig allt yngre och piggare ju längre man håller på och efter 7–8 dagar är man nästan som en ny människa. S k nekrohormoner från de förbrukade, döende cellerna stimulerar nämligen kroppen till att bilda nya, friska celler. En regeneration, dvs föryngring sker. Dessa processer gör att kroppen såväl förebygger sjukdomar som mer eller mindre botar kroniska sjukdomstillstånd av många slag. Framför allt sådana sjukdomar som beror på förändringar i bindvävens vitalitet och funktionsduglighet som vetenskapen hittills inte funnit någon förklaring på och som går under namnet mesenkymblockad.

Hit räknas reumatiska sjukdomar, de flesta hjärtkärlsjukdomarna, vissa njursjukdomar, fetma, oklara trötthetstillstånd, huvudvärk, allergier och en del mag-tarmsjukdomar. Även vissa organsjukdomar, t ex ögon- och leversjukdomar kan påverkas i positiv riktning under en fasta.

Fasta hjälper dock inte för allt. Cancer, tbc, hjärtfel och magsår är exempel på sjukdomar som inte botas med fasta. Så tänk på att inte fasta utan klartecken från läkare eller fastekunnig person om du inte är frisk. Då kan fastan naturligtvis försämra din situation istället för att förbättra den.

Varje frisk människa kan fasta utan olägenhet och bör göra det en eller ett par gånger om året. Däremot bör man inte fasta under t ex graviditet och barn bör heller inte – annat än i verkliga undantagsfall – fasta.

När ska man fasta?

När energikurvan är i dalande och man känner sig ur

form, försoffad och trött på ett onaturligt vis – då kan en fasta göra underverk. Lika väl som att bilens motor behöver gås igenom var 1000-de mil, lika väl behöver vår kropp med jämna mellanrum riktig vård under en tid. Resultatet blir detsamma – "motorn" fungerar bättre, vi får ny kraft och ork, blir piggare och gladare på alla sätt.

Om man kan fasta tidigt på våren är det speciellt bra. Då kan man möta våren och sommaren med lättare steg och njuta dubbelt av den nya livgivande skörden. På senvintern förlorar man inget på att avstå från den delvis halvårsgamla födan. Man kan då gärna passa på att göra slut på egna inre förråd av tvivelaktigt värde. I naturen är det just denna period som innebär fasta för de vilda djuren. Födan börjar ta slut och kroppen mår bra av en viloperiod.

Om man vill fasta andra tider på året går det också bra, men de allra kallaste månaderna kan man gärna undvika. Under en fasteperiod är det lite svårt att hålla värmen ordentligt, man känner sig lätt kall och ruggig så det är skönare om det inte är alltför kallt ute.

Var ska man fasta?

Helst i en lämplig miljö, rofylld och avkopplande. Då får man ut mest av sin fasta. Stadsluft, jäkt, buller, matos, vardagsbekymmer och gräl skall man vara så långt borta ifrån som möjligt. Tid och plats för rejäl motion bör också finnas samt plats för vila. Under en fasta är det kroppen som ska få bestämma och inte behöva anpassa sig som under det dagliga slitet.

Idealplatsen är lugna sköna platser på landet med tillgång till kunnig personal för dem som är sjuka eller fastar för första gången.

Många fastar nu med god behållning även under sitt arbete, gärna då i grupp. Är man mycket trött eller psykiskt instabil kan det vara bättre att vänta med att fasta. Det är trots allt en stor omställning för kroppen och fastan lyckas bäst om man är helt inställd på att det är något bra och riktigt man gör, något man längtat efter och trivs med.

Hur bör man fasta?

Fastan är inte någon svältkur eller bantningskur. De kilon man blir av med – ca 500 g/dag – kommer snart tillbaka om man inte ändrar sin livsföring och kost efter fastan. Under fastan "äter" man olika drycker med sked och tuggar precis som vanligt så att det bildas saliv. Men några fasta födoämnen äter man inte alls, inte ens grönsaker. Den vanligaste och behagligaste fasteformen är den där man "äter" utspädda osötade frukt- och grönsaksjuicer, örtteer och saltfri buljong och dricker rent vatten, gärna källvatten. Alla drycker ska vara kroppstempererade och man bör konsumera minst 2 1/2 liter per dag. Något mineralrikt pulver eller tabletter kan man komplettera med speciellt vid en längre tids fasta. Man kan också fasta på bara vatten!

Om man kan är det mest verksamt att fasta 8–10 dagar eller upp till 14 dagar första gången. I princip kan man dock hålla på både 20 och 25 dagar utan olägenhet om man känner sig pigg. Däröver bör man inte experimentera på egen hand även om man är en van fastare.

Förbered fastan väl

När du väl har bestämt dig för att börja fasta en viss dag är det klokt att förbereda kroppen på den kommande omställningen. Man kan då gärna leva på vegetarisk kost de närmaste dagarna före fastan, den sista dagen med fördel på bara frukt samt teer med laxerande verkan. Ät t ex så här så många dagar som möjligt:

Morgondryck som stimulerar magen drickes i små klunkar strax efter uppvaknandet. Växla om med kamomill-, malva- eller nyponte ev med lite honung i. Citron- eller potatisvatten är också lämpliga drycker. Katrinplommon- eller fikonspad likaså.

Frukosten kan gärna bestå av någon sorts filmjölk med müsli och en hel, färsk frukt.

Lunchen bör bestå av en rejäl grönsakstallrik av olika råa grönsaker. Ev också en bakad potatis men inget animaliskt fett såsom smör.

Kvällsmålet bör bestå av någon grov gröt, t ex råg-flingegröt eller kruskagröt med lätt sötat äppelmos eller rårörda lingon sötade med lite honung.

Mellanmålen bör alltid bestå av frukt och örtte.

Om du fastar hemma

Det är viktigt att fastan känns som en glad och positiv upplevelse. När man fastar hemma är det därför bra om man ordnar det lite extra trivsamt omkring sig och dukar prydligt med blommor och ljus, serverar sina drycker ur vackra glas och koppar och tar på sig värmande behagliga kläder som inte sitter åt m m. Man kan också låna eller köpa någon intressant bok eller en skiva med skön, avkopplande musik. Kort sagt göra det mysigt för sig, passa på att också ge själen en stimulerande viloperiod. Man bör ge sig tid att tänka, att bara "vara". Den tid det tar får man mångdubbelt igen sedan genom att man mår bättre och orkar jobba på ett helt annat sätt än förut. Dessutom bör man vara ute och röra på sig så mycket som möjligt. Frisk luft och nya vyer betyder alltid mycket för oss och under fastan är det extra viktigt att man kommer ut och vädrar lungorna.

Gå – lunka – löp alltefter ork och möjlighet. Motionens betydelse kan inte nog poängteras. Och så är det ju så roligt, viktigt också det!

Förslag till fastematsedel

Börja alltid med att "sätta fart på magen", dvs göra en kraftig utrensning. Ett drivande örtte eller katrinplommonspad är utmärkt att börja med om tarmen inte behöver så mycket hjälp. Likaså fikonspad och vatten efter 3–4 msk linfrö som legat i 1/2 liter vatten i 12 timmar (linfröna silas ifrån). Linfröavkok och även kamomillte är särskilt lämpliga för personer med mag-tarmkatarrer med omväxlande diarré och förstoppning. Personer med övervikt kan istället för linfrö ta psyllium = loppfrö. Dessa behöver endast ligga i vatten en halvtimme. Är magen frisk kan man också ta 2–6 Linellatabletter (utmärkt bra) eller 1–2 msk Glaubersalt, upplöst i ett glas vatten.

Många behöver komplettera utrensningen med lavemang eller t o m tarmsköljning på speciella kliniker. Att tarmen sköter sig är alltid A och O, "man mår så bra som ens tarm mår". Det låter överdrivet och främmande när man hör det första gången, men allteftersom man börjar tänka mer på det förstår man att just så är det.

Morgondryck samma som när man förbereder sig.

Kl 8.00 Frukost 2–3 dl frukt- eller grönsaksjuice utblandad med lika mängd varmt vatten till en kroppstempererad dryck. Välj t ex nypressade morötter, rödbetor, tomater, gurka, nässelsaft, apelsinjuice, äppelmust eller vad du tycker är gott. Tänk på att juicen ska vara osötad och att vattnet ska vara friskt och gott, helst ett rent källvatten.

Potatisvatten, som har basisk inverkan, mår många bra av. Lägg några skivor rå potatis i ett glas vatten över natten. Häll av vattnet så att potatis och stärkelse inte kommer med och drick potatisvattnet smaksatt med några droppar citron. Inte gott men nyttigt!

Kl 10.00 Mellanmål 2–4 dl örtte smaksatt med lite honung eller mjölksocker. Tänk på att inte ta för mycket honung, det verkar hämmande på utrensningen.

Kl 12.00 Lunch 2–3 dl juicer spädda med vatten, se frukost ovan. Växla så att dieten inte blir mer enformig än nödvändigt. I hälsobodarna finns massor av sorter att välja på om du inte vill pressa själv.

Kl 14.00 och 16.00 Mellanmål se ovan.

Kl 18.00 Middag 4–5 dl grönsaksbuljong av t ex Plantaforce eller något annat märke. Eller kanske hemlagad? Laga då buljongen så här: koka potatis, rödbetor, morötter, persilja, ev selleri, några lökar och kryddörter i rikligt med vatten i 2–3 timmar. Tillsätt också några matskedar linfrö och vetekli. Låt soppan stå på kall plats i 6–8 timmar, sila ifrån buljongen och servera den ljum. Smaksätt ev med lite soya t ex Tamari.

Kl 21.00 Kvällste 2–4 dl av något milt, lugnande örtte med melissa (hjärtans fröjd) humle eller valeriana (vänderot). Kamomill passar också bra.

Tänk på att dryckerna *alltid* ska vara ungefär kropps-tempererade. Det låter kanske inte så gott men det är faktiskt bäst när man vant sig. Ät dryckerna med sked och tugga väl, det är mycket viktigt att det bildas saliv även när man bara tillför vätska. I juicerna finns ju en hel del fasta partiklar som ska smältas i magen på vanligt vis. Genom att man i lugn och ro tuggar i sig dryckerna blir man också mätt, känner inte alls av den vanliga hetshungern. Minst 30 min bör man ha på sig till varje måltid. Man får absolut inte dricka dryckerna snabbt.

Att bryta fastan rätt

Det är väldigt viktigt att man bryter fastan på rätt sätt. Långsamt låter kroppen vänja sig vid fast föda igen. Minst 3 dagar efter en fasta ska man följa en mycket spartansk matsedel. Kan man fördröja det normala ätandet ännu längre, desto bättre. Man bör helst äta försiktigt lika länge som man har fastat. Alltså 10 dagar fasta + 10 dagar försiktigt ätande!

Bryt t ex fastan så här: Börja en dag vid lunchmåltiden och ät dina vanliga drycker. Avsluta med 1 mosad kokt potatis och tugga den riktigt väl. *Till middag:* Ät buljongen och avsluta med 1/2 skalat äpple och 1 dl fil.

Andra dagens lunch: Ät dina vanliga drycker först. Lägg till 1 skalad tomat + finhackad persilja och 1/2 portion potatismos. *Till middag:* Lägg lite finhackade grönsaker i buljongen, ev också en skivad potatis. Avsluta med banan och lättfil.

Tredje dagens lunch: Ät dina vanliga drycker först. Lägg till några späda, lättkokta grönsaker och droppa solrosolja över. Några matskedar kokt ris, gärna råris. *Till middag:* Först en liten skål finskurna grönsaker, sedan 1/2 portion kokt fisk eller kokta grönsaker och en skalpotatis. 1 portion färska bär och lite filmjölk.

Tänk på att *tugga mycket väl* när du börjar äta igen, minst 20 ggr per tugga, gärna mer. Ta god tid på dig, det är alltid viktigt men absolut nödvändigt efter en faste-period, annars gör magen uppror.

Hur känns det att fasta?

Många människor mår mycket bra, känner inga besvär alls under en fasteperiod. Andra känner, särskilt under de första 2–3 dagarna, en hel del obehag såsom extrem trötthet, illamående, oro och hetshunger. De får huvudvärk och känner av gamla krämpor.

Erfarenheten visar paradoxalt nog att den som känner besvär av fastan bäst behöver den! Så det gäller att hålla ut de första dagarna för sedan mår man bara allt bättre. De människor som får stora obehag redan när de hoppar över två, tre måltider är så uppladdade med ämnesomsättningsgifter att kroppen tar tillvara första bästa tillfälle att stjälpa av en del slagg och gifter till blodet för att utsöndra dem via njurarna.

Efter de första dagarna brukar besvären lätta betydligt men en viss frusenhet och ibland sömnbesvär kan kvarstå. Eftersom man äter så lite klarar sig kroppen med några timmars sömn mindre än normalt. Många sover också lättare, ytligare. Frusenheten beror också på den sparsamma tillgången på "bränsle", värmebildningen minskar och man känner sig lite frusen och ruggig.

Lagom motion i frisk luft, en kopp örtte med honung och ev ett lavemang kan lindra besvären snabbt och effektivt.

Den dagliga långpromenaden är av stor betydelse. Promenera gärna i trevligt sällskap. Det verkar avstressande och hjälper till att hålla tankarna borta från god mat och den egna kroppens reaktioner under fastan.

Hur känns det efteråt?

Underbart tycker de allra flesta. Känslan av befrielse är svår att beskriva. Den, som så mycket annat, måste upplevas. Kroppen känns lättare, man känner sig mera skärpt och klar, ren och fräsch inombords på ett fantastiskt sätt. Fortsätter man sedan med bättre kostvanor m m så sitter fastans verkan i länge, länge.

Många inbitna rökare har funnit att rökbegäret helt har försvunnit under en fasta. För många har det visat sig vara den bästa metoden att sluta röka.

Näringsvärdesberäkningar

På storkökssidan och i vissa veckotidningar kontrollerar man veckans matsedlar vad det näringsmässiga beträffar genom att köra matsedlarna i datamaskin. Det är intressanta siffror som datorn tar fram. Här visas exempel på hur några vanliga måltider ser ut i "sifferform". Jämför gärna med vad du dagligen behöver i tabellen på s 18–19. Mängden ingredienser är beräknad för en portion. Förslagen till smörgåsar som ingår i måltiderna innehåller i regel uppgift om 3 g fett. Bäst är dock om matfett undviks helt. I all synnerhet gäller detta när brödet har pålägg. Man kan också övergå till att använda minarin som bara är hälften så fett- och energirikt som smör eller bordsmargarin.

Förslagen innehåller 4 frukostar, 4 mellanmål och 10 lunch- eller middagsmål. Måltiderna är inte ordnade i veckodagsföljd utan man kan "plocka själv" som det passar var och en.

I en del av måltiderna ingår livsmedel som inte finns hela året runt och en del är billiga, en del lite dyrare och "finare".

Alltefter tillgång, årstid och pris får vi använda färska, djupfrysta eller konserverade produkter. Tomater och paprika är t ex dyrare vintertid – då kan vi välja de burkkonserverade istället. Ärter, bönor och grönsaksblandningar finns dels färska, dels djupfrysta och som burkkonserv. I exemplen på följande måltider är ingredienserna i recepten beräknade på rensad eller skalad vara, då ej annat anges, t ex lammkotlett och märgpipa med ben. När det gäller färsk frukt har man dock räknat med frukt med skal.

1. *Frukost:* Kokt ägg med leverpastej- och saltköttsmörgåsar. 1 glas lättmjölk, 1 glas aprikosjuice.

	Vikt g	Energi kJ	kcal	Pro- tein g	Fett g	Kol- hydrat g	Kal- cium mg	Järn mg	Vita- min A IE	Tia- min mg	Ribo- flavin mg	Askor- bin- syra mg	Total energi fördelning Protein %	Fett %
Ägg (kokt)	60	351	84	6,5	6,1	0,2	32	1,3	376	0,07	0,19			
Rågbröd	20	226	54	1,5	0,3	10,9	4	0,7	10	0,04	0,02			
Knäckebröd	12	188	45	1,0	0,5	8,9	4	0,4		0,03	0,01			
Paprika (röd)	10	13	3	0,1		0,7	1	0,1	147	0,01	0,01	20		
Gurka	20	8	2	0,1		0,3	3	0,1	6	0,01	0,02	1		
Aprikosjuice C-berikad	100	188	45	0,4	0,1	10,4	26	0,3		0,01	0,02	60		
Leverpastej	10	155	37	1,2	3,4	0,5	6	0,6	780	0,02	0,13			
Saltkött (1 skiva)	10	79	19	2,6	0,8		2	0,5			0,03			
Lättmjölk	200	335	80	6,8	1,0	10,2	246	0,2	300	0,08	0,36	2		
Matfett	3	96	23		2,5				90					
Total summa		1 639	392	20,2	14,7	42,1	324	4,2	1 709	0,27	0,79	83		
Avrundat/1000 kcal			52	38			830	11	4 400	0,70	2,1	210	21	35

2. *Frukost:* Grahamsgröt med svart vinbärspuré och lättmjölk. 1 äpple, 2 smörgåsar med leverpastej (men ej matfett).

	Vikt g	Energi kJ	kcal	Pro- tein g	Fett g	Kol- hydrat g	Kal- cium mg	Järn mg	Vita- min A IE	Tia- min mg	Ribo- flavin mg	Askor- bin- syra mg	Total energi fördelning Protein %	Fett %
Grahamsmjöl	40	565	135	4,0	1,0	26,8	14	1,6		0,17	0,05			
Rågbröd	20	226	54	1,5	0,3	10,9	4	0,7	10	0,04	0,02			
Franskbröd	20	213	51	1,4	0,2	11,0	3	0,7	5	0,05	0,02			
Leverpastej	20	310	74	2,5	6,8	1,1	12	1,2	1 560	0,05	0,26			
Lättmjölk	200	335	80	6,8	1,0	10,2	246	0,2	300	0,08	0,36	2		
Äpple	140	322	77	0,4	0,6	17,1	7	0,4	28	0,07	0,04	13		
Svart vinbärspuré berikad	25	151	36	0,2	0,2	8,2	14	0,2			0,01	25		
Total summa		2 122	507	16,8	10,1	85,3	300	5,0	1 903	0,46	0,76	40		
Avrundat/1 000 kcal			33	20			590	10	3 800	0,91	1,5	80	14	19

Källa: Råd om Mat av Statens Livsmedelsverk.

3. *Frukost:* Lättfil med cornflakes och katrinplommon. Grapefrukthalva. 2 smörgåsar med tomat och leverpastej (men ej matfett).

	Vikt g	Energi kJ	Energi kcal	Pro-tein g	Fett g	Kol-hydrat g	Kal-cium mg	Järn mg	Vita-min A IE	Tia-min mg	Ribo-flavin mg	Askor-bin-syra mg	Total energi fördelning Protein %	Total energi fördelning Fett %
Lättfil	200	335	80	6,8	1,0	10,2	246	0,2	26	0,08	0,36	2		
Flingor (cornflakes)	20	322	77	1,6	0,1	17,0	2	0,2			0,01			
Katrinplommon	70	661	158	1,4	0,4	36,5	27	2,0	393	0,06	0,10			
Rågbröd	20	226	54	1,5	0,3	10,9	4	0,7	10	0,04	0,02			
Knäckebröd	12	188	45	1,0	0,5	8,9	4	0,4		0,03	0,01			
Leverpastej	20	310	74	2,5	6,8	1,1	12	1,3	1 560	0,05	0,26			
Tomat (på brödet)	100	84	20	1,0	0,2	3,4	12	0,5	330	0,07	0,05	23		
Grapefrukt	150	146	35	0,5	0,2	7,5	17	0,5	5	0,06	0,03	39		
Total summa		2 272	543	16,3	9,5	95,5	324	5,8	2 324	0,39	0,84	64		
Avrundat/1 000 kcal				30	18		600	11	4 300	0,72	1,6	120	12	16

4. *Frukost:* Välling, 1 glas apelsinjuice och en bit morot. 2 smörgåsar med ost och kött och en aning matfett.

	Vikt g	Energi kJ	Energi kcal	Pro-tein g	Fett g	Kol-hydrat g	Kal-cium mg	Järn mg	Vita-min A IE	Tia-min mg	Ribo-flavin mg	Askor-bin-syra mg	Total energi fördelning Protein %	Total energi fördelning Fett %
Vällingpulver	35	724	173	7,8	5,3	22,3	225	3,5	300	0,18	0,35	10		
Vatten	250													
Rågbröd	20	226	54	1,5	0,3	10,9	4	0,7	10	0,04	0,02			
Ost 30+	20	243	58	6,2	3,2	0,3	190	0,1	81		0,08			
Matfett	6	192	46		5,0				180					
Franskbröd	20	213	51	1,4	0,2	11,0	3	0,7	5	0,05	0,02			
Hamburgerkött	20	121	29	4,1	1,3		2	0,6	3	0,03	0,03			
Morot	20	33	8	0,2	0,1	1,5	8	0,1	792	0,01	0,01	1		
Apelsinjuice	100	218	52	0,7	0,2	12,2	10	0,4	66	0,07	0,02	40		
Total summa		1 970	471	21,9	15,6	58,2	442	6,1	1 437	0,38	0,53	51		
Avrundat/1 000 kcal				46	33		940	13	3 100	0,80	1,1	110		

1. *Mellanmål:* Kaffe och 1 glas tomatjuice. Smörgås med smältost och paprikaring (ej matfett).

	Vikt g	Energi kJ	Energi kcal	Pro-tein g	Fett g	Kol-hydrat g	Kal-cium mg	Järn mg	Vita-min A IE	Tia-min mg	Ribo-flavin mg	Askor-bin-syra mg	Total energi fördelning Protein %	Total energi fördelning Fett %
Rågbröd	20	226	54	1,5	0,3	10,9	4	0,7	10	0,04	0,02			
Smältost 20+	20	205	49	6,2	2,4	0,4	200	0,1	63		0,08			
Tomatjuice	150	134	32	1,5	0,3	6,5	11	0,6	521	0,08	0,05	24		
Paprika (röd)	10	13	3	0,1		0,7	1	0,1	147	0,01	0,01	20		
Kaffe	–	–	–	–	–	–	–		–	–	–	–		
Total summa		578	138	9,3	3,0	18,5	216	1,5	741	0,13	0,16	44		
Avrundat/1 000 kcal				67	22		1 600	11	5 400	0,94	1,2	320	28	20

2. *Mellanmål:* 1 glas lättmjölk, 1 apelsin, smörgås med leverpastej och gurka.

	Vikt g	Energi kJ	Energi kcal	Pro-tein g	Fett g	Kol-hydrat g	Kal-cium mg	Järn mg	Vita-min A IE	Tia-min mg	Ribo-flavin mg	Askor-bin-syra mg	Total energi fördelning Protein %	Total energi fördelning Fett %
Lättmjölk	200	335	80	6,8	1,0	10,2	246	0,2	300	0,08	0,36	2		
Spisbröd	12	184	44	1,0	0,5	8,6	5	0,5		0,04	0,02			
Leverpastej	20	310	74	2,5	6,8	1,1	12	1,3	1 560	0,05	0,26			
Gurka	20	8	2	0,1		0,3	3	0,1	6	0,01	0,02	1		
Apelsin	125	192	46	0,9	0,3	10,0	33	0,3	45	0,08	0,04	48		
Total summa		1 029	246	11,3	8,6	30,2	299	2,4	1 911	0,26	0,70	51		
Avrundat/1 000 kcal				46	35		1 200	10	7 800	1,1	2,9	210	19	33

"En vanlig missuppfattning är att människan har förmåga att själv välja sin föda. Detta kan dessvärre på intet sätt anses vara fallet. Vårt födoämnesval är långtifrån optimalt, eftersom näringsrubbningar av typen tandröta, blodbrist på grund av för låg järntillförsel, fetma av överkonsumtion av energi förekommer i vårt land där den materiella standarden i alla avseenden skulle kunna ge oss möjligheter att äta en näringsriktig kost."

Professor Leif Hambræus, Uppsala

3. *Mellanmål:* 1 kopp choklad, 1/2 grapefrukt och smörgås med lite matfett, riven morot och 1/2 kokt ägg.

	Vikt g	Energi kJ	Energi kcal	Pro-tein g	Fett g	Kol-hydrat g	Kal-cium mg	Järn mg	Vita-min A IE	Tia-min mg	Ribo-flavin mg	Askor-bin-syra mg	Total energi fördelning Protein %	Fett %
Lättmjölk	200	335	80	6,8	1,0	10,2	246	0,2	300	0,08	0,36	2		
Kakaopulver	5	100	24	0,9	1,3	2,0	6	0,6			0,02			
Socker	5	88	21			5,0								
Rågbröd	20	226	54	1,5	0,3	10,9	4	0,7	10	0,04	0,02			
Ägg	30	176	42	3,3	3,0	0,1	16	0,7	188	0,04	0,09			
Morot	20	33	8	0,2	0,1	1,5	8	0,1	792	0,01	0,01	1		
Grapefrukt	150	146	35	0,5	0,2	7,5	17	0,5	5	0,06	0,03	39		
Matfett	3	96	23		2,5				90					
Total summa		1 200	287	13,2	8,4	37,2	297	2,8	1 385	0,23	0,53	42		
Avrundat/1 000 kcal				45	29		1 000	10	4 700	0,80	1,8	150	19	27

4. *Mellanmål:* Kaffe med socker och ett wienerbröd. (Rekommenderas dock ej.)

	Vikt g	Energi kJ	Energi kcal	Pro-tein g	Fett g	Kol-hydrat g	Kal-cium mg	Järn mg	Vita-min A IE	Tia-min mg	Ribo-flavin mg	Askor-bin-syra mg	Total energi fördelning Protein %	Fett %
Sockerbit	3	54	13			3								
Wienerbröd	40	753	180	2,4	10,3	17,9	18	1	373	0,04	0,02			
Kaffe	–	–	–	–	–	–	–	–	–	–	–			
Total summa		807	193	2,4	10,3	20,9	18	1	373	0,04	0,02			
Avrundat/1 000 kcal				12	53		98	5	1 900	0,2	0,1	5		50

"Andra hävdar att det ska stå var och en fritt att leva och äta som han vill och själv ta sina konsekvenser därav. Visst kan det så tyckas, men vi lever idag inte längre som enskilda individer oberoende av varandra utan i ett gemensamt samhälle med ansvar såväl för oss själva som andra. Vi kräver vissa sociala rättigheter av samhället som sjukförsäkring och pensionsförsäkring men då måste vi också acceptera att samhället har rätt att ställa krav på oss."

Professor Leif Hambræus, Uppsala

1. *Lunch- eller middagsmål:* Stekt makrillfilé med stuvad spenat, kokt potatis och citron. 1 glas lättmjölk, 1 apelsin.

	Vikt g	Energi kJ	Energi kcal	Pro-tein g	Fett g	Kol-hydrat g	Kal-cium mg	Järn mg	Vita-min A IE	Tia-min mg	Ribo-flavin mg	Askor-bin-syra mg	Total energifördelning Protein %	Fett %
Makrillfilé	125	916	219	23,0	13,4		26	1,4	250	0,08	0,25			
Matfett	7	226	54		5,8				210					
Skorpmjöl	5	84	20	0,6	0,3	3,7	1	0,2	10	0,01	0,01			
Spenat (djupfryst)	100	84	20	2,5	0,5	1,3	200	2,8	1 485	0,04	0,12	14		
Vetemjöl	8	117	28	0,7	0,1	6,0	1	0,4		0,03	0,01			
Skummjölkspulver	5	75	18	1,8	0,1	2,6	65		2	0,02	0,10			
Potatis	150	523	125	3,0	0,2	27,0	15	1,2	11	0,18	0,06	14		
Lättmjölk	200	335	80	6,8	1,0	10,2	246	0,2	300	0,08	0,36	2		
Citronklyfta	20	21	5	0,1		0,9	1			0,01		6		
Apelsin	150	234	56	1,1	0,3	12,0	39	0,3	17	0,09	0,05	57		
Total summa		2 615	625	39,6	21,7	63,7	594	6,5	2 285	0,54	0,96	93		
Avrundat/1 000 kcal				63	35		950	11	3 700	0,86	1,6	150	26	32

2. *Lunch- eller middagsmål:* Fiskgryta med kokt potatis och tomat. Ostsmörgås. 1 glas lättmjölk, 1 apelsin.

	Vikt g	Energi kJ	Energi kcal	Pro-tein g	Fett g	Kol-hydrat g	Kal-cium mg	Järn mg	Vita-min A IE	Tia-min mg	Ribo-flavin mg	Askor-bin-syra mg	Total energifördelning Protein %	Fett %
Koljafilé	125	377	90	21,1	0,4		24	1,3	13	0,08	0,20			
Grönsaksblandning	75	205	49	2,3	0,4	8,7	20	0,8	990	0,11	0,08	10		
Purjolök	50	54	13	0,8	0,1	2,3	30	1,0	165	0,06		13		
Potatis	150	523	125	3,0	0,2	27,0	15	1,2	11	0,18	0,06	14		
Tomat	60	50	12	0,6	0,1	2,0	7	0,3	198	0,04	0,03	14		
Knäckebröd	12	188	45	1,0	0,5	8,9	4	0,4		0,03	0,01			
Rågbröd	20	226	54	1,5	0,3	10,9	4	0,7	10	0,04	0,02			
Matfett	6	192	46		4,9				180					
Ost 30+	20	243	58	6,2	3,2	0,3	190	0,1	81		0,08			
Lättmjölk	200	335	80	6,8	1,0	10,2	246	0,2	300	0,08	0,36	2		
Apelsin	125	192	46	0,9	0,3	10,0	33	0,3	45	0,08	0,04	48		
Total summa		2 585	618	44,2	11,4	80,3	573	6,3	1 993	0,70	0,88	101		
Avrundat/1 000 kcal				72	18		930	10	3 200	1,1	1,4	170	29	17

3. *Lunch- eller middagsmål:* Apelsinstekt fläskfilé med sommargrönsaker och kokt potatis. 1 glas lättmjölk. Glass med blåbär.

	Vikt g	Energi kJ	Energi kcal	Protein g	Fett g	Kolhydrat g	Kalcium mg	Järn mg	Vitamin A IE	Tiamin mg	Riboflavin mg	Askorbinsyra mg	Total energifördelning Protein %	Total energifördelning Fett %
Fläskfilé	125	582	139	26,3	3,8		14	3,6		1,44	0,29			
Matfett	5	159	38		4,1				150					
Apelsin	150	234	56	1,1	0,3	12,0	39	0,3	54	0,09	0,05	57		
Sommargrönsaker	100	167	40	2,2		7,2	34	0,9	1 657	0,11	0,10	24		
Potatis	150	523	125	3,0	0,2	27,0	15	1,2	11	0,18	0,06	14		
Persilja	5	8	2	0,3		0,3	16	0,4	66		0,02	6		
Lättmjölk	200	335	80	6,8	1,0	10,2	246	0,2	300	0,08	0,36	2		
Glass	75	548	131	3,0	6,1	15,5	98	0,1	184	0,03	0,26			
Blåbär	100	197	47	0,8	0,3	10,1	20	1,6	33	0,04	0,07	16		
Total summa		2 753	658	43,5	15,8	82,3	482	8,3	2 455	1,97	1,21	119		
Avrundat/1 000 kcal				66	24		730	13	3 700	3,0	1,9	180	27	22

4. *Lunch- eller middagsmål:* Kyckling med grönsaker, sallad, tomat, gräddfilsås och kokt potatis. 1 glas lättmjölk. Ostsmörgås.

	Vikt g	Energi kJ	Energi kcal	Protein g	Fett g	Kolhydrat g	Kalcium mg	Järn mg	Vitamin A IE	Tiamin mg	Riboflavin mg	Askorbinsyra mg	Total energifördelning Protein %	Total energifördelning Fett %
Kyckling med ben	200	711	170	30,0	5,2		12	3,0		0,12	0,24			
Kycklinglever	5	29	7	1,1	0,2	0,1	1	0,4	1 610	0,01	0,12	1		
Ärter	60	218	52	3,8	0,1	8,5	11	1,1	139	0,02	0,12	8		
Majskorn	50	180	43	1,4	0,4	10,1	3	0,3	40	0,02	0,03	3		
Paprika (röd)	20	25	6	0,3	0,1	1,4	3	0,1	294	0,02	0,02	41		
Sallad	10	8	2	0,1		0,2	3	0,1	33	0,01	0,01	2		
Tomat	50	42	10	0,5	0,1	1,7	6	0,3	165	0,04	0,03	12		
Gräddfil (curry, dill)	50	297	71	1,6	6,0	2,2	55	0,1	150	0,02	0,08	1		
Potatis	100	347	83	2,0	0,1	18,0	10	0,8	7	0,12	0,04	9		
Lättmjölk	200	335	80	6,8	1,0	10,2	246	0,2	300	0,08	0,36	2		
Franskbröd	20	213	51	1,4	0,2	11,0	3	0,7	5	0,05	0,02			
Matfett	3	96	23		2,5				90					
Ost 30+	20	243	58	6,2	3,2	0,3	190	0,1	81		0,08			
Total summa		2 744	656	55,2	19,1	63,7	543	7,2	2 914	0,51	1,15	79		
Avrundat/1 000 kcal				84	29		830	11	4 400	0,78	1,8	120	35	27

5. *Lunch- eller middagsmål:* Rotfruktsgryta med nötkött, 1 glas lättmjölk, ostsmörgås. Keso med ananasringar

	Vikt g	Energi kJ	Energi kcal	Pro-tein g	Fett g	Kol-hydrat g	Kal-cium mg	Järn mg	Vita-min A IE	Tia-min mg	Ribo-flavin mg	Askor-bin-syra mg	Total energi fördelning Protein %	Fett %
Bog. märgpipa m ben	75	561	134	11,7	9,3		7	1,8	19	0,08	0,09			
Potatis	100	347	83	2,0	0,1	18,0	10	0,8	7	0,12	0,04	9		
Kålrot	50	75	18	0,5	0,1	3,6	20	0,3	33	0,03	0,03	13		
Purjolök	50	54	13	0,8	0,1	2,3	30	1,0	165	0,06		13		
Morot	50	79	19	0,5	0,2	3,8	19	0,3	1 980	0,03	0,04	3		
Persilja	2	4	1	0,1		0,1	7	0,2	26		0,01	2		
Lättmjölk	200	335	80	6,8	1,0	10,2	246	0,2	300	0,08	0,36	2		
Rågbröd	20	226	54	1,5	0,3	10,9	4	0,7	10	0,04	0,02			
Matfett	3	96	23		2,5				90					
Ost 20+	20	205	49	6,2	2,4	0,4	200	0,1	63		0,08			
Färskost	100	444	106	13,6	4,2	2,9	94	0,3	170	0,03	0,25			
Ananas	150	490	117	0,6	0,2	31,7	44	0,9	40	0,11	0,03	14		
Total summa		2 916	697	44,3	20,4	83,9	681	6,6	2 903	0,58	0,95	56		
Avrundat/1 000 kcal				64	29		980	10	4 200	0,84	1,4	80	26	27

6. *Lunch- eller middagsmål:* Lever Anglais (bacon, rödbetor och kapris), kokt potatis, vaxbönor och tomat. 1 glas lättmjölk. Ost med druvor och bröd.

	Vikt g	Energi kJ	Energi kcal	Pro-tein g	Fett g	Kol-hydrat g	Kal-cium mg	Järn mg	Vita-min A IE	Tia-min mg	Ribo-flavin mg	Askor-bin-syra mg	Total energi fördelning Protein %	Fett %
Nötlever	100	552	132	20,3	4,5	1,7	12	10,0	20 000	0,30	2,90	30		
Bacon	20	536	128	2,4	12,7	0,1	1	0,4		0,13	0,03			
Rödbetor (kapris)	50	88	21	0,5	0,1	4,9	11	0,4	4	0,01	0,02	3		
Potatis	100	347	83	2,0	0,1	18,0	10	0,8	7	0,12	0,04	9		
Mjöl (till panering)	5	75	18	0,4	0,1	3,7	1	0,3		0,02	0,01			
Vaxbönor	75	75	18	1,1	0,2	3,9	34	1,1	25	0,02	0,04	4		
Tomat	60	50	12	0,6	0,1	2,0	7	0,3	198	0,04	0,03	14		
Lättmjölk	200	335	80	6,8	1,0	10,2	246	0,2	300	0,08	0,36	2		
Kuvertbröd	25	268	64	1,8	0,2	13,7	3	0,8	7	0,06	0,03			
Ost 30+	30	364	87	9,4	4,9	0,4	285	0,1	122	0,01	0,12			
Vindruvor	100	297	71	0,8	0,4	15,7	17	0,5	13	0,04	0,06	6		
Total summa		2 987	714	46,1	24,3	74,3	627	14,9	20 676	0,83	3,64	68		
Avrundat/1 000 kcal				65	34		880	21	29 000	1,2	5,1	100	27	32

7. Lunch- eller middagsmål: Grönsaksfylld köttfärs med potatis, sallad och tomat. 1 glas lättmjölk. Nyponsoppa, små skorpor.

	Vikt g	Energi kJ	Energi kcal	Pro-tein g	Fett g	Kol-hydrat g	Kal-cium mg	Järn mg	Vita-min A IE	Tia-min mg	Ribo-flavin mg	Askor-bin-syra mg	Total energi fördelning Protein %	Total energi fördelning Fett %
Märgpipa (mald)	80	598	143	12,5	9,9		7	1,9	20	0,08	0,10			
(Skorpmjöl)	5	84	20	0,5	0,3	3,6	1	0,2	10	0,01				
Potatis (mald)	30	105	25	0,6		5,4	3	0,2	2	0,04	0,01	2		
Lök	5	8	2			0,3	2							
Skummjölkspulver	5	75	18	1,8	0,1	2,6	65		2	0,02	0,10			
Matfett	5	163	39		4,1				150					
Soppgrönsaker	100	188	45	2,7		7,6	58	2,0	1 218	0,17	0,09	25		
Potatis	100	347	83	2,0	0,1	18,0	10	0,8	7	0,12	0,04	9		
Sallad	20	13	3	0,3		0,5	5	0,1	66	0,01	0,01	4		
Tomat	50	42	10	0,5	0,1	1,7	6	0,3	165	0,04	0,03	12		
Lättmjölk	200	335	80	6,8	1,0	10,2	246	0,2	300	0,08	0,36	2		
Nyponsoppa	100	628	150	0,3	0,5	34,9	77	0,6	528			125		
Skorpor	30	502	120	3,3	1,8	21,9	8	1,2	59	0,08	0,03			
Total summa		3 088	738	31,3	17,9	106,7	488	7,5	2 527	0,65	0,77	180		
Avrundat/1 000 kcal				43	24		660	10	3 400	0,88	1,1	240	17	23

8. Lunch- eller middagsmål: Blodpudding med lingonsylt, råkost av morötter och ärter, citronklyfta. 1 glas lättmjölk, bröd, ost, 1/2 grapefrukt.

	Vikt g	Energi kJ	Energi kcal	Pro-tein g	Fett g	Kol-hydrat g	Kal-cium mg	Järn mg	Vita-min A IE	Tia-min mg	Ribo-flavin mg	Askor-bin-syra mg	Total energi fördelning Protein %	Total energi fördelning Fett %
Blodpudding	125	1 490	356	10,5	23,5	23,0	23	16,0	163	0,10	0,06			
Lingonsylt	50	393	94	0,1		22,8	7	0,2				3		
Morötter	100	159	38	1,0	0,3	7,5	38	0,6	3 960	0,06	0,07	6		
Ärter (djupfrysta)	25	92	22	1,6	0,1	3,6	5	0,5	58	0,01	0,05	3		
Citronjuice	10	8	2			0,8						5		
Grapefrukt	150	146	35	0,5	0,2	7,5	17	0,5	5	0,06	0,03	39		
Lättmjölk	200	335	80	6,8	1,0	10,2	246	0,2	300	0,08	0,36	2		
Kuvertbröd	35	372	89	2,5	0,3	19,2	5	1,2	9	0,09	0,04			
Ost 20+	20	205	49	6,2	2,4	0,4	200	0,1	63		0,08			
Total summa		3 200	765	29,2	27,8	95,0	541	19,3	4 558	0,40	0,69	58		
Avrundat/1 000 kcal				38	36		710	25	6 000	0,53	0,91	80	16	34

9. Lunch- eller middagsmål: Lammkotlett med potatis och broccoli. Aprikoskompott med mjölk. Knäckebröd, 1 glas lättmjölk.

	Vikt g	Energi kJ	Energi kcal	Pro-tein g	Fett g	Kol-hydrat g	Kal-cium mg	Järn mg	Vita-min A IE	Tia-min mg	Ribo-flavin mg	Askor-bin-syra mg	Total energi fördelning Protein %	Total energi fördelning Fett %
Lammkotlett	100	1125	269	16,9	21,5		9	2,4	45	0,19	0,24			
Matfett	3	96	23		2,5				90					
Potatis	150	523	125	3,0	0,2	27,0	15	1,2	11	0,18	0,06	14		
Broccoli	100	167	40	3,9	0,2	5,4	37	1,0	594	0,05	0,12	96		
Persilja	5	8	2	0,3		0,3	16	0,4	66		0,02	6		
Knäckebröd	12	188	45	1,0	0,5	8,9	4	0,4		0,03	0,01			
Aprikoser (tork)	50	519	124	2,1	0,2	27,6	44	2,3	1073		0,08	6		
Mjölk	100	259	62	3,4	3,0	4,8	120	0,1	75	0,04	0,18	2		
Lättmjölk	200	335	80	6,8	1,0	10,2	246	0,2	300	0,08	0,36	2		
Total summa		3220	770	37,4	29,1	84,2	491	8,0	2254	0,57	1,07	126		
Avrundat/1 000 kcal				49	38		640	11	2900	0,75	1,4	160	20	35

10. Lunch- eller middagsmål: Grönkålssoppa med kokt ägg och ostsmörgås. Kokt hälle-flundra (eller blåkveite) med potatis, tomat och citronsås. 1 glas lättmjölk

	Vikt g	Energi kJ	Energi kcal	Pro-tein g	Fett g	Kol-hydrat g	Kal-cium mg	Järn mg	Vita-min A IE	Tia-min mg	Ribo-flavin mg	Askor-bin-syra mg	Total energi fördelning Protein %	Total energi fördelning Fett %
Grönkål (djupfryst)	100	155	37	3,9	0,6	3,7	225	2,2	2475	0,12	0,35	30		
Mjöl	5	75	18	0,4	0,1	3,7	1	0,3		0,02	0,01			
Matfett	5	159	38		4,1				150					
Buljong	200	33	8	2,0			2	0,8			0,04			
Ägghalvor 2 st	55	322	77	6,0	5,6	0,2	30	1,2	345	0,07	0,17			
Hälleflundra	150	766	183	26,9	7,8		30	1,5	450	0,15	0,27			
Matfett	3	96	23		2,5				90					
Potatis	150	523	125	3,0	0,2	27,0	15	1,2	11	0,18	0,06	14		
Mjöl	5	75	18	0,4	0,1	3,7	1	0,3		0,02	0,01			
Lättmjölk	100	167	40	3,4	0,5	5,1	123	0,1	150	0,04	0,18	1		
Citronjuice	5	4	1			0,4						3		
Tomat	60	50	12	0,6	0,1	2,0	7	0,3	198	0,04	0,03	14		
Rågbröd	20	226	54	1,5	0,3	10,9	4	0,7	10	0,04	0,02			
Matfett (till bröd)	3	96	23		2,5				90					
Lättmjölk	200	335	80	6,8	1,0	10,2	246	0,2	300	0,08	0,36	2		
Ost 30+	20	243	58	6,2	3,2	0,3	190	0,1	81		0,08			
Total summa		3325	795	61,1	28,6	67,2	874	8,9	4350	0,76	1,58	64		
Avrundat/1 000 kcal				77	36		1100	11	5500	0,97	2,0	80	32	34

Receptregister

Vegetariska rätter